世纪中国论坛典藏文库

# 人类行为的经济分析

## The Economic Approach to Human Behavior

Gary S. Becker
[美]加里·S. 贝克尔 著　王业宇 陈琪 译

格致出版社　上海人民出版社

## 出版说明

出版作为人类思想和智慧的凝结，集聚了发明创造和社会实践的经验与成果，推动了人类文明进步。飞速发展的数字和互联网技术并未削弱出版业的这一功能，反而前所未有地促进了其创新发展。

长期以来，上海世纪出版集团始终以弘扬主旋律、引领学术思潮、关注时代命题为己任，并围绕中国发展的重大事件、重大战略决策和重大理论问题举办“世纪中国论坛”。结合2016年“世纪中国论坛”，上海世纪出版集团融合移动端、语音端等新技术，以纸电一体同步发布的方式隆重推出《世纪中国论坛典藏文库》，实现了出版方式与互联网、新技术、新模式的融合发展，表达了出版人在奉献好书的同时，努力践行社会责任、文化理想的使命追求。

《世纪中国论坛典藏文库》聚焦中国经济的长期增长主题，荟萃了诺贝尔经济学奖得主、熊彼特奖得主和中国经济学杰出贡献奖得主等中外著名经济学家的扛鼎之作，著译并重，经典闪耀。

著名经济史学家安格斯·麦迪森早在1998年出版的《中国经济的长期表现》英文版中就预言，中国可能在2015年成长为世界最大的经济体，从而恢复它在1890年之前所享有的世界经济地位。2014年，在《中国的奇迹：发展战略与经济改革》出版20周年之际，经济学家林毅夫在为图书新版撰写的长篇序言中特别指出："出乎主流经济学界预料之外的是，中国经济在此书出版后20年却基本沿着我们在书中所预测的增长轨迹前进。"

然而，中国经济自2012年增速明显减慢，国内生产总值（GDP）增长率一直处于下行趋势。经济学家们所预言的奇迹或增长赖以产生的基础是否改变？对于未来，我们是否还有足够的信心？

首届中国经济学杰出贡献奖得主吴敬琏在专著《中国增长模式抉择》第一版（2005年）中，就指出了转型、结构调整不能取得成效的很多具体原因，归结到一点，就是存在体制性障碍，核心内容就是政府仍然在资源配置中起决定性的作用，抑制或排除了市场的作用。他在第四版的序言中写道："中国在21世纪面对着两个必须解决的问题，一个是体制改革，一个是发展转型。"

无独有偶，中国经济改革研究的先驱巴里·诺顿在《中国经济:转型与增长》一书中，全面描述和评价了1949年以来的中国经济，并把中国的制度转型放在经济增长的大框架里论述，既突出了转型对中国经济增长的必要性，也突出了转型对中国经济增长的促进作用。

显然，制度转型不可能一蹴而就。诺奖得主道格拉斯·诺思和斯坦福大学教授青木昌彦在各自的经典作品《制度、制度变迁与经济绩效》与《比较制度分析》中，分别从东西方的不同视角阐释了制度的内涵，揭示了制度在经济发展和绩效中的作用。

公共选择理论的奠基者曼瑟·奥尔森的遗著《权力与繁荣》则提出了“强化市场型政府”这一分析经济增长的前沿性概念，为金融危机后的亚洲以及其他发展中国家的治理演变和经济政策提供了有用的分析框架。

对于那场起始于亚洲的金融危机，沈联涛用《十年轮回：从亚洲到全球的金融危机》一书进行了详细的解剖，并警示我们2017年可能发生的另一场全球金融危机。对于可能引发危机的高杠杆问题，瑞典的邓达德等在《新国富论：撬动隐秘的国家公共财富》一书中给出了全新的解决方案，并因此被《经济学人》和《金融时报》推荐为2015年度图书。

根据“十三五”规划的蓝图，中国经济将保持中高速增长，到2020年国内生产总值和城乡居民人均收入比2010年翻一番。2015年11月，习近平总书记提出要着力加强供给侧结构性改革，这是实现收入翻番的必由之路，其目标就是通过消除生产要素供给能力和配置效率以及全要素生产率提高的体制性障碍，消除经济运行中不平衡、不协调、不可持续的因素，一方面挖掘传统增长动能的潜力，另一方面开启新的可持续增长动能，最终实现经济增长方式的转变。正如习近平总书记指出的：“中国共产党人和中国人民完全有信心为人类对更好社会制度的探索提供中国方案。”我们将以出版更多的精品力作传播道路自信、理论自信、制度自信和文化自信，为实现中华民族伟大复兴的中国梦作出贡献。

《世纪中国论坛典藏文库》编委会

2016年7月

# 译者的话

## 一

在人文科学领域名声显赫的“芝加哥学派”聚集了不少当今世界最优秀的经济学家，20世纪50年代以来经济学的重大进展可以说或多或少地均与这个学派的经济学家有关。米尔顿·弗里德曼、西奥多·舒尔茨、乔治·施蒂格勒、罗纳德·科斯都是这个学派的杰出代表。这个学派的另一位头面人物就是诺贝尔经济学奖获得者、以“经济分析”研究“非经济问题”著称于世的加里·贝克尔。

加里·贝克尔生于1930年。1955年获芝加哥大学经济学博士学位，1970年以后一直在芝加哥大学执教，在该校担任经济学和社会学教授。1992年，贝克尔获得诺贝尔经济学奖。2014年辞世。他的《人力资本》和《家庭论》早已被奉为经济学中的经典；与芝加哥学派的其他人物一样，贝克尔抱守“经济人”的信条，坚持用经济人假设（即寻求最大利益的理性代表的假设）解释人类行为，坚信市场机制能够为组织更好地解决大多数经济和社会问题；与舒尔茨一样，贝克尔主张资本概念的扩展性和普遍性；与弗里德曼一样，他主张有效的理论不只是对现实生活的一种文字描述，而应作为预测未来的工具；与施蒂格勒一样，他强调信息和劳动市场调查的重要性，然而，贝克尔的历史性贡献在于他对经济学的研究方法，或曰“经济分析”有着更为透彻、更为精辟的见解，从而把传统上属于社会学、人口学、教育学、政治学、法律学以及社会生物学等其他人文学科研究的课题统统纳入了经济学的研究领域，大大开拓了经济学的视野，丰富了经济学的内容。在贝克尔看来，政客也罢、知识分子也罢，经商也罢、从戎也罢，独身也好、结婚也好，利己主义也好、利他主义也好，各种人的各种活动的目的只有一个，那就是追求效用最大，而不管这些人的职业或这些人的活动是否具有商业性质。换句话说，人类的一切活动都蕴含着效用最大化动机，都可以运用经济分析加以研究和说明。

## 二

《人类行为的经济分析》集中体现并代表了贝克尔的学术思想和学术成就，这是因为：首先，贝克尔在本书中第一次明确阐述了他的研究方法，他的那些研究成果不过是这种研究方法的逻辑延伸和具体化，换言之，读者完全可以循着这一思路在人文科学领域里进行任何一个问题的研究；其次，本书是一部特殊的文集，绝大部分章节的内容由贝克尔从他已发表的诸多论述中精心采撷、编纂而成，各个章节具有相对独立性，各章之间又彼此关联。

《人类行为的经济分析》共由七篇组成。第1篇是方法论的阐述，其余六篇则是这种方法论的进一步发挥，也就是经济分析的具体应用。贝克尔在第1篇中指出，经济学之所以成为一门科学，其原因不在于它的研究对象或种种定义，而在于它的研究方法。经济分析由经济人、市场均衡和偏好稳定三种假定有机构成。经济人追求最大效用。效用的来源可以是市场上的商品或劳务，也可以是声望、尊严等其他一些非货币因素。效用最大化动机的基础是物竞天择的自然法则。效用最大化的实现过程是人的基本偏好(basic tastes)的满足。基本偏好决定了偏好类型(preference patterns)，偏好类型相对稳定，并不因人因时或因地而异。偏好的实现需要相应的资源，而资源的分配通过市场进行，这些市场能够有效地调整参与者的行为。效用最大化、市场均衡和偏好稳定三位一体，构成了贝克尔的“经济分析”。

对歧视现象的经济解释构成本书第2篇的内容，这也是贝克尔从传统的经济学研究领域迈向“非经济领域”进行其开创性研究的第一步。贝克尔指出，经济上的不平等并不必然意味着歧视的存在。收入上的差异也许与种族、性别有关，但收入的变化反映着边际生产力和工作时数的变化，教育程度、工作技能和工作经验等因素都会造成这种变化。排除了这些因素的余项才是歧视的体现。研究表明，歧视不像人们通常认为的那样能够增加歧视者的收入，而是使歧视者和被歧视者同时蒙受损失。要维持歧视，或者说要购买歧视，歧视者就要支付相应的费用。歧视纯属一种偏好，像任何一种商品或劳务一样，对它的消费取决于收入和价格这样一些变量。

本书第3篇主要阐述了犯罪行为和对付犯罪的公共政策。当预期效用超过将时间和其他资源用于其他活动所带来的效用时，一个人才会去犯罪。一些人成为“罪犯”不在于他们的基本动机与别人有什么不同，而在于他们的利益较之成本存在的差异。因此，犯罪行为理论只是一般选择理论的扩展，用不着诉诸道德的颓废、心理机能的欠缺以及先天遗传等特殊范畴。

第4篇围绕人力资本、时间分配和家庭生产进行了探讨。人力资本与物质资本是两种不同形态的资本。对人的投资形成人力资本，这种投资包括正规教育、在职培训、医疗保健、迁移以及收集价格与收入的信息等多种形式。人力资本投资是一种影响未来货币和消费的投资。当预期效用大于当前支出所带来的效用时，人们便会进行这项投资。

长期以来，闲暇被视为一种可供选择的商品，闲暇的增多意味着工作时间的减少，也就是劳动供给的减少。贝克尔则认为，不应把闲暇作为一个独立范畴，所有闲暇都含有某种消费，所有消费活动都含有某种闲暇。人们不是在工作与闲暇之间进行选择，而是在不同消费活动之间作出抉择。市场活动时间（工作）与非市场活动时间（闲暇）的最佳组合可以使消费者获得最大效用。

家庭是一个积极、主动的生产单位，生产健康、尊严等一系列特殊商品。家庭生产所投入的要素既有购自市场的商品与劳务，还有时间和环境要素。在现代社会中，生产力的不断提高导致个人实际工资的增加，因而时间的机会成本即时间的价值增加了。

生产要素之间相对价格的改变发展到一定程度就会引起生产过程的改变。新的产品或劳务之所以层出不穷，并不是层出不穷的需求或偏好所致，改变的只是实现这种需求或偏好的生产方法。所以，无须借助需求或偏好的外在变化，只要利用生产要素价格的相对变化就能解释全部家庭消费行为及有关变化。

非理性行为的基本含义是什么？非理性行为真的没有理性吗？在本书第5篇，贝克尔区分了非理性的两种基本含义：冲动和惰性，前者与概率问题相联系，后者受过去选择的影响。通过对冲动模型和惰性模型的深入考察，贝克尔得出了这样一条重要结论：非理性单位（厂商、家庭或个人）因机会的变化往往被迫做出理性的反应。

第6篇的主题是婚姻、生育和家庭。婚姻存在于各个社会和各个时期。当“合伙”的预期收益超过保持独身或继续寻找配偶所担负的成本时，个人便会选择结婚。促使人们做出结婚决策的那些变量的重大变化将使他们重新考虑他们做出的抉择。收入的高低、寻找配偶的时间的长短、对配偶的了解程度、办理离婚的难易等因素都会影响婚姻的稳定性。

生儿育女通常要有食物、衣物和学费等方面的支出，还要占用父母的时间。这种时间也是一种支出，因为存在着机会成本。在贝克尔看来，生儿育女如同购买某种耐用消费品。人们“购买”子女乃是因为他们预期能够获得的效用足以补偿他们的那些支出。子女会同其他耐用消费品争夺家庭预算的比例或份额，增加子女意味着减少其他消费。子女数量与质量随家庭的收入及子女的“购买”价格的变化而变化。一般来说，对子女的需求同对其他耐用消费品的需求一样随收入的增加而增加，但由于父母时间的价值的增加提高了这些子女的相对价格，因而家庭规模或子女数量随收入的增加而减小。

经济人假设同利他主义行为似乎是十分抵触、格格不入的，要想使经济分析在“非经济领域”站稳脚跟就不得不面对利他主义。本书最后一个部分即第7篇的主要任务就是通过“社会相互作用理论”对利他主义做出一个完整的说明。利他主义在市场上是罕见的，在家庭里却是较为普遍的，这是因为利他主义在市场上没有什么收益，而在家庭里却可以提高家庭成员抵御灾变和其他不测事件的能力，分散风险和损失。利他主义对家庭的支配如同利己主义对市场的支配。社会“仿佛”是一个扩大的家庭。在这样一个松散的结构中，利他主义也是存在的。利他主义随其投入要素的费用结构而变化。时间的价值愈高，利他主义的供给就愈少。要建立一个利他主义的社会，关键不在于改变人，而在于改变人周围的费用结构。

本书第6篇、第7篇实际上可以说是贝克尔《家庭论》的一个提纲或内容摘要。马歇尔曾以企业为出发点建立了微观经济学的体系，贝克尔则借助经济分析通过对家庭的全面阐述最终建立了以家庭为主体的微观经济学体系。

贝克尔运用他的经济分析解释了人类行为的许多方面，解释了大量存在且最有代表性的社会现象。当然，经济分析所能运用的领域还远不止这些，贝克尔的全部分析也仅仅是一场思想革命的开始。

## 三

像任何思想变革来临时遇到的情况一样，贝克尔的学说出现时遇到了极端的“歧视”。他的文章迟迟得不到发表，保守的学术同行在公开场合对他的观点讥笑嘲讽。然而，随着时间的推移，越来越多的人接受了贝克尔的主张，经济分析在解释许多“非经济现象”方面获得了空前的成功。但是，贝克尔指出，有些现象还有待经济分析做出同样深刻的解释，有些解释还不够完善，不过，诚如贝克尔所说，有限的成功出自有限的努力，经济分析的力量和它所展示的远大前景是毋庸置疑的。

# 目　录

CONTENTS

# 第 1 篇

# 导　　言

经济学已经进入第三阶段。在第一阶段，人们认为经济学仅限于研究物质资料的生产和消费结构，仅此而已（即传统市场学）；到了第二阶段，经济理论的范围扩大到全面研究商品现象，即研究货币交换关系；今天，经济研究的领域业已囊括人类的全部行为及与之有关的全部决定。经济学的特点在于，它研究问题的本质，而不是该问题是否具有商业性或物质性。因此，凡是以多种用途为特征的资源稀缺情况下产生的资源分配与选择问题，均可以纳入经济学的范围，均可以用经济分析加以研究。

# 1

# 人类行为的经济分析*

经济是充分利用人生的艺术。

——萧伯纳

本书运用“经济分析”这种方法试图说明不同背景与场合下的人类行为。关于经济分析的特点人们很少发生争议，但要确切说明经济分析何以有别于社会学、心理学、人类学、政治学乃至遗传学的分析则并非轻而易举。本章旨在深入阐明经济分析的根本性质。

首先考虑不同学科的定义。至少有三种不同类型的经济学定义广为流行；据此，经济学研究：(1)满足物质需要的物质产品的分配；①(2)市场领域；②(3)稀缺资源如何在各种可供选择的目标之间进行分配。③

基于物质产品的经济学定义十分狭隘和乏味，它既没有恰当地表述市场领域的活动，也没有恰当地表述经济学家要

* 感谢 Joseph Ben-David，Milton Friedman，Victor Fuchs，Robert T.Michael，Jacob Mincer，Richard Posner 和 T.W.Schultz 等人提供的有价值的评论。特别感谢 George J.Stigler 提供的大量探讨、评论和鼓励，感谢 Robert K.Merton 从社会学家的角度对我此文早先的草稿提出的大量有帮助的回应。由于我在此文中有一些不同于这些专家的思想，因此有必要声明文责自负。

做的事情；因为，目前美国物质产品的生产所提供的就业量不到市场就业总量的一半，劳务部门的产值高于物质产品部门的产值（参见 Fuchs，1968）。而且，经济学家已把在汽车或肉类的生产和需求方面的认识成功地扩展到零售业、电影及教育等生产和需求方面，之所以坚持将经济学的定义和物质产品联结在一起可能是由于不情愿将人类行为的某些方面置于"乏味"的经济分析之下。

基于稀缺资源和各种可供选择目标的经济学定义过分笼统。它根据有待解决的问题的性质定义经济学，内容包罗之广远远超出了市场领域或"经济学家要做的事情"④。稀缺性与选择是所有资源分配的属性，这些资源的分配通过种种媒介进行，诸如政治过程（包括税收政策、货币政策及军事政策）、家庭（包括配偶选择、家庭规模、出席礼拜次数、作息时间安排等方面的决策）、科学家（包括将思考时间和精力如何分配于不同的研究课题），凡此种种，不胜枚举。这种定义如此宽泛，常使经济学家感到无所适从，为难之际，便将非市场行为一挥而去。⑤

经济学的上述定义仅仅在于限定经济学的范围，丝毫没有说明"经济分析"的内涵；在市场领域或稀缺资源分配于可供选择目标的分析中，它可能突出传统和义务、冲动行为、最大化行为或任何其他行为。

类似地，社会学或其他社会科学的定义同样无助于将其分析方法区别于其他学科的分析方法。例如，据认为社会学是"研究制度化组织中的群聚现象和群体，研究它们的制度与组织，研究制度与社会组织变化的因果关联的学科。"（Reiss，1968）但是，这种认识没有通过阐述研究对象更没有通过阐述研究方法将社会学区别于经济学等其他的学科；再如，有人认为"比较心理学考察不同种属的生物有机体的行为"（Walters and Brunnell，1968）。然而，坦率地说，这种认识如同前面的经济学和社会学的定义一样笼统，一样的空泛。

围绕定义的论争于事无补，因为我确信，经济学之所以有别于其他社会科学而成为一门学科，关键所在不是它的研究对象，而是它的分析方法。的确，许多行为同时为几门学科所研究；例如，生育行为是社会学、人类学、经济学、历史学甚至政治学考察的一部分。但我认为经济分析是最有说服力的工具，这是因为，它能对各种各样的人类行为作出一种统一的解释。

众所周知，经济分析比其他方法更明确更全面地假定最大化行为，假定家庭、厂商、工会或管理当局的效用或福利函数能够极大化。此外，经济分析还假定存在着具有不同效率的市场以协调各方参与者——个人、厂商甚至国家的活动，并使这些行为彼此调和。由于经济学家，特别是近代的经济学家一般很少在理解偏好的成因上有所建树，因此假定偏好不随时间的变化而发生根本性变化，同时也假定，富人和穷人之间、即使在来自不同社会和文化的人们中间，偏好也没有很大的差异。

价格和其他市场手段在社会范围内分配稀缺资源，因而约束着参与者的欲望并协调他们的行为。经济分析表明，这些市场手段执行着全部或绝大部分的被社会学称做“结构”的职能。[6]

稳定的偏好不是对市场上的橘子、汽车或医疗保健等具体产品或劳务的偏好，而是指选择的实质性目标。每一家庭可以使用市场产品与劳务、时间和其他投入要素实现这些目标。这种实质性偏好显示了生活的根本方面，诸如健康、声望、肉体快乐、慈善或妒忌；它们与市场上的某种具体商品或劳务并无确定的联系（见后面第 7 章）。偏好稳定的假设为预见对各种变化的反应提供了坚实的基础，避免了研究人员以偏好的改变来解释事实与其预言的明显矛盾。

在我看来，最大化行为、市场均衡和偏好稳定的综合假定及其不折不扣地运用便构成了经济分析的核心。从这些假定可以推出与经济分析有关的许多原理。例如，(1)价格上升则减少需求数量[7]；鸡蛋价格上升会减少对鸡蛋的需求，子女的影子价格的上升会减少对子女的需求。候诊时间的延长会减少对看病就医服务的需求，这是因为，候诊时间是看病就医服务的全部价格的构成部分。(2)价格上升则增加供给的数量；牛排市场价格上升会增加牛的饲养与屠宰量，已婚妇女工资率的上升会提高她们的劳动参与，“空车”时间的减少会提高出租车司机的实际价格，因而将增加出租车的供给。(3)竞争市场比垄断市场更能有效地满足消费者的偏好；例如铝市场或思想市场上的情况（见 Director，1964；Coase，1974）。(4)对某种市场，产出征税会减少这种产出。开征汽油税会减少汽油的使用量，惩罚罪犯（即对犯罪课税）会减少犯罪，征缴工资税则会减少劳动的市场供给。

经济分析显然不限于物质产品与欲望，甚至也不限于市场领域。不论是市场的货币价格，还是非市场领域的投入要素的影子价格，价格所衡量的都是使用稀缺资源的机会成本。经济分析指出，影子价格和市场价格会产生同样的效果。假使一个人仅有的稀缺资源是其有限的时间，那么，这些时间将被用于生产纳入其效用函数的各种商品，目标是使效用达至最大。即使在不存在市场的情况下，每种商品直接或间接地都会有其相应的边际影子价格，亦即生产该商品每一单位变化所需要的时间；在均衡点，所有商品的价格之比必定等于边际效用之比。[8]更重要的是，任一商品相对价格的增加——即，每增加一个单位该商品所需时间的增加——将减少该商品的消费量。

经济分析并不认为所有市场参与者的信息是完备的，并不认为所有参与者的活动不存在交易费用，但是，信息残缺或存在交易费用情况下的行为不应混同于非理性或随意行为。[9]经济分析已有一套适度或合理积累信息的理论，[10]它表明，承担重大决策比次要决策——选购房屋，操办婚事比购买沙发、面包——需要更多的信息投资。获取信息需要成本，因此信息通常是严重残缺的，这一假定可以解释在其他分析中用非理性行动、随意行为、传统行为或“不明智”行为解释的那些行为。

如果存在一个明显有利的机会，厂商、工人或家庭都未予利用，经济分析不会诉诸非理性行为、对于现状的满足或价值（即偏好）基于一时需要而发生特殊的改变，相反，它推测利用这些机会的某种成本的存在——一种不易为“局外人”觉察的货币的或心理的成本的存在使得利用这种机会不再有利可图。显然，为了保持某个能量系统的完备，使其与能量守恒定律相符，有时需要假定某种（未知）能量的存在；根据近乎相同的道理，为了使经济分析趋于完善或“完备”，需要假定某种成本的存在。化学、遗传学及其他学科的系统分析也采取了类似的方法。这里的关键在于，一个系统是不是通过有用的途径来完善的；从经济分析得出的重要定律表明，这一完善在大多数情况下得出的远不仅仅是同义反复，因为，正如我前面指出的，偏好稳定的假设为预言对不同变化的反应提供了坚实的基础。

而且，经济分析并不认为决策单位必需意识到他们最大化的努力，能够说出或条理分明地描述他们的行为。[11]因此，经济分析与当代心理学中潜意识的强调相一致，也与社会学中外显功能与潜在功能之间的区分相吻合。

(Merton，1968)经济分析并不引入主要决策与次要决策的概念性区别，并不需要用专门范畴描述决策中感情的浓烈与淡漠[12]，譬如，并不区别涉及生死存亡[13]的决策与名牌咖啡的选择、配偶和子女数量的选择与油画的购买等等；并不需要专门区分具有不同收入、教育程度和家庭背景的人员的决策。

实际上，笔者终于认识到，经济分析是一种统一的方法，适用于解释全部人类行为，这些行为涉及货币价格或影子价格，重复或零星决策，重大的或次要的决策，感情或机械似的目的，富者与穷人，男子与女士，成人与儿童，智者与笨伯，医生与病人，商人与政客，教师与学生等等。经济分析能够想见的应用范围如同强调稀缺手段与各种目的的经济学定义一样宽泛。经济分析能够胜任如此宽泛的研究，能够印证前面引述的萧伯纳的名言。

不管如何估价这一结论，需要指出的是，它不是一蹴而就的。大学时期，我为社会学家研究的问题和经济学家的分析技巧所吸引，这种兴趣开始反映到我的博士论文中[14]，即用经济分析考察种族歧视(见第 2 章，及 Becker，1971a)。随后，我将经济分析应用于生育、教育、时间使用、犯罪、婚姻、社会相互作用及其他社会的、法律的及政治的问题的研究。只是在对这种研究及其他迅速增长的有关成果的长期反省之后，我才得出结论，经济分析适应于说明全部人类行为。

即使是市场以外的人类行为的经济分析也算不上什么标新立异的东西。斯密经常(但不总是)运用这种方法解释政治行为，边沁也清楚他的苦乐原则可以应用于全部人类行为“大自然把人类置于两大主宰即快乐与痛苦的统治之下，是它们谕示我们该当如何及将做什么……它们主宰我们的行为、言论和思想”(Bentham，1963)，这一苦乐原则据称适用于我们全部的行为、言论和思想而不限于货币决策、重复选择或非重要决策。边沁的确运用他的原理研究了极其广泛人类行为，包括刑事处罚、监狱改革、立法、高利贷法、法律体系以及商品和劳务市场。虽然边沁明确指出苦乐原则适用于我们一切言行，但他的主要兴趣在于“应该”做什么——他是一个首开先河的改革家，但并没有发展一套关于人类实际行为的可以验证的理论。因为他没有坚持偏好稳定的假设，所以他经常陷入空洞的说教，他的兴趣乃是致力于他的原则与所有行为的吻合，而不是从对行为的约束中得出一些结论。

马克思及其追随者运用所谓“经济决定论”研究市场行为、政治、婚姻和其他非市场行为，但是，马克思主义的这种分析把生产组织看成社会和政治结构中的决定因素，它更强调物质产品、生产过程和结果，资产阶级同工人阶级的矛盾，一个阶级对另一个阶级的普遍压迫。本书的经济分析与此缺乏共同之处。而且，马克思主义者像边沁主义一样偏重应该如何，那种将诸多论证的内容与所有事件相吻合的努力使其许多预见性的分析流于空泛。

不言而喻，经济分析尚未对各种人类行为提供同样深刻的认识，例如，战争及其他许多政治决策的决定因素尚未由经济分析（或任何其他方法）给予透彻的说明，但我相信，有限的成功主要在于有限的努力，两者不乏关联。因为，一方面，经济分析没有系统地研究战争，对其他政治行为的研究也只是新近的事情；另一方面，许多明显同样难以把握的行为——诸如生育力、子女抚养、劳动参与及其他家庭决策——最近几年通过经济分析的整体应用得到了十分令人满意的说明。

以下章节，通过所探讨的问题和所得出的结论（我希望）可以为经济分析的广泛适用性提供某种支持。最近 20 年运用经济分析研究形形色色问题的诸多文献为经济分析的适用性提供了更为广泛的支持，所研究的问题包括语言的进化（Marschak, 1965）、出席礼拜频次（Azzi and Ehrenberg, 1975）、死刑（Ehrlich, 1975）、法律制度（Posner, 1973; Becker and Landes, 1974）、动物绝种（Smith, 1975）以及自杀（Hammermesh and Soss, 1974）等等。为了展示经济分析的鲜明特色，笔者扼要分析一下三种非同寻常而又富有争议的应用。

健康与长寿是绝大多数人的重要目标，但显而易见，它们不是每个人的唯一追求：由于它们与其他目标可能发生冲突，所以，在某种程度上人们也许会放弃健康与长寿的目标；经济分析表明，存在一个适度的期望寿命，这时，增加年份的效用在价值上低于因运用时间及其他资源获得这段时间而放弃的效用。因此，一个人也许宁做烟鬼或埋头工作而放弃身体的锻炼，这倒不是因为他忽视这样做的后果或不懂得身体健康的价值，而是因为对他来说吸烟或埋头工作比身体的健康或锻炼更有价值；如果长寿成为一种唯一目标，那么吸烟或埋头工作就不是明智之举，但是，只要其他目标存在，这样做便是可以接受的，甚至不失为明智的抉择。

因此，根据经济分析，绝大多数（并非全部！）死亡都是某种程度上的“自杀”,就是说,如果投入更多的资源,生命就可以延续。这不仅对通常所谓的“自杀”分析有现实意义[15],而且对流行的自杀与“自然”死亡的区分也提出质疑。经济分析与现代心理学又一次得出类似的结论,后者强调,许多“意外的”和其他断然归因于“自然”原因的死亡背后存在着“死亡意愿”。

经济分析不仅用经济学语言重新陈述有关健康的不同行为,并通过一系列的同义反复而避免所有可能的错误。这种分析还意味着,例如,随着工资率的增长,健康和医疗保健都会有所改善;尽管医疗费用不断上升,但是老龄化会导致健康状况日益下降;即使减少医疗费用支出,教育程度的提高也能够增进健康。以上陈述不是必然成立的,但却能与现有资料吻合。[16]

根据经济分析,如果某个人对婚姻的预期效用超过恪守独身或继续寻找更合适的配偶所带来的效用,那么他就会决定结婚(见第 11 章);同样道理,当重归独身或另行婚配的预期效用大于离异的效用损失——包括与亲生骨肉分离、家庭财产的分割、法律费用的支出及其他损失时,已婚者将终止他(或她)的婚姻。许多男人和女人都在寻找他们自己的配偶,因而存在一个婚姻市场;每个人都尽最大努力,并假定市场上其他人也尽力而为。在某种婚姻组合中,如果还没有结婚的人不能通过婚姻使各人的状况有所改善,那么,这种婚姻组合就是所谓“均衡组合”。

此外,经济分析可以说明许多可能搞错的行为,例如,依照知识、教育程度、种族、家庭背景、身高及其他变量,“相近者”才能够彼此结合,而依照工资率及某些其他变量,“相异者”也能够结合;(假定其他变量保持不变)工资率较高的男性与工资率较低的女子的结合,会使许多人惊奇,但这却与经已婚妇女不工作的比例校正后的现有数据相一致(见第 11 章),经济分析还揭示高收入者结婚较早而离婚率较低,这一含义似乎也与现有资料相符,但却显得不合成见。同时,它还揭示,妻子相对报酬的上升会增加婚姻解体的可能性,这可以部分地说明黑人家庭比白人家庭更高的离婚率。

根据汉森伯格的不确定原理,因为观察本身改变了所研究的现象,所以,物理学家研究的现象不能在“自然”状态中观察到。一个更为现实的原理向社会科学家们显示,因为他们既是分析者又是参与者,因而不能客观地进行观察。经济分析强调的一种观点与此分外有别但又略有关联:如果人们从事学术的、知识的或艺术的工作的货币或心理的预期收益超过从事其他职业的收益，那么，他们便会选择前者；这里的选择标准同更大众化的职业选择标准是一样的，没有显而易见的原因认为，知识分子比其他人较少地关心个人报酬而较多地考虑社会福利或更加诚实。[17]

根据前面提到的价格上升对供给数量影响的原理，从经济分析可以得知，当不同利益集团或赞助人对某一理论讨论和结论的需求增加时，这种需求的增加就会刺激这些方面的供给。流入某项课题——即使"主观臆断"的课题——的研究基金或政府资金可以毫无困难地产生研究这些课题的动议。经济分析把从事于智力和艺术工作视为供给对需求变化的正常反应，其他学者则把这种现象称为心智或技能的"滥用"。看来，那种将思想和艺术市场同"普通"商品市场截然区别开来的企图成了思想上的混乱与前后脱节的根源。(Director, 1964; Coase, 1974)

这并不表明所有经济学家都用经济分析研究全部人类行为，甚至也不表明绝大多数经济学家以此方法研究绝大部分人类行为。事实上，许多经济学家公开敌视传统范围以外的经济理论的任何应用。而且，经济学家们情不自禁地用非理行为、粗心大意、愚蠢行为、价值的特别改变等臆断说明他们解释不了的现象，以掩盖他们自己知识的贫乏，而这些臆断恰恰暴露了他们所掩饰的失败。例如，当有的百老汇剧场老板索取的价格过高因而耽误了及早售出座位的时候，人们会断言这些老板不了解利润最大化的价格结构，而不去指责分析者对于为什么实际价格已经最大化了利润的无知。当个人的报酬的变化的一部分能够得到说明时，研究者往往把其余未予说明的部分归因于偶然因素[18]，而并不归因于忽视或不能度量系统的另外成分。煤炭行业据说缺乏效率，因为某些成本和产出的计算有这方面的显示(Henderson, 1958)，但更为引人注意的看法是，这些计算存在严重错误。

战争据说由狂人挑起，政治行为更多地被愚蠢与无知操纵；凯恩斯说过："狂人专权，无中生有。"(Keynes, 1962, p.383)虽然斯密作为经济分析的主要首创者，以解释市场行为的同样方式解释了某些法律和立法问题，然而甚至他也未做深入探讨，而把其他问题牵强地归于愚蠢与无知。[19]

经济学文献中简单地引入偏好的特定变化以解释令人困惑的行为的例子不胜枚举。据说，教育会改变偏好——对不同商品和劳务、政治候选人、家庭大小的偏好——而不是不同选择的真实收益和相对成本。[20]商人谈论商业的社会责任据说是因为他们的态度受到了公众对这一问题的讨论的影响，而不是因为在既定的公众“干预”气候中，这样的讨论对于最大化他们的利益是必要的。不仅如此，据称广告商利用了消费者偏好的易变性，但却很少解释某些现象，例如，某一行业为何比其他行业更注重广告，某一行业的广告的重要性为何因时而异，广告为何既在高度竞争性行业出现又在垄断性行业出现。[21]

经济分析使经济学家日益感到信服，它自然而然地会对没有这种认识的研究者和社会学、心理学或人类学等学科的研究产生不可抵御的影响；从积极的意义上讲，这些学科也有为人称道的创见，根据这些创见，几乎所有能够想见的行为据说统统受到无知、非理性、价值及其频繁而无规则的改变、习俗与传统，以及顺从等因素的支配，而这些因素在某种程度上完全由社会规范、自我和本我逐步地推导出来。

像自我、本我或社会规范这些概念不是没有任何科学成分。但它们确实像经济学文献中的一些概念一样诱使人们对行为作为特别而又无用的解释。例如，人们可能煞有介事地认为，由于大家庭愿望的复活，20 世纪 40 年代末 50 年代初出现了生育力的大幅度提高，若干年后，由于考虑到抚养众多子女的困难而引发了生育力的持续下降；此外，发展中国家只是正在重现美国人的时间“紧迫感”，然而，日益增长的时间价值才是他们努力进一步节约使用时间的一个富有成效的说明（见第 5 章）。一个更流行的观点认为，由于年轻人受到的西方生活方式的诱惑，发展中国家正在抛弃习惯与传统。但这种观点没有意识到，相对停滞的环境下十分有用的习惯与传统常常成为一个动态社会的障碍，特别是对年轻人而言（Stigler and Becker，1974）。

即使那些相信经济分析可用于全部人类行为的人也认识到，许多非经济变量明显影响人类行为。显然，数学、化学、物理学、生物学定律通过对偏好和生产可能性边界的作用相应地制约人类行为。例如，人体会逐渐老化，人口增长率等于出生率加迁移率减死亡率；子女智力受父母智力影响；生命通过呼吸维持；杂交植物在一组环境条件下会有一个特定产量，在不同条件下会有不同产量；黄金和石油在地球的特定区域分布；点石不能成金；生产装配线的运行遵从物理定律——所有这些都会影响选择、影响人口和产品的生产以及社会的进化。

然而，这种说法并不等同于认为，例如，由于出生率、迁移率和死亡率不能得到经济分析的说明，因此人口增长率本身是“非经济的”，同样，它也并不等同于认为，由于新杂交品的采用率不能为经济分析所说明，因此它是“非经济的”。其实，根据家庭具有受其自身资源和价格限制约束的出自稳定偏好的效用函数的假定，根据家庭使这一效用函数极大化的假定，人们揭示了家庭子女数的含义，而资源和价格部分地取决于产期、子女能力和其他非经济变量（见第 9 章、第 10 章；Schultg, 1975）。类似地，通过假定农场主使其利润最大，美国不同地区杂交玉米的采用率利落地得到了说明：某些地区，天气、土壤及其他自然条件愈为适宜，种植新杂交作物愈有利可图，因而也就愈早地加以采用（Griliches, 1957）。

如同许多非经济变量，社会学家、心理学家、社会生物学家、历史学家、人类学家、政治科学家、律师和其他专家的建树对理解人类行为也是必需的。笔者虽然认为经济分析为理解全部人类行为提供了一个有用的框架，但无意贬低其他社会科学工作者的作用，甚至也不认为经济学家的贡献胜人一筹。举例来说，在经济分析中，偏好是既定的和稳定的，决定着经济分析的正确预见；社会学家、心理学家都在研究这些偏好，而社会生物学家的研究则尤为成功（Wilson, 1975）。偏好如何形成，或许还在缓慢进化？这些问题对预见和理解行为非常重要。推崇或完全接受经济分析也不能降低其他社会科学的价值。

然而，与此同时，我无意削弱我的努力的价值，我希望在最近的将来有更多的人接受这种分析。虽然我知道，许多行为固然尚未认识，非经济变量及其他领域的分析手段与发现对理解人类行为也有重大建树，但是，我还是要说，经济分析提供了理解全部人类行为的可贵的统一方法。也就是说，虽然经济分析提供了一种综合性方法，但是，其他学科正在并将继续提供许多重要的概念和分析手段。

全书的中心在于，人类行为不能被条块分割，这种条块分割认为人类行为有时基于最大化，有时不然，有时受稳定的偏好驱使，有时任随意的动机摆布；有时需要最优的信息积累，有时则没有这种需要。相反，所有人类行为均可以视为某种关系错综复杂的参与者的行为，通过积累适量信息和其他市场投入要素，他们使其源于一组稳定偏好的效用达至最大。

如果全书观点成立，那么，经济分析就为理解人类行为提供了一直为边沁、康德、马克思及其他学者长期求之不得的统一的方法。读者可以从以下章节中亲身感受到经济分析的力量。

## 注 释

① 李斯说："[经济学]是研究人与社会寻求满足物质需要及欲望的社会科学。"(Albert Rees, 1968, p.624)；以及其他更早的 L.Robbins(1962)中涉及的 Marshall, Canan 等人的文献。

② 庇古说："[经济福利]是能够直接或间接以货币衡量的社会福利的一部分。"(Pigou, 1962, p.11)

③ 罗宾斯说："经济学把人类行为纳入目标与具备多种用途的稀缺手段之间的关系中加以研究。"(Robbins, 1962, p.16)；李斯说："经济学是在无数竞争用途中分配稀缺资源的研究。"(Rees, 1968)及其他文献。

④ 鲍丁(Boulding, 1966)将此定义归功于雅各布·维纳(Jacob, Viner)。

⑤ 提出广义的经济学定义不久，李斯(Rees, 1968)又提出了基于物质需要的经济学定义，但却丝毫未解释为何大幅缩减了经济学定义的范畴。罗宾斯(Robbins, 1962)也是如此，尽管在其 1962 年的著作的第 1 章中详尽地探讨了什么是经济学，但在之后的章节又将经济学定义缩至市场领域。

⑥ 默顿(Merton, 1975)做过出色的结构分析。

⑦ 行为最大化未必导致此结论，见第 8 章。

⑧ 设某人的效用函数为 $U$，令

$$\max U = (Z_1, \cdots, Z_m)$$

$$\text{s.t. } Z_i = f_i(t_i) \text{ 及 } \sum t_i = t$$

这里，$Z_i$ 表示第 $i$ 种商品，$f_i$ 表示 $Z_i$ 的生产函数，$t_i$ 表示 $Z_i$ 的时间投入。关于时间这种稀缺资源分配的一阶均衡条件为：

$$\frac{\partial U}{\partial Z_i} = \lambda \frac{\partial t_i}{\partial Z_i} = \frac{\lambda}{\partial Z_i / \partial t_i} = \frac{\lambda}{MP_{t_i}}$$

这里，$\lambda$ 表示此人的时间的边际效用。

⑨ 熊彼特看来发生了混淆(Schumpeter, 1950, chap.21)。

⑩ 见 Stigler(1961)。

⑪ 米尔顿·弗里德曼(Freedman, 1953)强调了此观点。

⑫ 杰里米·边沁(Bentham, 1963)说道："认为人们不计算感情的命题，这并不

正确，这个命题就同大多一般的或特殊的命题一样……我不想这样说，只有疯子才不计算感情。每一个人，或多或少，都计算感情。”他又补充，“计算感情大多是……出于经济利益。”

⑬ 在 Grossman(1972)中，生命的长短被视为一个决策变量。

⑭ 事实上，我在之前一篇文章中就已应用经济学理论分析政治行为。

⑮ Hammermesh 和 Soss(1972)扩展了部分陈述。

⑯ 这些陈述及经验依据源于 Grossman(1971)。

⑰ 这例子来源于 Stigler(1976)。科学地分析报酬体系等其他相关问题可参见 Merton(1973, esp. part 4)。

⑱ Jencks(1972)是个绝好的例子。Jencks 甚至严重低估了能说明的部分，因为他忽视了 Mincer[尤其是 Mincer(1974)]及其他人的重要工作。

⑲ 见 Stigler(1971)。斯密也未在有关法律的章节中说明，为什么归因于无知，其他学者也未有说明。

⑳ 教育对消费的影响的解释完全是通过收入效应和价格效应来进行的，Michael(1972)。

㉑ Stigler 和 Becker(1977)分析了与稳定的偏好一致的广告，及较垄断性行业，在竞争业行业的广告更加重要的问题。Nelson(1975)也很好地探讨了广告并不会依赖于偏好的变化。

# 第 2 篇

# 价格与偏见

本篇的文章取自我的《歧视经济学》一书。1955年，我发表了博士论文《市场歧视》，在此基础上，1957年出版了《歧视经济学》。这是笔者应用经济分析研究传统经济学范围以外的问题的首次公开的尝试，虽然文章冠以引人注意的标题，但却遇到了绝大多数职业经济学家的冷漠和敌意。(1956年，一位颇有才华的年轻经济学家在得知我从事种族歧视研究时甚感惊奇，把我说成新古典派，需要申明，我的研究只是新古典经济学的应用，但人们对此深表怀疑。)另一方面，令人欣慰的是，一些社会学家及其他社会科学研究者报以意外的赞许，这种赞许至少可以从他们所做的书评中看出。

20世纪60年代中期，由于民权运动的兴起，经济学家开始严肃认真地研究种族歧视，时隔几年，又开始研究对妇女的歧视，从那时起，许多研究者将经济分析用于“少数民众”的研究，今天“少数民众经济学”已成为蓬勃发展的新兴学科。

# 2

# 有效歧视*

任意两个群体之间的 MDC** 可以根据特定的劳动市场、资本市场或各种联合的市场加以定义。近来，人们的兴趣集中于歧视对这些群体的总收入的影响。譬如，白人的歧视有可能减少黑人的收入，但对自己的收入有何影响呢？许多作者断言，白人在市场领域的歧视出于他们的自私自利，即，以此提高他们的收入，如果这种观点成立，那么黑人采取“报复”行为歧视白人也符合黑人的自身利益，因为这也会提高黑人的收入；另一方面，如果白人的歧视也降低他们的自身收入，那么收入降低的百分比大于还是小于黑人收入降低的百分比呢？绝大多数的分析都含蓄地假定，市场歧视通常使黑人等少数民众比白人等多数民众蒙受更多的损害，但没人能够分离出出现这种结果的根本的结构原因，下文的分析表明，某一群体 $W$ 的歧视减少 $N$ 群体的收入，也减少他们的自身收入，因而，$N$ 的报复性歧视不但于己不利，而且会使自己的境况更加恶化；还将说明，歧视对少数民众造成的损害远远超过对多

---

* 引用自 *The Economics of Discrimination*, 2d ed.(University of Chicago Press, 1971). © 1957, 1971, by The University of Chicago。

** 即市场歧视系数。——译者注

数民众造成的损害。

## 模型

如果讨论限于两个“社会”之间的贸易，一个“社会”完全由 $N$ 组成，另一个“社会”完全由 $W$ 组成，则分析会得到简化，并能达成新的认识。由于分析限定在完全竞争的情况，故政府和垄断因素暂时忽略不计。因为我们的重点在于 $W$ 和 $N$ 的总收入，所以生产要素的多样性也予忽略，每一社会只有同质的两种要素——劳动和资本——$N$ 的每一单位的劳动和资本在生产中可以完全用 $W$ 的每一单位的劳动和资本替代。加入这两个社会“贸易”的不是商品而是用于商品生产的生产要素。每个社会得益于“输出”其相对丰富的要素，$W$ 输出资本，$N$ 输出劳动，假定劳动—资本的交换比例一定，$N$ 输出的劳动量是其劳动总量与“国内”使用量的差额；同理，$W$ 输出的资本量是其资本总量与“国内”使用量的差额。

在不存在歧视的完全均衡状态下，下列条件成立：(1)对每种要素的支付与其用于 $N$ 或用于 $W$ 无关；(2)每种产品的价格与其由 $N$ 生产或由 $W$ 生产无关；(3)每种要素的单位支付等于其边际产值。假如 $W$ 的成员试图歧视 $N$ 的劳动与资本，他们将愿意放弃部分货币收入以避免同 $N$ 的成员一道工作。这种歧视偏好减少 $W$ 的资本同 $N$ 的劳动结合所能获得的净收益①，从而导致 $W$ 的资本输出量的减少，反过来，这又会减少 $N$ 的劳动与 $W$ 的资本结合所能获得的收入，$N$ 的劳动输出也会减少。这时，在新的均衡位置，$N$ 和 $W$ 的更少的劳动与资本被分别输出。由此可见，资源配置上这种变化减少了 $N$ 和 $W$ 双方的均衡净收入。② 由于 $W$ 的歧视损害了 $N$，也损害了 $W$，因此，$W$ 的歧视不是扩大其经济财富净支配的精明之举。③

## 歧视与资方利益

虽然 $W$ 和 $N$ 总和的净收入因歧视而有所减少，但所有要素受到的影响不尽相同：W 的资本收益和 N 的劳动收益减少，但 W 的劳动收益和 N 的资本收益增加。许多文献都认为，在竞争的资本主义经济制度中主导群体中的资方是偏见和歧视的主要受益者。④ 如果 W 代表白人或其他某个主导群体，这种看法的谬误的性质就逐渐明朗了，即歧视损害了 W 的资方而有益于 W 的工人。错误分析中的最严重的逻辑混淆是（明确或含蓄地）认为，如果歧视偏好使 N 的工人的工资率低于 W 的工人的工资率，那么，两种工资率的差异便可视为 W 的资方的利润。⑤ 只有当这种工资差异源于（因垄断力量出现的）价格歧视而非源于歧视偏好的情况下，这种利润才会存在。

## 歧视与封闭

如果没有歧视的存在，两个社会的贸易会达到最大规模；贸易随歧视的加剧而减少。当歧视偏好发展到足以阻止贸易的进行时，每一社会将处于经济上的孤立，只得依靠自有资源，某个社会的成员只能彼此在一起工作，完全的经济孤立会走向完全的经济封闭，更一般地说，由于歧视的加剧会减少贸易，而贸易的减少意味着经济封闭的加剧，所以，歧视的加剧必然伴随着经济封闭的加剧。

对 N 的全部 MDC 定义为 W 的实际收入与 N 的实际收入之比与不存在歧视时两者收入之比的差值。⑥ 只要 MDC 大于 0 就存在对 N 的“实际歧视”。如果在 W 对 N 的任何水平的歧视上都引致对 N 的有效歧视，那么，与同 W 进行自由贸易相比，在完全隔绝于 W 的时候，N 相对于 W 的收入将会减少。在上述条件下，N 的贸易所得大于 W 的贸易所得。

本文的附录证明，如果在 W 对 N 歧视的各个层次上都引致对 N 的有效歧视，那么 N 的绝对收入与相对收入将随歧视的加剧而不断下降，见图 1，这里，横轴表示 W 的净收入，纵轴表示 N 的净收入，$P_0$表示不存在歧视时他们的收入，$P_1$表示完全封闭状态下他们的收入，$P_0WP_1$表示在 W 的不同程度歧视时的收入，由于假定对 N 的有效歧视总是存在，因此，$P_0WP_1$不会位于线段 $OP_0$的上方，对 N 的全部 MDC 随歧视的加剧而增加；当歧视偏好发

展到足以阻止 $W$ 和 $N$ 双方之间的一切贸易时，收入达到最小而全部 $MDC$ 达到最大。这一结论对于一度引起相当争议的主张极为重要，即少数民众在经济上和其他方面不宜用完全地自我孤立的方法来避免受到多数民众的歧视。[7] 如果 $N$ 表示少数民众，$W$ 表示多数民众，那么，研究表明，完全的封闭减少了少数民众的绝对收入和相对收入，因而增加而不是减少了对他们的市场歧视。对少数民众的歧视部分地是由于他们从与多数民众的“贸易”中的获益过于丰厚；相应地，完全的封闭不能避免歧视的不利影响，而只会使这种影响成倍地扩大。

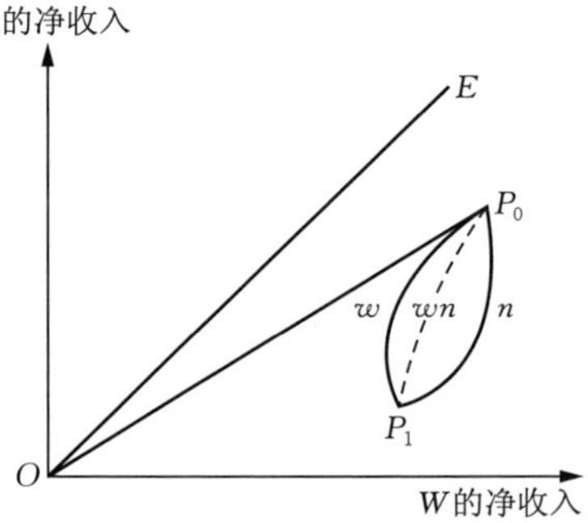


**图 1　歧视对收入的影响**

## 歧视与经济上的少数民众

我已证明，在 $W$ 对 $N$ 的不同层次的歧视上都引致对 $N$ 的有效歧视的一个充分必要条件为：[8]

$$\frac{Y_0(W)}{Y_0(N)} > \frac{l_n}{l_w} \tag{1}$$

这里，$l_n$ 与 $l_w$ 分别表示 $N$ 和 $W$ 提供的劳动数量，$Y_0(W)$ 与 $Y_0(N)$ 分别表示不存在歧视时 $W$ 与 $N$ 的总和的收入。如果 $N$ 是数量上的少数，那么 $l_n < l_w$[9]，$c_n < c_w$[10]，这里 $c_n$ 与 $c_w$ 分别表示 $N$ 和 $W$ 提供的资本数量，因此

$$\frac{Y_0(W)}{Y_0(N)} > 1 \tag{2}$$

而且这进一步保证了不等式(1)的成立。不等式(2)说明 $N$ 的收入低于 $W$，因而，$N$ 是经济上的少数，所以，如果 $N$ 是数量上的少数，它也是经济上的少数，对它的实际歧视是必定发生的。如果 $N$ 不是数量上的少数，不等式(1)和(2)不再必须成立，仅在 $N$ 的经济上的少数超过 $W$ 数量上的少数情况下它们才成立。⑪

由此可见，对 $N$ 的实际歧视的必要条件是 $N$ 为经济上的少数，充分条件是 $N$ 为数量上的少数；一个必要且充分的条件则是，和 $N$ 数量上的多数相比，它更是一个经济上的少数。人们早就认识到，歧视与少数民众问题密切相关，强调重点是数量上的少数民众在政治代表方面的不平等。在自由企业竞争的社会中，研究歧视问题也使用了少数—多数方法，但在这里，经济上的少数的范畴比数量上的少数的范畴更为重要。在竞争的社会中，经济歧视看来与经济上的少数有关，政治歧视看来与政治上的少数有关。

## 现实中的歧视

### 1. 美国的黑人

美国的黑人只占总人口的大约10%，因此他们的劳动供给数量大大少于白人的劳动供给数量，而且黑人的劳动与资本的比例显然高于白人的劳动与资本的比例，他们必定是劳动的净"输出者"，这两种情况表明[注释⑩及不等式(10)]，通过竞争的经济机制的运转，歧视的偏好必然产生对黑人的有效歧视。有证据表明，对黑人的有效的歧视，不仅存在，而且全部 $MDC$ 数值很大。美国黑人的资本拥有量极小，而白人的资源分配较为平衡⑫，黑人可以与之结合的白人资本数量的普遍减少会极大地降低黑人的绝对收入和相对收入。

如果知道歧视的实际数量、生产函数的性质和劳动与资本量供给数量，就能估计市场歧视对不同群体造成的损失；进行这种估计的一般方法可以用一个例子说明，这个例子还可以粗略地表明，白人的市场歧视对美国黑人和白人带来的经济损失。

假定生产函数形如(柯布—道格拉斯生产函数)

$$X = kl^r c^{1-r}$$

这里 $r=\frac{2}{3}$。假定白人的劳动供给数量是黑人劳动供给数量的 9 倍，白人的资本量是黑人资本量的 150 倍。[13]由于计量单位可以随意选取，所以，假定黑人的劳动和资本量各为 1 个单位，故得到，$l_n=1$，$c_n=1$，$l_w=9$ 和 $c_w=150$。当不存在歧视时，黑人和白人的收入：$Y_0(N)=1.7$，$Y_0(W)=23.5$，白人将输出 14 个单位的资本；当歧视发展到足以导致完全封闭时，他们的收入：$Y_1(N)=1.0$，$Y_1(W)=23.2$（见本章第四部分）。黑人收入减少的最大幅度约为 40%，白人收入的减少幅度却微不足道；当不存在歧视时，黑人人均收入约为白人的 66%，而当完全封闭时，黑人收入大约只有白人收入的 39%。

实际的均衡位置介于这两个极端之间，如果歧视使白人的资本输出数量减少大约 40%，他们实际的资本输出为 8 个单位而非 14 个单位，那么黑人和白人的收入分别为 1.5 和 23.3，黑人的人均收入约合白人人均收入的 57%，对黑人劳动的 *MDC* 可用白人和黑人实际的净工资率的百分比差额表示，对黑人资本的 *MDC* 可用白人和黑人实际的资本净租金的百分比差额表示。这些 *MDC* 分别取值 +0.21 和 −0.31，因此，白人的劳动收益较高，黑人的资本收益较高，歧视使白人劳动和黑人资本获益，使白人资本和黑人劳动受损。但是，因为黑人的净损失大于白人，所以，总的市场歧视是针对黑人的。白人对黑人的市场歧视使黑人收入降低了 13%，换言之，当停止市场歧视时，黑人收入将提高 16%。歧视造成的白人收入的降低微乎其微，因为在与黑人的贸易中，白人的获益本来就微不足道。

生产函数的资本密集程度愈高，白人资本的拥有量愈超过黑人的资本拥有量，或者，如果歧视使白人的资本输出数量减少了 40% 以上，那么黑人的估计的经济损失就愈大；假如出现的条件相反，那么黑人的估计的损失就愈小。由于对这些变量缺乏充分的认识，精确地估计这种损失是做不到的，16% 是极为粗略的估计。虽然在一些分析中对于这种损失存在大不相同的估计，但是，黑人蒙受的经济损失看来是举足轻重的。[14]

人们（按照这里的分析）通常明确或含蓄地认定对黑人的 *MDC* 很大，然而所做的解释突出强调了政治歧视、阶级福利、垄断以及市场不完备的作用。本文的分析表明，这些作用对于解释 *MDC* 无一是必需的，因为美国黑人蒙受的现实的市场歧视可以轻易地从个人的歧视偏好在企业自由竞争的制度内分配资源的方式中产生出来。美国被视为通过竞争决定经济价值的最杰出的样板，也就是说，垄断、政治歧视等等至多也只能是市场歧视的第二位的决定因素，在竞争中发挥作用的个人的歧视偏好才是基本的决定因素。

**2. 南非的有色人种**

在南非，有色人种约占总人口的 80%，这意味着 $l_n$ 约为 $l_w$ 的 4 倍[见不等式(1)]。因为有色人种是数量上的多数，他们不是必然地蒙受实际歧视。只有在白人的总和的净收入至少 4 倍于有色人种总和的净收入时，有效歧视才会发生。[15] 现有的未经整理的资料表明，白人总和的净收入远远超过有色人种这类收入的 4 倍。[16] 因此，私营经济部门歧视的偏好已使有色人种蒙受实际歧视。南非政府积极地调节着有色人种的经济活动，因此，由竞争经济部门产生的市场歧视可能逊色于其他因素造成的歧视，然而，这已经够了，单单经济方面的歧视就已经相当大了。

## 少数民众的歧视

在我们的模型中，通过在 $W$ 的资本和 $N$ 的资本之间的区分，$N$ 也可以成为歧视者；通过与 $W$ 的资本结合而得到的货币收益必须足以抵消所承受的心理成本。研究人员已经建立了一套既包括 $W$ 的歧视又包括 $N$ 的歧视的一般分析，但没有必要详加叙述，只强调这样一种主要关系就够了，即 $W$ 的净收入唯一地取决于输出的资本数量；歧视决定了这一数量，这一数量决定着 $W$ 的收入。$N$ 的净收入取决于输入的资本数量及其自身的歧视偏好。当输入量一定时，如果不对内部资本与输入资本作出区分，那么，$N$ 的净收入可以达至最大，对内部资本的偏好愈强烈，净收入就愈小。因此，当 $W$ 的净收入一定因而资本的输出量一定时，歧视愈大，$N$ 的净收入就愈小，所以，如果既有 $N$ 的歧视又有 $W$ 的歧视，那么对于总是针对 $N$ 的实际歧视来说，不等式(1)是充分条件，但不是必要条件。任何必要和充分条件依赖于 $N$ 的歧视的相对数值,回顾图 1,曲线 $P_0^n P_1$ 表示当 $N$ 的歧视发生在不同层次时的 $N$ 和 $W$ 的收入,除 $P_0$ 和 $P_1$ 两点外,各点必定低于 $P_0^w P_1$,如果既有 $W$ 的歧视又有 $N$ 的歧视,那么他们的收入将在由 $P_0^n P_1^w$ 围成的区域内,曲线 $P_0^{w''} P_1$ 概括了 $W$ 的歧视超过 $N$ 的歧视的所有情况。

少数民众常常情不自禁地以歧视“回敬”来自其他方面的歧视,这是一种错误举动;他们之所以蒙受实际经济歧视不是因为偏好的分布,而是资源的分布,就是说,多数民众劳动和资本的分布比他们更为平衡。图 1 清楚地表明,虽然 $W$ 的歧视使 $N$ 蒙受损失,但是,$N$ 的歧视会使 $N$ 蒙受更大的损失。

## 数学附录

令 $W$ 的国内劳动和资本的净(=货币)收益分别为 $\pi_l(W)$ 和 $\pi_c(W)$。在竞争性均衡位置,每种要素的收益等于其边际生产力。因此,

$$\pi_c(W) = \frac{\partial f}{\partial c}(c = c_w - c_t;\ l = l_w) = \frac{\partial f}{\partial c}(c_w - c_t;\ l_w)$$

$$\pi_l(W) = \frac{\partial f}{\partial l}(c = c_w - c_t;\ l = l_w) = \frac{\partial f}{\partial l}(c_w - c_t;\ l_w)$$

这里,$f$ 表示 $W$ 的生产函数,$c_w$ 与 $l_w$ 表示 $W$ 的资本与劳动的供给总量,$c_t$ 表示资本输出数量,由本章注释①,$W$ 的均衡净收入为:

$$\begin{aligned} Y(W) &= c_w \pi_c(W) + l_w \pi_l(W) \\ &= c_w \frac{\partial f}{\partial c}(c_w - c_t;\ l_w) + l_w \frac{\partial f}{\partial l}(c_w - c_t;\ l_w) \end{aligned}$$

$N$ 在 $W$ 的资本与 $N$ 的资本之间分配劳动,以使两个用途上的边际实物产品相等,$N$ 的均衡净收入为:

$$\begin{aligned} Y(N) &= c_n \pi_c(N) + l_n \pi_l(N) \\ &= c_n \frac{\partial f'}{\partial c}(c_n + c_t;\ l_n) + l_n \frac{\partial f'}{\partial l}(c_n + c_t;\ l_n) \end{aligned}$$

这里，$f'$表示 $N$ 的生产函数，$c_n$与 $l_n$表示 $N$ 的资本与劳动的供给总量。歧视对 $Y(W)$和 $Y(N)$的影响可以通过引入歧视偏好的显式决定，然而，还有一种更为简练的方法，$W$ 的歧视的加剧减少了资本输出，因而后者是 $W$ 歧视偏好的单调函数。

这表明，如果 $f$ 和 $f'$是一次齐次函数，那么，

$$\frac{\partial Y(W)}{\partial c_t} > 0 \tag{A1}$$

$$\frac{\partial Y(N)}{\partial c_t} > 0 \tag{A1$'$}$$

因而 $W$ 的歧视减少了 $N$ 和 $W$ 的净收入，不等式(A1)可以这样证明：如果函数是一个一次齐次函数，那么所有一阶偏导数都是零次齐次的，特别地，$\partial f/\partial c$是零次齐次的。由齐次函数的欧拉定理，

$$c\frac{\partial(\partial f/\partial c)}{\partial c} + l\frac{\partial(\partial f/\partial c)}{\partial l} \equiv 0$$

或

$$c\frac{\partial^2 f}{\partial c^2} + l\frac{\partial^2 f}{\partial l \partial c} \equiv 0 \tag{A2}$$

根据函数之函数的导数的著名定理，

$$\frac{\partial f}{\partial c_t} \equiv \frac{\partial f \partial c}{\partial c \partial c_t}$$

因为 $c = c_w - c_t$，那么$\partial c/\partial c_t = -1$，而且

$$\frac{\partial f}{\partial c_t} \equiv -\frac{\partial f}{\partial c} \tag{A3}$$

由(A3)式得知

$$\frac{\partial Y(W)}{\partial c_t} \equiv l\frac{\partial^2 f}{\partial l \partial c_t} - c_w\frac{\partial^2 f}{\partial c_t^2} \tag{A4}$$

且由(A2)式与(A3)式得知

$$c\frac{\partial^2 f}{\partial c_t^2} \equiv l\frac{\partial^2 f}{\partial l \partial c_t} \tag{A5}$$

将(A5)式代入(A4)式，得到

$$\frac{\partial Y(W)}{\partial c_t} \equiv -c_t\frac{\partial^2 f}{\partial c_t^2} \tag{A6}$$

如果边际生产力递减，那么，$\partial^2 f/\partial c_t^2<0$。由 $c_t\geqslant 0$，必定有

$$\frac{\partial Y(W)}{\partial c_t} \geqslant 0$$

同理可以证明不等式(A1′)。

从一个稍微不同的角度看待这个问题，对此结果可以得到一种直观的理解，设想有些境外劳工来到美国，部分美国资本($c_t$)供这些劳工使用；著名的经济学原理表明，只要劳动的边际生产力递减，美国人必定会在经济上从移民方面获益，这是因为，处于边际值以内的外来移民提高了美国资本的生产力，美国人的净收入是移民数量的增函数，这可以用这些移民使用的资本数量 $c_t$ 衡量。研究表明把歧视问题纳入贸易和迁移中加以考虑绝非牵强附会，因为它们是密切相关的。

令

$$R=\frac{Y(N)}{Y(W)}$$

则

$$\frac{\partial R}{\partial c_t}=\frac{Y(W)[\partial Y(N)/\partial c_t]-Y(N)[\partial Y(W)/\partial c_t]}{[Y(W)]^2}$$

或者，由式(A6)，

$$\frac{\partial R}{\partial c_t}=\frac{Y(W)[-c_t(\partial^2 f'/\partial c_t^2)]-Y(N)[-c_t(\partial^2 f/\partial c_t^2)]}{[Y(W)]^2}$$

因此

$$\frac{\partial R}{\partial c_t} \gtreqless 0 \qquad 当$$

$$Y(N)\frac{\partial^2 f}{\partial c_t^2} \gtreqless Y(W)\frac{\partial^2 f'}{\partial c_t^2} \tag{A7}$$

如果 $f$ 等同于 $f'$，如果不存在歧视，那么，输出的资本数量刚好使“国外”要素的相对供给与“国内”要素的相对供给达到均衡，就是说，

$$\frac{c_n+\hat{c}_t}{l_n}=\frac{c_w-\hat{c}_t}{l_w}$$

或

$$l_n = bl_w$$

和

$$c_n+\hat{c}_t = b(c_w-\hat{c}_t)$$

由于$\partial f/\partial c_t$对 $c$ 和 $l$ 是零次齐次的，所以，$\partial^2 f/\partial c_t^2$对 $c$ 和 $l$ 必定是－1 次齐次的，

$$\frac{\partial^2 f}{\partial c_t^2}(ac,\ al)=\frac{1}{a}\ \frac{\partial^2 f}{\partial c_t^2}(c,\ l)$$

这里 $a$ 为任意数，如果 $c=c_w-\hat{c}_t$，$l=l_w$且 $a=b$，则有

$$\frac{\partial^2 f}{\partial c_t^2}(c_n+\hat{c}_t,\ l_n)=\frac{l_w}{l_n}\ \frac{\partial^2 f}{\partial c_t^2}(c_w-\hat{c}_t,\ l_w)$$

代入(A7)式，由于假定边际生产力递减，于是有简单条件：

$$\frac{\partial R}{\partial c_t/c_t=\hat{c}_t} \gtreqless 0$$

当

$$\frac{Y(N)}{Y(W)} \gtreqless \frac{l_w}{l_n} \tag{A8}$$

或

$$\frac{Y(W)}{Y(N)} \gtreqless \frac{l_n}{l_w}$$

当不存在歧视时，如果 $N$ 的相对收入低于 $W$ 的劳动的相对供给，那么，$W$ 的

轻微的歧视偏好会使 $N$ 的收入比 $W$ 的收入降低更大的百分比。

如果 $\partial R/(\partial c/c_t=\hat{c}_t)>0$，那么，对于 $c_t$ 的所有可能的取值，$\partial R/\partial c_t$ 可能大于 0，例如，如果

$$\frac{\partial R}{\partial c_t/c_t=\hat{c}_t}>0$$

且

$$\frac{\partial^3 f}{\partial c_t^3}>0$$

则有

$$\frac{R}{c_t=\hat{c}_t-\varepsilon}<\frac{R}{c_t=\hat{c}_t}$$

这里，$\varepsilon$ 为很小的正数，且

$$\frac{\partial^2 f/(\partial c_t^2/c_t=\hat{c}_t-\varepsilon)}{\partial^2 f'/(\partial c_t^2/c_t=\hat{c}_t-\varepsilon)}<\frac{\partial^2 f/(\partial c_t^2/c_t=\hat{c}_t)}{\partial^2 f'/(\partial c_t^2/c_t=\hat{c}_t)}=1$$

据此，如果当 $c_t=\hat{c}_t$ 时

$$R<\frac{\partial^2 f'/\partial c_t^2}{\partial^2 f/\partial c_t^2}$$

那么，当 $c_t=\hat{c}_t-\varepsilon$ 时，上式必定在逻辑上成立；依次推理，对所有 $c_t$ 必定成立。[17]这一分析是本章假设及其余推导的基础，即 $W$ 歧视的加剧必定减少相对 $W$ 的 $N$ 的净收入，其充分必要条件是

$$\frac{1}{R}=\frac{Y(W)}{Y(N)/c_t=\hat{c}_t}>\frac{l_n}{l_w} \tag{A9}$$

如果 $W$（或 $N$）中存在不同的歧视偏好，分析中就要加入一些新的问题。这里只提及为数不多的几个问题，大多数问题的分析放在后面的章节。$W$ 的内部资本的单位货币价格并不等于输出资本的单位净价格：与 $W$ 和 $N$ 的劳动结合的资本在边际上当然会获得相同的“国内”与“国外”净收益，歧视偏好较小的资本会发现与 $N$ 结合的利益。与 $W$ 的劳动结合的所有资本会得到相同的净收益。但歧视偏好相对较小的资本与 $N$ 的劳动的结合会获得较

大的净收益。由于假定所有资本的净收益等于边际资本的净收益，这里定义的净收入会低估实际净收入。表示 $W$ 不同程度歧视的 $W$ 和 $N$ 的净收入的曲线在 $P_0$ 和 $P_1$ 点与 $P_0WP_1$ 相交（见本章图 1）并位于中线的右边。

显然，如果不等式（A9）成立，那么对 $N$ 的实际歧视依然存在，但是，假使只有 $W$ 的歧视，它是否还是必要条件呢？假定 $W$ 的歧视程度与平均的歧视偏好成比例变化且散布于平均值的周围。在 $P_0$ 点附近的一个小区间上，平均值与离差均为同次小数，可以推测，在此区间，边际资本的净收入和边际内资本的净收入之间的差额是更高次小数，如果这是成立的，那么，代表 $W$ 不同程度歧视的 $W$ 和 $N$ 的净收入的曲线将在 $P_0$ 点与 $P_0WP_1$ 相切，式（A9）既是充分条件，又是必要条件。

## 注　释

① 如果 $W$ 有意歧视对方，输出的资本必定得到比国内使用的资本更高的均衡货币收益，以补偿与 $N$ 的劳动合作造成的损失，然而，如果 $W$ 所有成员都有相同的歧视偏好，那么 $W$ 所有资本的均衡净收益必定相同，由于国内资本不存在与 $W$ 的劳动结合的心理成本，所以国内资本的净收益和货币收入等同，因此，国内资本的均衡货币收益可以用作 $W$ 所有资本的均衡净收益。由于只同 $W$ 方的资本结合，所以，$W$ 所有劳动的货币收益和净收益相同。

② 见本章附录。

③ 如果对比分析关税和歧视，可以发现，两者的有些影响是类似的，但也有一些影响截然不同。一般的，歧视会降低两个社会的总净收益，但如 Bickerdike 很早前指出的，一个合适的关税水平可以增加开征关税的那个社会的净收益。征收关税就是在一个社会为进口商品支付的价格和每个个人支付的价格之间插入一个楔子；但并不会使净收益和对商品的总需求产生差异。价格歧视正好相反。与关税相比，歧视更接近于运输费用。

④ 心理学家 Saenger(1953, p.96)说道："在一个竞争的经济制度中，歧视性行为似乎是管理方的明确优势。"另一位心理学家 Allport(1955, p.210)说道："我们因此总结，关于偏见的马克思理论过于简单，不过，该理论也明确指出了偏见中的一个因素，即上层社会合理的利己主义。"类似的说法也可见 Rose(1951, p.7)；Cox(1948)，Dollard(1937)，McWilliams(1948)，Aptheker(1946)等其他一些文献也贯穿了这些思想。

⑤ D.A.Wilkerson 在给 Aptheker 的书的推荐中，说道："今天，在物质利益与黑

人压迫之间也存在同样的关系……1930年，南方黑人佃农和临时工的人均年收入为71美元，而同样条件的白人工人为97美元。两者之间的差距26美元乘以1 205 000名黑人佃农和临时工，雇佣黑人而非白人，使当时的农场主'节省'了大约31 000 000美元。”（Aptheker，1946. p.10）

⑥ 令$Y(N)$和$Y(W)$分别表示$N$和$W$的实际收入，$Y_0(N)$和$Y_0(W)$分别表示不存在歧视时各自的收入，全部$MDC$可定义为：

$$MDC=\frac{Y(W)}{Y(N)}-\frac{Y_0(W)}{Y_0(N)}$$

⑦ 20世纪20年代，在马库斯·加维（Marcus Garvey）的领导下，有一次黑人大迁移，当时美国的黑人回到了非洲以“逃离”美国国内对他们的歧视。这个结论也可以帮助理解“种族隔离”的一些影响。

⑧ 见本章附录。

⑨ 如果$N$为数量上的少数民众$N(l'_n)$拥有的劳动数量低于$W(l'_w)$拥有的劳动数量。市场供给数量为$l_n=a_nl'_n$和$l_w=a_wl'_w$。若$a_n=a_w$，则$l'_n<l'_w$表明$l_n<l_w$，更一般地说，当且仅当$a_n/a_w<l'_w/l'_n$时，$l'_n<l'_w$表明$l_n<l_w$。这看来不失为一个合理的限制，见本章中的说明。

⑩ 当且仅当$l_n/l_m>c_n/c_w$时，$N$才输出劳动；若$l_n<l_w$，则$c_n<c_w$。

⑪ 仅当$a_n=a_w$时，这一表述才是充分严格的。

⑫ 这儿可能存在一些相互作用，因为，就资源的不平衡分配而言，贫困既是原因，又是结果。譬如，穷人很难获得资金以用于自身投资。

⑬ 这里将投资于人的资本视为资本而非劳动。若将其视为劳动，由于白人投资于自身的资本比黑人投资于自身的多，黑人和白人在生产中可完全替代的假设就无法成立。黑人劳动力仅占白人劳动力的1/9，若两者的天赋能力毫无差异，也就是说白人劳动力是黑人的9倍。当然，白人与黑人的资本比是我们猜测的。本章的模型表示，美国的黑人对白人“输出”非熟练劳动，而白人对黑人“输出”资本——其中包括熟练劳动。

⑭ 我仅对一个明确的估计歧视的经济成本的意图有印象。下文清楚地说明了估计成本的技术：

“我们国家在生产中歧视的真实成本非常惊人，以美元或美分计的话。我们发现，黑人家庭的平均年收入为1 043美元，而白人家庭的为3 062美元，相当于前者的3倍。当我们把两者的差距乘以黑人家庭数时，得出差不多4亿美元的数据，这个数值本来是可以加到国民生产总值上的，但由于对黑人的歧视，相当于真实财富每年损失了4亿美元。”（Roper，1948，p.18）

Roper暗含的没有歧视时黑人和白人可获得同等报酬的假设是错误的：由

于拥有更多的人均资本，白人的收入会比黑人的高。而在本例中，消除所有的歧视后，黑人的人均收入只能提升至白人的66%。这个错误的暗含假设也解释了为什么 Roper 会认为黑人的收入能增长200%，相当于我所估计的消除歧视后的收入的10倍。从另一方面说，他的暗含假设即白人遭受的损失可以忽略不计倒是正确的。

⑮ 不等式(1)反映的是在没有歧视存在的均衡时，白人和有色人种的收入；而上面的条件则是基于有歧视的实际净收益。但这些结论并不矛盾，因为这个条件也暗含在不等式(1)中。若存在对白人的有效歧视，他们在歧视下的净收入比没有歧视时的少；因此，如果他们的实际净收入至少是有色人种的4倍，在没有歧视时，他们的收入也至少应该是有色人种的4倍。但是，不等式(1)暗含对有色人种的有效歧视而非对白人的有效歧视。结果是，如果白人的净收入至少是有色人种的4倍，那么其中必然存在对有色人种的歧视。

⑯ 参见 Houghton 和 Philcox(1950, pp.418—38)对黑人家庭收入的研究，以及 United Nations Statistical Office(1950)的报告中提供的南非地区的国民收入数据。这些收入数据高估了两种工人的净收入，因为他们合作的非货币成本并未从总的生产数据中扣除掉。因此，白人的实际净收入可能不到有色人种的4倍。

⑰ 尽管一阶齐次的生产函数，其三阶偏导并不一定大于0，但对于所有齐次的柯布—道格拉斯生产函数，大多会有正的三阶偏导。一般的，如果 $f$ 是一阶齐次的，欧拉方程如下表示：

$$l\frac{\partial f}{\partial l}+c\frac{\partial f}{\partial c}\equiv X$$

在此基础上，再对 $c$ 二阶微分，得到：

$$\frac{c\partial^3 f}{\partial c^3}+\frac{\partial^2 f}{\partial c^2}+\frac{l\partial^3 f}{\partial l\partial c^2}\equiv 0$$

由于 $\partial^2 f/\partial c^2<0$，当 $l\partial^3 f/\partial l\partial c^2\leqslant 0$ 时一定有 $\partial^3 f/\partial c^3>0$，当 $l\partial^3 f/\partial l\partial c^2\geqslant 0$ 时可能有 $\partial^3 f/\partial c^3>0$。$l\partial^3 f/\partial l\partial c^2\leqslant 0$ 似乎更可信。$\partial^3 f/\partial c^3>0$ 是上述结论成立的充分非必要条件；只有仅当 $c_t$ 减小时 $Y(W)/X(W)$ 的增速快于 $(\partial^2 f/\partial c_t^2)/(\partial^2 f'/\partial c_t^2)$ 时，它才是必要条件。

# 第 3 篇

# 政治和法律

在熊彼特的《资本主义、社会主义和民主》一书的启发下，我撰写了一篇文章，将经济分析应用于政治民主行为，该文送到了《政治经济学杂志》，虽然得到编辑的初步首肯，但终因不利的编审评语而被退还，沮丧之余，我不想再考虑这个问题。该文直到1958年才得以发表，尽管经过了大幅度的删减修改，但仍不够令人满意。就在同一时期，安东尼·道恩斯运用类似的方法研究了政治行为，并公开了他的极为综合性的研究。道恩斯的研究不仅极大地影响了经济学家，而且也极大地影响了政治学家。

# 3 竞争与民主*

经济学家经常认为，如果一个产业形成垄断，那么政府就要政策干预，要么着手打破垄断，要么鉴于其日益增长的收益而把握时机加以调节或国有化。这种见解广为人知，并常常被认为是毫无疑问的。[①]但是，深入的观察发现，这种见解远不是那么没有疑问，一些假设的有效性值得怀疑。支持这种见解的人可能认为，由于垄断者的定价高于边际成本，因而垄断引起资源配置的失调；由于在竞争性产业中，价格等于边际成本，所以只有竞争性产业才会形成资源的最优配置，如果产业的垄断是“自然”垄断，那么政府的间接调节或直接管制就能使价格等于边际成本，因此，为了阻止或打破既成的垄断，反托拉斯立法以及对自然垄断的政府调节或管制是可取的。

这种分析的谬误在于“因此”引起的推论。政府干预的可取之处并不说明政府干预会使情形改善。一套政府决策会使情形改善的阐述同实际的政府决策是两码事，从逻辑上说，这种推理相当于将市场部分的理想运行等同于它的实际

---

* 重印自 the *Journal of Law and Economics* 1(1958)：105—9，© 1958 by The University of Chicago Law School，with an addendum。

运行。

本章第一部分试图说明理想条件下民主政治的运行。它揭示，理想状态中的民主同理想的与市场相联系的自由企业制度十分类似，这意味着政治决策取决于选民的价值取向，政府部门可以非常有效地运行；第二部分试图说明为什么实际的民主政治与理想的民主政府有显著的不同，实际的民主政治中的对私人垄断的政府调节是否会使情形改善？

## 理想的民主政治中的竞争

理想的民主政治可以定义为：为达成政治决策而形成的一种制度结构，在完全自由竞争基础上，个人通过广泛的选举而获得某种政治职务。[②]这个定义有三个方面值得注意。只有人口中的大部分能够参加投票，一个国家才能被公认为政治上的民主。“大部分”是个程度问题，显然，各国之间可能有很大差异。譬如，17 世纪的英格兰由于对选举权的限制，因而不能视为民主政治。

人们常常谈到，从市场领域到政治领域的活动的转移会减弱竞争在组织活动中的作用。在民主政治中，个人（或政党）——比如说，在定期选举中——确实向选民提出竞选纲领以竞选公职。在理想的民主政治中，自由竞争的含义是指不存在昂贵的费用或人为的壁垒能够妨碍个人竞选公职，或妨碍个人向选民申明主张。活动从市场转入民主政治的国家并不必然减弱竞争的程度，而是竞争的形式从企业竞争变为党派之争，实际上，理想的民主政治和理想的自由企业制度一样需要完全竞争，这表明，对自由企业经济运行的分析可以用于理解民主政治的运行。

任何政党的直接目标是为选民所接受，正如任何厂商的直接目标是为消费者所接受，企业的直接目标同远大的终极目标——如帮助消费者的（利他主义）愿望或获取经济权力的愿望——相一致。最典型的目标是收入或“利润”最大。同样道理，政党的直接目标也同许多远大的终极目标——如帮助自己的国家的（利他主义）愿望或获取声望与收入的欲望——相一致。最典型[③]的欲望是攫取权力即影响他人行为的能力。本文只涉及政党的直接目标，只在几处提及相关的某些终极目标。

上述定义有几项重要含义。首先，不难看出，理想的民主政治中必须有言论和表达意愿的自由。一个人如果可以自由地向选民申明主张，他还可以自由地批评他人的主张，除非拥有至少同候选人一样多的自由，否则，人们可以通过竞选公职增加他们的自由。由于这种情况的不稳定性，他们最终能够拥有同候选人一样多的自由。

理想民主政治的另一项重要含义可以用最简单的假设来说明，即假设所有选举人都有同样的偏好，如果执政党不采用选民偏好的政策，另一个政党可以提出迎合选民偏好的主张而获得更多的支持，例如，完全满足选民偏好的纲领是唯一的均衡纲领，理想的民主政治将完全反映人民的“意愿”。

在某些假定前提下，即使选举人有不同偏好，理想的民主政治仍能充分反映人民的“意愿”。假定政治决策是连续数值变量（最低工资率、允许的效用收益率、歧视系数等等）的取值，每个选举人的偏好用这种变量的一个数值表示，政治选择愈接近这一数值，选举人的境况就愈好。数值的频次分布将完全体现选民的不同偏好。把中位数理解为选民“意愿”看来合乎情理，因为这种意愿是选举人各种偏好的“民主”妥协。④

显而易见，至少在两大政党和多数原则下，均衡的政治选择等于所定义的选民的“意愿”。⑤假使甲党的希望值在第25个百分点，乙党的希望值在第45个百分点，因为乙党至少将获得55%的选票（所有那些希望值超过第45个百分点的选票），所以乙党将会获胜。同样道理，中位数可以淘汰任何其他可能，中位数至少可以吸引50%的选票，因此，中位数成为均衡的政治选择。⑥

每个政党的终极目标可能是攫取政治权力，但在均衡位置，即使“执政党”也没有任何政治权力。⑦因为政治决策完全取决于选民意愿，所以，政府官员没有任何选择余地。这个原理明白地解决了长期以来的争论的问题：一个代表是自主行事还是应该遵从他的选民的意愿？在理想的民主政治中，除非他遵从他的选举人的“意志”，否则他不会在公职上久留。

第三，在理想的自由竞争企业制度中，只有最有效率的厂商才能生存。如果一个企业的成本水平与产出无关，而企业之间的成本又各有差异，那么，只有成本最低的企业能够生存下来。同样道理，在一个理想的民主政治中，只有最有效率的政党才能生存。如果国家管理产业的费用与产出无关，而由执政党决定，那么，只有管理费用最低的政党才能继续留任。如果最有效率的政党的费用等于最有效率的厂商的成本，那么产业由市场来管理和由国家来管理可以具有同样的效率，这并不仅仅是表明——像兰格对社会主义的分析所表明的那样——从理论上说政治能够再现自由企业均衡，而且它确实会那样。如果有差异的个人投身政治和市场活动，那么最有效率的政党的费用同最有效率的企业的成本将会出现差异。只有在最有效率的厂商的成本低于最有效率的政党的费用时，私营企业才能比国家更有效地使产业运转，反过来也是一样。

## 实际民主政治中的竞争

在理想的自由企业制度与理想的民主政治之间没有什么选择的余地。两者都有效率，都反映"选民"的意愿。赞成把市场领域的活动交给国家管理的人一定认为，实际的企业制度远离理想模式，因为它包含了大量垄断及其他不完备性；赞成尽量减少国家活动的人一定认为，实际的政治制度更为偏离理想模式。关于市场领域的不完备性其他地方已有广泛的分析，这里则集中探讨某些重要的政治的不完备性。

由于每个人都有一个固定的投票权数——要么1，要么0——而不管他拥有多少信息和为处理这些信息花费了多少心智，更由于少数派通常没有代表权，所以，即使去投票，这种政治方面的"支付"也不是信息全面或考虑周全的，有效率的政党或许不足以促使选民确信，它比其他政党更有效率。在市场领域，少数民众有"代表性"，一个人的"选票"的数值同他的"成比例的生产力"有关，因此，明智行事的动机在市场领域比在政治领域更强烈，这样，对有效率的企业来说，只要能得到决策明智的贷款人和消费者的支持，生存就不成问题。

政治组织的庞大规模使政治方面的竞争有所削弱，总统和州长等许多公职的候选人必须有足够的资源去接触上百万的选民。许多想争取这些公职的组织没有足够的资源争取大量的选民。对一个厂商来说,在全国或地方范围进行组织,有时是必要的,但政治领域的组织显然比市场领域的组织重要得多,而且,许多公职关系到许多方面的活动,因而,政治活动的规模相当庞大。懂得如何有效管理邮政部门的候选人还必须使选民相信,他还了解移民政策,公益事业的调节,以及一连串邮政管理以外的其他问题。政治活动的关联性可能妨碍只擅长个别活动的人出面竞选。市场领域也有关联,但涉及的活动相对较少,一个厂商可以专门从事其效率最高的产品生产或生产环节。由于理想的企业制度的活动和理想的民主政治的活动都存在最优划分,而政治领域的关联的重要性更为突出,这一点有些令人费解。笔者认为,对一个政治信息有限的选民来说,选择某人管理许多活动比为每一项活动选择一个专人管理更为容易。

对政治的不知情和政治组织的庞大规模或许是民主政治中产生垄断和其他不完备性的两大力量,但间断性的选举而非连续性的选举和选民的不同偏好也是有关的因素。⑧我倒是认为,政治领域的垄断及其他不完备性至少同市场领域一样突出,甚至更为严重。如果上述看法基本成立,那么,便可用来解答本文开头提出的问题,即市场的不完备性能说明国家干预的合理性吗?如果政府行为的不完备性超过市场的不完备性,那么回答就是否定的。不去调节经济垄断而甘愿承受它的不利影响比进行调节从而蒙受更大的政治不完备性的影响或许对人们更为有利。

## 注 释

① Simons(1948)提出所有的“自然”垄断(如由于递增收益引起的垄断)都应国有化。

② 类似的定义参见 Schumpeter(1942)。

③ 例如,参见 Kaplan 和 Lasswell(1950, p.75)。

④ 选举人显然希望$|W-X|$最小,这里 $W$ 表示政治选择,$X$ 表示选民偏好,民主社会得使

$$\int_{-\infty}^{+\infty} |W-X| f(X) \mathrm{d}X$$

取值最小。这里,$f(X)$表示选民的频次分布,仅当 $W$ 等于 $f(X)$的中位数

值时，上式取值最小。——原书即如此，其数学表述有误，校注

⑤ 在《歧视经济学》(1971)中，这种方法被我用于分析对少数派的政治歧视。

⑥ 前两段文字是从 1952 年的草稿的第 3 部分简介中复制过来的，作了微调。

⑦ 同理，在完全市场均衡情况下，尽管厂商为利润动机所驱使，但是，厂商不能获得任何“利润”。

⑧ 关于选举中政治关联性与不同偏好的关系，见 Becker(1957，pp.64—66)。

# 4

# 犯罪与惩罚*

## 引论

进入20世纪以来，西方国家中急剧扩充的立法完全扭转了19世纪盛极一时的自由放任。国家不仅要保护人身财产的安全，而且还禁止“歧视”少数民众、限制商业共谋行为、制定交通规则、规定建筑材料的使用，等等；许许多多的活动受到了限制，这些限制不仅罗列详细，而且面面俱到，各种职业、各种社会背景、教育程度、年龄、种族的民众都受其影响；另一方面，各种案件的侦破与定罪可能性，惩罚的性质与轻重千差万别。然而，尽管存在这些差异，所有立法实际上都有某些共同性质，这些性质正是本文的研究对象。

首先，法律的遵守不是理所当然的。一部分公共资源和私人资源通常用来防止犯罪和逮捕罪犯。其次，定罪本身一般不同于实际的惩罚，有时，另外的乃至严厉的惩罚被用来对付犯罪。**法

---

* 重印自 the *Journal of Political Economy* 76, no.2(March/April 1968):169—217. © 1968 by The University of Chicago。

** 在本文中，犯罪与违法的含义同一般情况下的含义有所不同，进一步说，这两个范畴在本文中是混用的。——译者注

律的执行需要借助于一定规模的资源与惩罚，那么，这些资源与惩罚的规模的决定因素是什么？为什么各种法律的执行存在迥然的差异？

本文的主要目的是回答以规范形式提出的这类问题，即不同的法律执行需要怎样的资源与惩罚规模，换个不大顺耳的说法就是，多少犯罪可以容忍，多少罪犯不应惩罚？研究的方法是建立衡量违法造成的社会损失的公式，并找出使这一损失减至最低的资源支出与惩罚规模的公式。在特殊假设条件下能够成立的社会损失的特例可以说明社会损失的一般标准，司法实践和犯罪学文献中历史地记载的数字可以说明报复、威慑、补偿及恢复的标准。

法律执行的最优值除了其他因素，还依赖于逮捕与定罪的费用、惩罚的性质——譬如罚款或是监禁——以及罪犯对执行的改变作出的反应。本文不免涉及关于惩罚与犯罪行为理论的探讨。本文第二个目的是，以有限的篇幅展现“经济分析”对这些问题到底能提供什么样的见识。研究显示，一种行之有效的犯罪行为理论只是经济学常用的选择理论的扩展，用不着以道德的颓废、心理机能的欠缺和遗传特征等因素来解释犯罪行为。

## 基本分析

### 1. 犯罪的成本

虽然，“犯罪”一词在法律上有其严格明确的含义，但本文的分析将广泛包括所有违法行为，并不限于那些充斥于报刊版面的凶杀、抢劫、暴力行为等犯罪，还包括逃税、所谓的“白领犯罪”、交通违章及其他违法行为，从更一般的经济意义上讲，“犯罪”可以看作是一种重要活动或“产业”，尽管经济学家根本未曾给予关注。① 一些证据最近已由总统法律实施与司法委员会（“犯罪问题委员会”）加以汇总，经整理列于表 1。联邦、州及地方当局在警察、刑事法庭及审理和“教养”方面的公共支出超过 40 亿美元，而私人在防盗警报器、警卫、律师以及其他形式的防护措施方面的支出约为 20 亿美元。毋庸置疑，许多公共机构在执行州公平就业法等一些特定法律过程② 中的开支没有包括进去，从郊区生活到出租汽车的无数私人防护措施方面的支出也不在计算之列。因此，公共支出，尤其是私人支出被明显地低估了。

表 1 犯罪的经济成本

| 类　型 | 成本(百万美元) |
|---|---|
| 危害人身罪 | 815 |
| 危害财产罪 | 3 932 |
| 非法产品与劳务 | 8 075 |
| 其他某些犯罪 | 2 036 |
| 总计 | 14 858 |
| 警察、诉讼和法庭方面的公共支出 | 3 178 |
| 教养 | 1 034 |
| 对付犯罪的某些私人支出 | 1 910 |
| 累计 | 20 980 |

资料来源：President's Commission(1967，p.44)。

表 1 列出了犯罪问题委员会对各种犯罪的直接成本的估计。得自包括吸毒、卖淫和大量的赌博在内的各种非法消费支出的总收入超过 80 亿美元。诈骗、故意损坏他人(或公共)财产和偷窃等危害财产罪造成的损失总计约为 40 亿美元。[3] 杀人、故意伤害或其他犯罪造成的收入上的损失约为 30 亿美元。表 1 所列的全部成本约为 210 亿美元,差不多占到 1965 年公布的国民收入的 4%。考虑到有相当大的遗漏,这个百分比或许更为可观。最近 40 年来,犯罪问题日益严重,犯罪问题委员会没有提供犯罪成本变化趋势的材料,但它提供了自 30 年代初期以来人均重大犯罪的数量上升的证据(President's Commission，1967a，pp.22—31)。而且,随着税收及其他立法的大幅度增加,逃税及其他形式的白领犯罪的增长速度恐怕会高于犯罪总量的增长速度。犯罪增长的一个间接证据是,自 1929 年以来流通中的纸币数量大量增多,此前 60 年,纸币对全部货币的比率和纸币对消费支出的比率都已实质性地下降,可是,随着城市化的深入,收入的增加以及信用卡及其他信用形式的普及[4],两种比率反而都有相当程度的增长。[5] 这种相反关系可以解释为源于犯罪活动的异乎寻常的增加,因为纸币可以不留凭据,在犯罪交易中纸币比支票更为便利(对合法活动则结论相反)。[6]

## 2. 模型

表 1 的成本背后体现着行为关系,在决定如何以最佳方式对付犯罪时,

为了适应建立一套能够体现这些关系的模型的需要，将这些关系分成五种：(1)犯罪(本文称为“违法”)数量和违法成本之间的关系；(2)违法数量和量刑之间的关系；(3)违法、逮捕与定罪数量和在警察与法庭方面的公共支出之间的关系；(4)定罪数量和监禁或其他形式惩罚的成本之间的关系；(5)违法数量和用于防护的私人支出之间的关系。首先依次分析前 4 种关系，第 5 种关系留待后面分析。

损害

通常，取缔或限制某种活动的动机是担心其他社会成员会受到损害。损害数量随违法活动水平的上升而增加，如下式所示：

$$H_i = H_i(O_i)$$

且

$$H'_i = \frac{dH_i}{dO_i} > 0 \tag{1}$$

这里，$H_i$表示第 $i$ 种活动造成的损害，$O_i$表示活动水平。[7]经济学家从许多造成外部不经济的活动的分析中掌握了同活动水平有关的损害与函数概念。据此看来，违法活动属于造成外部不经济的一种重要活动，而可以用违法数量来衡量违法活动的水平。

违法者所得到的社会价值一般也会随犯罪数量而增加，形如

$$G = G(O)$$

且

$$G' = \frac{dG}{dO} > 0 \tag{2}$$

社会的净成本或净损害即是损害与收益之间的差额，可以写作

$$D(O) = H(O) - G(O) \tag{3}$$

近乎情理的情形是，违法收益最终会出现边际收益递减，而增加的违法会造成边际损害递增，由此，$G''<0$，$H''>0$，因此：

$$D'' = H'' - G'' > 0 \tag{4}$$

这是后面最优位置分析中的一个重要条件。由于 $H'$和 $G'$均大于 0，所以 $D'$ 的符号取决于它们的相对大小，然而，由(4)式可以得到：

$$D'(O) > 0 \text{ 对所有 } O > O_a \text{，若 } D'(O_a) \geqslant 0 \tag{5}$$

直到第五部分为止，讨论都在 $D'>0$ 的范围内进行，该范围表明了取缔某种活动的最正当的理由。在第五部分，根据我们的分析重新考虑外部不经济的一般问题，并且也允许 $D'<0$ 的情况。

表 1 的上半部分列出了各种犯罪的成本，可以理解为这些犯罪所耗用的资源价值的估计值。这些价值是社会净损失的重要组成部分，但又并不完全等同于社会净损失。譬如，凶杀的成本用受害者收入的损失来衡量，而没有包括社会赋予生命本身的价值；赌博的成本既排除了对这些赌徒的效用，又排除了对一些牧师和民众的"外部"负效用；偷盗和盗用公款等"转移"的成本则排除了对强制福利再分配的社会态度及盗窃可能性对资本积累的影响。因此，由于忽略了许多白领犯罪的成本，又由于忽略了犯罪造成的许多损害，表 1 中 150 亿美元犯罪成本的估计明显低估了犯罪对社会造成的净损害。

逮捕与定罪成本

用于警察、法庭人员、专门设备的支出愈多，侦破与定罪就愈容易，由此，可以推断在警察与法庭"活动"的产出和人力、物力及财力的各种投入之间的关系，形如 $A=f(m,\ r,\ c)$，这里，$f$ 是表示"当前工艺水平(state of the arts)"的生产函数。如果 $f$ 和投入要素的价格一定，那么，"活动"的增加带来支出的更多增加，用下式表示

$$C = C(A)$$

和

$$C' = \frac{\mathrm{d}C}{\mathrm{d}A} > 0 \tag{6}$$

警察[8]、法官、审理、陪审团的要价越低，由指纹术、窃听术、计算机控制和测谎仪等技术决定的当前工艺水平愈先进，那么，达到某一特定活动水平的支出就愈少。[9]

衡量"活动"的实用的近似方法是判定有罪的数量,可以写作

$$A \cong pO \tag{7}$$

这里,$p$ 为判定有罪的数量与所有违法数量之比,表示判定有罪的总体可能性,将(7)式代入(6)式,微分得到

$$C_p = \frac{\partial C(pO)}{\partial p} = C'O > 0$$

及

$$C_0 = C'p > 0 \tag{8}$$

条件是 $pO \neq 0$。定罪可能性的提高或违法数量的上升会使总成本增加,如果增加的"活动"的边际成本上升,那么深一层的含义在于

$$C_{pp} = C''O^2 > 0$$
$$C_{oo} = C''p^2 > 0$$

及

$$C_{po} = C_{op} = C''pO + C' > 0 \tag{9}$$

更为复杂和实际的方法不是用(7)式中的含义,即只用定罪衡量"活动",或者 $p$ 与 $O$ 有同一弹性,而是引入更为一般的关系式

$$A = h(p, O, a) \tag{10}$$

变量 $a$ 表示逮捕与"活动"的其他决定因素,而不去假定 $h$ 对 $p$ 的弹性等于 $h$ 对 $O$ 的弹性。通过代入,有成本函数 $C=C(p, O, a)$。在绝大多数情况下,$h_p$, $h_o$ 和 $h_a$ 均大于 0,那么显然,$C_p$, $C_o$ 和 $C_a$ 均大于 0。

为了确保最优位置不落在"隅角",有必要对成本函数的二阶导限定某些条件,结合其他一些假定,充分条件为:

$$C_{pp} \geqslant 0$$
$$C_{oo} \geqslant 0 \tag{11}$$

及

$$C_{po} \cong 0$$

前两个限制顺理成章，第三个的合理性显得要差得多。[10]

表 1 表明，1965 年美国用于警察与法庭方面的公共支出超过 30 亿美元，根本不是一个小数目。分别估计 7 项犯罪。[11]用于每桩（已公布的）犯罪的支出平均约为 500 美元，逮捕每个违法者的支出约为 2 000 美元，而几乎每桩谋杀都要支出 1 000 美元，500 美元是估计的这些犯罪的平均成本（President's Commission，1967a，pp.264—265）。

$$AC = \frac{C(p, O, a)}{O}$$

如果逮捕或定罪数字增大，平均成本可能是个更大的数字，如果式（11）的条件 $C_{\infty} \geqslant 0$ 完全成立，那么边际成本（$C_0$）至少为 500 美元。

违法的供给

各种关于违法（数量）的决定因素的理论大相径庭，有的强调头骨的形状、生物的遗传特征，有的强调幼年教养和对社会抱有的幻想的破灭，不过，这些理论实际上都认为，当其他变量保持不变，个人受到定罪或惩罚的可能性的增加将会不同程度地导致违法的减少。此外，有司法经验的人员的共同感受是，定罪或惩罚的可能性的变化比惩罚的变化对违法有更大影响[12]，然而，就我所知，还没有任何理论明确揭示这种关系。

这里使用的方法是经济学家常规的选择分析，它认为，当某人从事违法行为的预期效用超过将时间及另外的资源用于从事其他活动所带来的效用时，此人便会从事违法，由此，一些人成为“罪犯”不在于他们的基本动机与别人有什么不同，而在于他们的利益同成本之间存在的差异。本文不去讨论这一方法的种种一般含义[13]，只是指出，犯罪行为只是更为一般的理论的一部分，对于这种行为的说明并不需要诉诸社会交往的差异、道德的颓废等特殊的范畴。[14]也不需要假定完备的知识、瞬时计算或经济理论的其他片面特征。

这种方法认为，违法同定罪可能性、同判定有罪后的惩罚、同从事合法与其他非法活动可得到的收入、逃避逮捕的机会、违法意愿等其他变量之间存在着某种关联，这种关联可用函数表示。

$$O_j = O_j(p_j, f_j, u_j) \tag{12}$$

这里，$O_j$表示特定时期的违法数量，$p_j$表示每桩违法的定罪可能性，$f_j$表示每桩犯罪的惩罚，$u_j$是代表所有其他影响的混成变量。[15]

因为只有判定有罪，违法者才会受到惩罚，所以实际存在一种“价格的差别待遇”和不确定性：如果判定有罪，那么他将因此而为每桩犯罪支付$f_j$，否则他将分毫无损。$p_j$或$f_j$的任何增加都会减少违法行为的预期效用，因而减少违法数量，其原因在于，要么“支付”比较高“价格”的可能性增加，要么“价格”本身上升[16]，亦即

$$O_{pj} = \frac{\partial O_j}{\partial p_j} < 0$$

和 (13)

$$O_{fj} = \frac{\partial O_j}{\partial f_j} < 0$$

这是上面提到的普遍接受的限制条件。人们可以预期$u_j$的某些要素的变化后果，例如，合法活动收入的增加或能够提高遵纪守法程度的教育等因素均可以减少进行违法活动的冲动，从而减少违法数量。再者，惩罚形式的改变也会减少犯罪数量，例如，由罚款改为监禁，至少可以暂时性地减少犯罪，因为这时罪犯身不由己。

人们认为违法行为对定罪可能性变化的反应比对惩罚的反应更为敏感，对此，选择分析也有一种有趣的解释：$p_j$的增加为$f_j$的同等百分比的减少所“补偿”，这种增加不会改变违法的预期收入[17]，而是改变违法的预期效用，因为这时风险程度有所变化。不言而喻，如果$j$对风险持偏重态度，那么$p_j$的增加将使预期效用的减少超过$f_j$的同等百分比的增加[18]，因而减少犯罪数量。如果$j$对风险持回避态度，那么$f_j$的增加会产生更大的影响；如果$j$对风险持中性态度，那么$p_j$与$f_j$可以产生同样的影响。[19]一般的认识是，定罪可能性比罪行惩罚更有威慑力，这意味着，至少在惩罚的相关范围内，违法者对风险持偏重态度。

违法总量是所有$O_j$之和，该总量依赖于$p_j$、$f_j$和$u_j$的集合。虽然人的智力、年龄、教育程度、犯罪前科、健康、家庭的幼年教养等变量可能造成人与人之间的显著差别，但是，为简化起见，笔者只考虑它们的平均取值：$p$，$f$

和 $u$[20]，将违法的市场函数写作

$$O = O(p, f, u) \tag{14}$$

假定该函数的性质同个人函数的性质相同，特别是，该函数同 $p$ 与 $f$ 负相关。当，且仅当违法者总体而言对风险持偏重态度时，该函数对 $p$ 的反应比对 $f$ 的反应更为敏感。斯米基尔和伊里奇（Smigel，1965；Ehrlich，1967）应用形如(14)式的函数用联邦调查局公布的数据作为观察单位，对 7 种犯罪进行了估算；他们发现，正如较高相关系数所显示的，$O$、$p$ 和 $f$ 之间的关系相当稳定，$p$ 与 $f$ 对 $O$ 有显著的负效应，通常，$p$ 的影响超过 $f$ 的影响，说明在观察范围内违法者对风险持偏重态度。

结果是十分著名的：在均衡点，从事有风险的活动的实际收入在边际上随参与者对风险持有的回避或偏重态度而呈高低变化。如果违法者对风险持偏重态度，这就意味着他的实际收入在边际上低于从事风险不大的合法活动的收入；如果违法者对风险持回避态度则结论相反。“违法合算”与否也就意味着违法者对风险所持的态度而与警察的工作效率或对付犯罪的支出没有直接关系。然而，如果在 $p$ 与 $f$ 的某些取值时出现风险偏重而在另一些取值时出现风险回避，那么，公共政策就可以通过 $p$ 与 $f$ 的选择来影响“违法合算”与否，实际上，下文将要说明，通过在出现风险偏重的范围、亦即“违法不合算”的范围内选取 $p$ 与 $f$，通常可以使社会损失减至最小。

惩罚

人类发明了一系列富于创造力的惩罚对付违法者。较为常见的有死刑、拷问、打烙印、罚款、监禁、放逐、活动与职业限制、剥夺公民权。在美国，情节不重的违法主要通过罚款、间或以缓刑考验*，还有临时吊销驾驶执照等轻度限制及监禁来补充；情节较为严重的违法要综合运用缓刑考验、拘禁、假释、罚款和限制职业选择自由等惩罚手段。最近的一项调查对 1965 年平均每天接受缓刑考验、假释、监狱教化或少年教养处理的人数作了估计，受到上述处理的总人数约为 1 300 000，约占劳动力的 2%，大约一半属于缓刑

---

* 指对判处轻刑的犯人根据犯罪情节，认为适用缓刑可保不再危害社会的，可以宣布缓刑，用缓刑考验来代替服刑。——译者注

考验，1/3 属于监狱教化，其余 1/6 属于假释。

各种惩罚的成本可以与它们的货币等价物或价值相对照，当然可以用罚款直接衡量。例如，监禁成本是违法者放弃的收入同消费与自由之限制的价值的贴现值之和，由于放弃的收入和监禁限制之价值因人而异，所以，甚至一定时期的监禁判决的成本之取值也不唯一；对于在狱外能够谋取较高报酬的违法者来说，这一成本一般更大一些；[21]监禁判决的时间愈长，每个犯人付出的成本就愈大，因为放弃的收入及放弃的消费同判决时间长度正相关。

惩罚不仅影响犯人，而且影响社会其他成员。撇开征收费用不说，违法者支付的罚款能够成为别人的所得。然而，绝大多数惩罚既有损违法者又有损社会其他成员，例如，监禁需要警卫、监管人员、建筑、食物等方面的支出。目前美国每年仅用于缓刑考验、假释和教化方面的开支就多达 10 亿美元，一桩案件的日成本相差很大，成人假释较低，只有 0.38 美元，而青少年的拘留教化则高达 11 美元（President's Commission, 1967b, pp.193—94）。

惩罚的社会总成本是违法者的成本加上别人的成本或减去其他成员的所得。罚款除了征收费用外等于其他成员的所得，因而，作为一种转移支付，罚款的社会成本约等于 0，因为其他成员也受到损害。所以缓刑考验，监禁及其他惩罚的社会成本通常超过违法者的成本，为便于下一部分的对最优条件求导，特将社会成本根据违法者的成本写作

$$f' \equiv bf \tag{15}$$

这里，$f'$表示社会成本，$b$ 表示从 $f$ 到 $f'$的转换系数。各种惩罚使 $b$ 的取值变化极大。就罚款而言，$b \approx 0$，就审问、缓刑考验、假释、监禁及其他绝大部分惩罚而言，$b > 1$，少年感化院和成人监禁方面的 $b$ 值极大，审问或成人假释的 $b$ 值非常接近于 1。

## 最优条件

根据导入的相关参数与行为函数，接下来分析社会政策。如果社会政策

的目标只是威慑，那么可使定罪可能性 $p$ 接近于 1，使惩罚 $f$ 超过违法收益，这样，几乎可使违法数量 $O$ 任意降低。然而，$p$ 的增量会影响到对付犯罪的成本 $C$，从而增加了违法的社会成本，这就如同当 $b>0$ 时，$f$ 的增加会影响到惩罚成本 $bf$ 从而增加违法的社会成本。即使当 $p$ 与 $f$ 的取值并不很高时，这些影响也可能超过通过增加的威慑带来的社会收益，因而得不偿失。类似地，如果目标只是做到"罪有应得"，那么可使 $p$ 接近于 1，使 $f$ 等于社会其他成员受到的损害，需要强调指出，上述政策忽视了增加 $p$ 和 $f$ 的社会成本。

所需要的标准既要易于理解，又要充分体现违法造成的损害、逮捕与定罪成本和社会惩罚成本。现代福利经济学的社会福利函数就是这样一种标准。我们可以假定社会具有一个能够衡量违法造成的社会损失的函数。如果函数

$$L = L(D, C, bf, O) \tag{16}$$

用以衡量社会损失，并假定

$$\frac{\partial L}{\partial D} > 0, \frac{\partial L}{\partial C} > 0, \frac{\partial L}{\partial bf} > 0 \tag{17}$$

那么目标将是通过 $f$、$C$ 或者 $b$ 的取值使 $L$ 达至最小。用较为限定的公式讨论问题更简单明了，即假定损失函数等同于违法、定罪及惩罚造成的实际收入的总损失，形如

$$L = D(O) + C(p, O) + bpfO \tag{18}$$

$bpfO$ 项表示实行惩罚的社会总损失，这是因为 $bf$ 为受到惩罚的每桩违法的损失，$pO$ 为(当独立的违法行为的数量相当大时)受到惩罚的违法数量。社会能够直接控制的变量是对付违法的支出费用 $C$、对判定有罪的每桩违法行为的惩罚 $f$ 以及用 $b$ 表示的惩罚的形式。这些变量一旦赋值，通过 $D$、$C$ 及 $O$ 函数，便可以间接决定 $p$、$O$ 及 $D$，从而最终决定损失 $L$。

为了便于分析，将 $p$ 而非 $C$ 视为决策变量，而且，系数 $b$ 在这里也被视为大于 0 的已知常数，因此，$p$ 和 $f$ 是仅有的决策变量，为取得最优值需要对 $L$ 求导以得到两个一阶最优条件[22]

$$\frac{\partial L}{\partial f}=D'O_f+C'O_f+bpfO_f+bpO=0 \tag{19}$$

和

$$\frac{\partial L}{\partial p}=D'O_p+C'O_p+C_p+bpfO_p+bfO=0 \tag{20}$$

当 $O_f$ 和 $O_p$ 不为 0 时，用 $O_f$ 和 $O_p$ 约简，移项，得到一个更为有趣的表达式

$$D'+C'=-bpf\left(1-\frac{1}{\varepsilon_f}\right) \tag{21}$$

和

$$D'+C'+C_p\frac{1}{O_p}=-bpf\left(1-\frac{1}{\varepsilon_p}\right) \tag{22}$$

这里

$$\varepsilon_f=-\frac{f}{O}O_f \tag{23}$$

和

$$\varepsilon_p=-\frac{p}{O}O_p$$

两个等式的左边表示增加违法数量 $O$ 的边际成本：(21)式中由 $f$ 的减少形成违法数量的增加，(22)式中则由 $p$ 的减少形成违法数量 $O$ 的增加，因为 $C'>0$ 且假定 $O$ 在 $D'>0$ 的范围内，所以通过 $f$ 增加 $O$ 的边际成本必定为正。$p$ 的减少会部分地减少对付违法的成本，因而，当 $p$ 减少时增加 $O$ 的边际成本必定少于当 $f$ 减少时增加 $O$ 的边际成本（见图 1）；当 $C_p$ 充分大时前者甚至可以取负值。由 $-bpf$ 给定的平均"收益"为负，但由(21)式和(22)式右边给定的边际收益不必然为负，如果弹性 $\varepsilon_p$ 和 $\varepsilon_f$ 小于 1，则该边际收益为正。因为当边际收益等于边际成本时损失最小（见图 1），所以 $\varepsilon_f$ 的最优值必定小于 1；当 $C_p$ 充分大时，$\varepsilon_p$ 的最优值才会超过 1。这与收入最大化厂商通常的均衡条件相反，由于假定通常情况下平均收益为正，所以通常的均衡条件是需求弹性必定大于 1。[23]

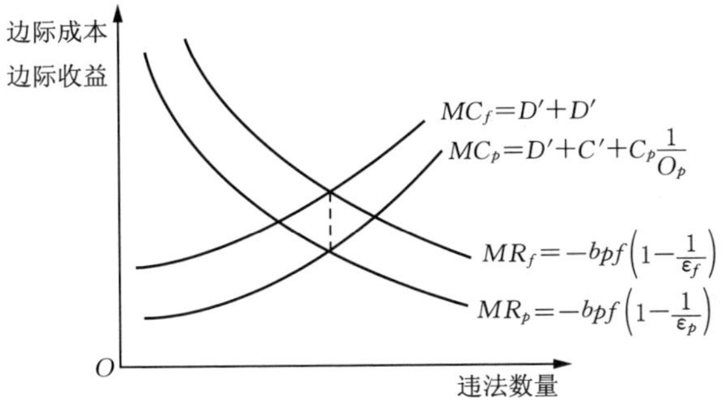


**图 1**

因为通过 $p$ 的改变而改变的 $O$ 的边际成本小于通过 $f$ 而改变的 $O$ 的边际成本，所以，$p$ 的均衡的边际收益也必定小于 $f$ 的均衡边际收益。但(21)式和(22)式表明，当，且仅当 $\varepsilon_p>\varepsilon_f$ 时，$p$ 的边际收益的取值可以更小。如前所述，这正是表明违法者对风险持偏重态度因而“违法不合算”的条件。由此，如果 $p$ 与 $f$ 的取值在违法者总体说来对风险持偏重态度的范围内，那么，违法的损失就可以减至最小。虽然只有违法者的风险态度能够直接决定“违法合算”与否，但理性的公共政策通过 $p$ 和 $f$ 的取值间接地为“违法不合算”提供了保证。㉔

前面指出，美国重大犯罪的实际(用弹性衡量)的 $p$ 对违法的影响超过了 $f$ 对违法的影响，即，这时违法者对风险持偏重态度，“违法不合算”(Smigel, 1965; Ehrlich, 1967)。而且，两个弹性一般小于1，因而，从以上两个方面来说，实际的公共政策与最优分析的含义是一致的。

如果违法的供给只取决于 $pf$——违法者对风险持中性态度——一个为 $f$ 的同等百分比的增加所“补偿”的 $p$ 的减少将不会改变 $pf$、$O$、$D(O)$ 及 $bpfO$，但会减少损失，其原因在于，逮捕与定罪成本因 $p$ 的降低而减少，因而，通过任意降低 $p$，使其接近于0，使 $f$ 充分提高，以使乘积 $pf$ 引致最优违法数量，使社会损失减至最小。㉕进而，如果违法者对风险持回避态度，那么，通过任意降低 $p$ 使其接近于0，社会损失可降至最低，其原因在于，得到“补偿”的 $p$ 的减少既减少 $C$ 又减少 $O$，因而也减少 $D$ 和 $bpfO$。㉖

18 和 19 世纪的盎格鲁—撒克逊语系国家，甚至当今许多共产主义和不发达国家存在一种趋势，即对判定有罪者施行严厉的惩罚。同时，逮捕与定罪可能性取值很低。[27]这种趋势的合乎情理的解释是,增加定罪可能性明显会占用公共资源和私人资源,表现为更多的警察,法官、陪审团,等等,因而,这种可能性经"补偿"后的减少会明显减少对付违法的支出。由于预期惩罚不变,在损害数量或惩罚成本方面都不会有"明显"的补偿性增长,结果显然是实施不断的政治压力,一方面保持警察及其他支出相对较少,另一方面,通过对罪犯的严厉惩罚加以补偿。

当然,如果违法者对风险持偏重态度,通过 $p$ 和 $f$ 有限的正的取值,那么,即使经补偿后的 $p$ 的减少没有补明显抵消,违法的收入上的损失通常也可以达至最小。脚注暗示了一种可能的抵消,即,如果惩罚过分严厉,法庭和陪审团可能不愿判决违法者。这意味着逮捕与定罪成本既取决于 $p$ 和 $D$,也取决于 $f$。[28]如果,至少在某些取值区域,$C$ 对 $f$ 比 $C$ 对 $p$ 更为敏感[29],那么,即使违法者对风险持回避态度,在 $p$ 与 $f$ 的有限取值内收入的损失也可以最小。这时,经补偿后的 $p$ 的减少不是使 $C$ 更低而是使增加 $C$,从而造成损失的增加。

如果损失函数并不简单地等同于收入上的减少,那么,回避风险也许与最优行为一致。例如,可以设想,在蒙受惩罚与不受惩罚的违法之间存在的事后"价格的差别待遇"的增加会增加收入损失,那么"补偿后的"$p$ 的减少会增加"价格的差别待遇",由此增加的损失可以超过 $C$、$D$ 和 $bpfO$ 的减少。[30]

## 行为关系的改变

这部分分析基本行为关系——损失函数、成本函数及违法的供给函数——的改变对 $p$ 与 $f$ 的最优值的影响。这里要突出说明的是它的含义,只给出直观的说明,尤其是结果可用于说明为什么对损失型违法行为的惩罚较严厉,对冲动型违法者的惩罚较温和。

一定数量的违法造成的边际损害 $D'$ 的增加会提高通过 $p$ 或 $f$ 的变化而改变的违法的边际成本(见图 2a、b)。由于 $p$ 与 $f$ 的最优值都在提高,因而最优违法数量必然下降。在此情况(以及即将分析的其他几种情况)下,$p$ 与 $f$ 的最优值同向变动而不是反向变动。[31]

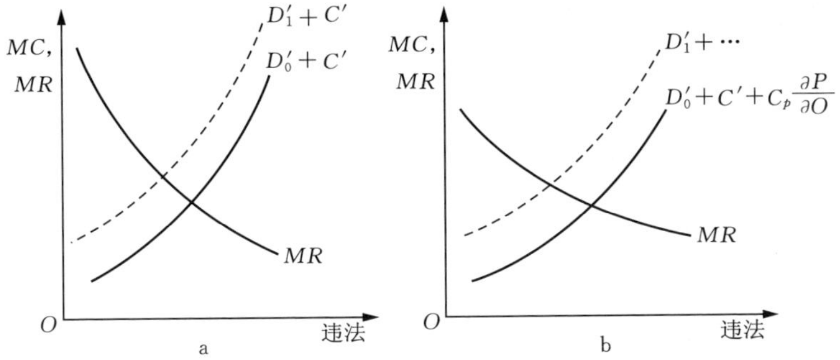


**图 2**

将上述结论应用于不同类型的违法行为是十分有趣的。虽然绝大多数违法造成的损害无法客观衡量，但可想而知，凶杀或强奸一类的犯罪会比小偷小摸造成更大的损害。如果造成收入损失的其他因素相同，那么对愈严重的违法行为来说，逮捕与定罪可能性愈大，定罪之后的惩罚也愈重。

表 2 表明了美国 7 种犯罪的实际可能性与实际惩罚的某些数字。惩罚只是平均服刑期，可能性为估计的定罪数量同估计的违法数量之比，这无疑存在较大的误差（Smigel，1965；Ehrlich，1967）。如果忽略损失函数的其他因素，如果实际可能性和最优可能性与惩罚正相关，那么就会发现，情节较

**1960 年 7 种刑事犯罪的定罪可能性与平均服刑期**

| | 故意杀人 | 暴力强奸 | 抢劫 | 严重暴力伤害人身 | 入宅行窃 | 一般盗窃 | 汽车偷盗 | 加权平均值 |
|---|---|---|---|---|---|---|---|---|
| 1. 第一次释放前平均服刑期（月）： | | | | | | | | |
| （a）联邦机构 | 111.0 | 63.6 | 56.1 | 27.1 | 26.2 | 16.2 | 20.6 | 18.8 |
| （b）州立机构 | 121.4 | 44.8 | 42.4 | 25.0 | 24.6 | 19.8 | 21.3 | 28.4 |
| 2. 逮捕与定罪可能性（%）： | | | | | | | | |
| （a）已知的违法 | 57.9 | 37.7 | 25.1 | 27.3 | 13.0 | 10.7 | 13.7 | 15.1 |
| （b）指控的违法 | 40.7 | 26.9 | 17.8 | 16.1 | 10.2 | 9.8 | 11.5 | 15.0 |
| （c）进入联邦或州立监狱者（许多少年犯不计在内） | 39.8 | 22.7 | 8.4 | 3.0 | 2.4 | 2.2 | 2.1 | 2.8 |

资料来源：1，Bureau of Prisons（1960，Table 3）；2（a）and（b），Federal Bureau of Investigation（1960，Table 10）；2（c），Federal Bureau of Investigation（1961，Table 2），Bureau of Prisons（n.d.，Table A1；1961，Table 8）。

为严重的刑事犯罪有更高的可能性,有更长的监禁期。而事实正是如此:表中将罪行由重到轻依次排列,实际的可能性和监禁期同罪行严重程度正相关。

对于某一既定违法数量,逮捕与定罪的边际成本 $C'$ 的增加同边际损害的增加有同等影响。它必然减少最优违法数量并提高 $p$ 与 $f$ 的最优值。另一方面,逮捕与定罪成本 $C_p$ 的其他因素的增加对通过 $f$ 改变违法的边际成本无直接影响,并会减少通过 $p$ 改变违法的成本(见图 3),因而会减少 $p$ 的最优值并且只是部分地通过 $f$ 的增加来补偿,以致最优违法数量增加。据此,$C'$ 和 $C_p$ 的增加必定提高 $f$ 的最优值,但 $p$ 的最优值及违法最优数量,或者增加或者减少,这取决于 $C'$ 变化和 $C_p$ 变化的相对重要性。

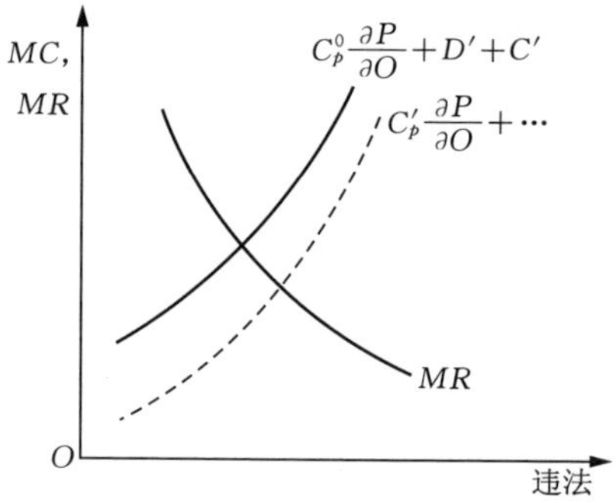


**图 3**

逮捕与定罪成本受诸多因素影响。警察工资的增加既使 $C'$ 增加又使 $C_p$ 增加,而指纹术、弹道技术、微机控制、化学检测等治安技术的改善,以及警察与法庭旨在强调职业化和奖惩制度的"改革",将使 $C'$ 和 $C_p$ 程度不同地下降。因此,分析表明,虽然技术改造与革新可能或也许不可能增加 $p$ 的最优值及减少最优违法数量,但它确能减少最优值 $f$ 并因而减少对这些判定有罪者施行严厉惩罚的依赖性。或许这能够说明,治安技术的持续改善与革新同惩罚的持续减轻联系在一起。

$C_p$ 在不同类型的犯罪之间有显著不同。在某种较小程度上 $C'$ 也是如此。例如,解决强奸或武装抢劫比解决入宅行窃或偷盗汽车更为容易,因为在前两种情况下,个人特征方面的证据经常可以得到而在后两种情况下则不然。[32]这也许不禁使人认为，当(从左至右)观察表2时，$p$ 的显著下降主要是由于左边“人身”犯罪的 $C_p'$ 低于右边“非人身”犯罪的值，但这意味着观察此表时 $f$ 值也从左向右有所增加，而这显然是错误的。因此，$p$、$f$ 和表中的违法严重程度之间的正相关不能用 $C_p$(或 $C'$)和违法严重程度之间的负相关来解释。

如果 $b>0$，对 $f$ 的违法弹性的减少将增加通过改变 $f$ 来改变违法的边际收益(见图4a)。结果是最优违法数量的增加和最优值 $f$ 的减少，这种减少部分地通过 $p$ 的最优值的增加而得到补偿。类似地，对 $p$ 的违法弹性的减少也会增加最优违法数量(见图4b)，使 $p$ 的最优值下降并部分地通过 $f$ 的增加进行补偿，两个弹性的同等百分比的减少理所当然地提高最优违法数量，也使 $p$ 与 $f$ 趋于减少。如果 $b=0$，两个边际收入函数沿横轴方向延伸。这些弹性的变化对 $p$ 与 $f$ 的最优值没有影响。

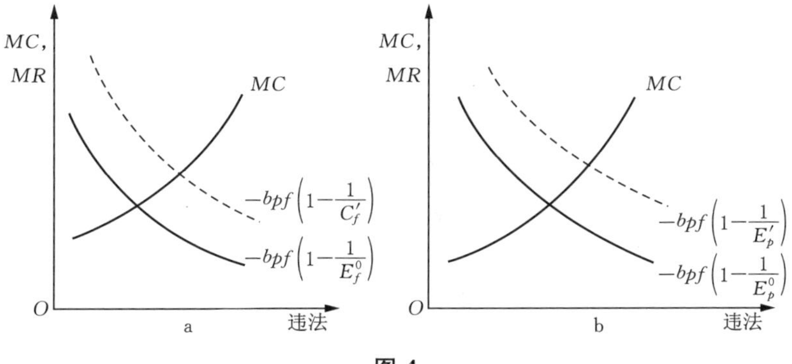


**图4**

如果能以很小的代价将市场分成具有显著不同的需求弹性的子市场，那么，厂商的收入通常会更大，在较低弹性的子市场索取较高的价格。类似地，如果违法的总“市场”可以分成具有显著不同违法的供给弹性的子市场，那么，上面的结论表明，如果 $b>0$，那么，在弹性较低的市场——就是说，较低的 $p$ 值与较低的 $f$ 值的市场，总损失会因“索取”较低“价格”而减少。

在某些情况下，从事同种违法活动的人对惩罚有不同的反应。例如，未经预谋的凶杀犯或未经筹划的抢劫犯被视为轻举妄动者，因而，惩罚轻重对这些人不太起作用，同样[33]，与其他违法者比较而言，精神病人和青少年更少受未来结果的影响,也许较不容易被逮捕的可能性的增加或惩罚的加重所吓倒。就这些人来说,20 世纪的趋势是监禁使用的不断减少而缓刑考验与感化不断增加这种有悖于“罪刑相适应”原则的趋势,至少在广义上与最优分析的含义显著地一致。

$b$ 的上升会增加通过改变 $p$ 或 $f$ 来改变违法数量的边际收益,从而增加最优违法数量,减少 $f$ 的最优值并增加 $p$ 的最优值。第二部分的一些证据表明,对在少年感化院接受教化的少年和拘禁的成人 $b$ 的数值很大,对罚款或假释的成人 $b$ 的数值较小,因而,分析表明,若其他条件不变,如果惩罚形式是教化或监禁,而不是罚款或解释,那么,$f$ 的最优值较小而 $p$ 的最优值较大。

## 罚款

### 1. 福利原理和可转移定价

如边际成本等于价格这一著名的最优化条件一样,福利经济学中通常的最优条件仅仅取决于边际成本与平均收益函数的水平而不是它们的斜率,违法的社会损失是明确地被作为福利经济学中这一方法的一种应用而引入的,但是,如在供给弹性中,斜率对最优条件有着显著的影响,何以有此差别呢? 看来基本的解释是一种含蓄的假定,即消费者的价格支付全部转移给了厂商和政府,因而,支付中不存在社会损失。

如果罚款等惩罚过程中不存在社会损失,那么,$b$ 将等于 0,供给弹性将从(21)式中给定的最优条件中除去。[34] 如果 $b>0$,例如在监禁的情况下,违法者的某些支付不会为社会的其余部分得到,那么将会出现社会净损失。由于违法的供给弹性决定了由惩罚变化引起的社会成本的变化,因而成了最优条件的重要决定因素。

虽然可转移货币定价在今天已是最普遍的形式,但是在一些国家,特别是在不发达和共产主义国家,非转移货币定价也不是无关紧要的,除监禁及许多其他惩罚外,这方面的例子还包括征兵、实物支付、排队以及其他需要时间等候的配给形式。它们源于对定价的合法限制和供需条件的随机变化

(Becker, 1965),最优条件深受定价的可转移性假设的改变的影响,这是十分有趣和值得深究的。

## 2. 最优条件

如果由于通过罚款进行惩罚,$b=0$;如果逮捕与定罪的成本也等于0,那么两个最优条件(21)式和(22)式将结成一个简单条件

$$D'(O)=0 \tag{24}$$

经济学家通常认为,污染空气的工厂或化为荒地的伐木作业等活动会造成"外部"损害,对这些活动应以课税,或制定标准加以限制,直至外部边际损害等于边际私人收益,就是说,直至边际净损害为0,如(24)式所示。如果边际损害总是超过边际收益,那么可将最优水平假定为0,这也是在以适当的不等式条件带入时(24)式的含义。换句话说,如果逮捕、定罪及惩罚成本为0,如果每种违法引起的外部损害超过私人收益,那么通过提高惩罚以至足以消除各种违法则违法的社会损失将减至最小。最小化社会损失将和通过设定严厉的惩罚使犯罪最小的标准相一致。[35]

(24)式决定了最优违法数量 $\hat{O}$,罚款与定罪可能性也设定在刚好只有 $\hat{O}$ 违法这样一种水平上,如果将经济学的有用的选择理论运用于违法活动的分析(见第二部分),那么,这些惩罚的边际价值须等于私人边际收益:

$$V=G'(\hat{O}) \tag{25}$$

这里,$G'(\hat{O})$表示违法数量为 $\hat{O}$ 时的私人边际收益,$V$ 表示边际惩罚的货币价值,鉴于(3)式和(24)式,

$$D'(\hat{O})=H'(\hat{O})-G'(\hat{O})=0$$

代入(25)式,有

$$V=H'(\hat{O}) \tag{26}$$

惩罚的货币价值等于违法造成的边际损害。

既然逮捕与定罪成本假定为0,逮捕与定罪的可能性就可以因而设定为1。惩罚的货币价值可以简单地等于被课以的罚款数额,(26)式变为

$$f = H'(\hat{O}) \tag{27}$$

因为，由违法者支付的罚款提供给社会其他部分，表达式(27)决定的罚款恰好可以补偿后者所受的边际损害，使社会损失最小的标准在边际上等同于补偿“受害者”的标准。[36]如果受害者的伤害总是超过违法者的收益，那么两个标准将依次要求消除所有违法行为。

如果逮捕与定罪成本不为0，在假定定罪可能性仍然为1的情况下，最优条件就得既要考虑边际损害，又要考虑边际成本，并将成为

$$D'(\hat{O}) + C'(\hat{O},\ 1) = 0 \tag{28}$$

因为 $C'>0$，所以，(28)式要求 $D'>0$，或者说边际私人收益超过边际外部损害，这意味着存在一个比 $D'=0$ 时更小的违法数量。[37]显而易见，如果罚款等于边际损害与边际成本，那么，(28)式就可以满足，有：

$$f = H'(\hat{O}) + C'(\hat{O},\ 1) \tag{29}$$ [38]

换言之，违法者既要补偿他们直接造成的损害又要补偿逮捕他们的成本。这是通常的外部分析自然引出的一般性结论。

如果罚款而非定罪可能性固定不变，那么最优条件

$$D'(\hat{O}) + C'(\hat{O},\ \hat{p}) + C_p(\hat{O},\ \hat{p})\frac{1}{O_p} = 0 \tag{30}$$

将取代(28)式。(30)式通常意味着 $D'(\hat{O})>0$，[39]因此，违法数量将超过成本为0时的最优违法数量。不论逮捕与定罪成本增减与否，最优违法数量的增减将在很大程度上取决于惩罚是因罚款的变化而变化还是因定罪可能性的变化而变化。当然，如果两者都得到控制，那么，除非社会损失函数不同于(18)式(见第三部分的分析)，否则，最优定罪可能性可任意接近于0。

### 3. 罚款

正如定罪可能性和惩罚轻重受到社会控制，惩罚形式也受社会控制。法律通常规定某种违法通过罚款、缓刑考验、教化，还是通过某种综合形式予以惩罚。在当今绝大多数国家，罚款是一种占主导地位的惩罚形式，而送入专门机构则针对情节较为严重的违法活动，这仅仅是一种巧合，还是深思熟

虑的确切结果？本节将提出几个观点，它们表明，在可能使用罚款的地方尽可能地使用罚款将增加社会福利。

首先，缓刑考验和送进专门机构耗用社会资源，而罚款则不然，其原因在于，后者基本只是转移支付，前者则使用警卫、监管人员、监护官*和违法者自身的时间等形式的资源。[40]表1表明，这种成本不是个小数目：1965年美国大约有10亿美元用于对罪犯的“教养”，这一估计值当然排除了违法者损失的时间价值。[41]

不仅如此，在某种程度上罚款可以简化最优违法数量与惩罚轻重的决策。明智地使用罚款要求边际收益与损害和逮捕与定罪的边际成本等方面的信息；显然，这类信息不易获得。然而，这类信息也是明智地运用监禁及其他形式的惩罚所要求的，此外，这种安排还要求必须知道违法活动对惩罚轻重的变化的反应弹性。在废除死刑问题上的激烈争论表明，确知这些弹性相当困难。

笔者曾经指出，预谋、心智健全、年龄可以作为反应弹性的替代因素纳入惩罚的决定。因为由(27)式或(29)式决定的最优罚款可以说并不依赖于弹性，所以，在课以罚款时这些因素可以不予考虑，这或许多少能够说明，为什么经济学家在分析外部问题时不考虑动机或意向，而社会学家和律师考虑犯罪行为时总要考虑“动机或意向”；经济学家认为惩罚可以通过货币形式的付税或罚款，而后者则认为惩罚要通过非货币手段。

罚款对受害者提供补偿，最优罚款的边际价值能够充分补偿受害者并使其恢复原状，因此，受害者的境况不会比受到损害之前更糟。[42]其他形式的惩罚不仅不能提供补偿，而且还要求“受害者”耗用额外的资源执行这些惩罚。因此，无怪乎对那些事实上没有“补偿社会”的前科犯的气愤与恐惧导致人们对他们进行额外的惩罚[43]，这包括对他们的政治和经济活动[44]的合法限制，以及对他们的社会接纳方面的非正规限制。而且，心理疗法专家的忠告、医疗或其他计划能够改变或“恢复”违法者的正常生活，违法者的补偿的不足鼓励了人们这方面的努力。由于罚款确实作了补偿且不引起多少额外的损耗，故对适度被罚者的气愤和恐惧不易形成。因此，额外惩罚通常不再施加到已被罚款者身上，也无须尽力“恢复”他们的正常生活。

一种反对罚款的意见认为，由于罚款这种惩罚形式实际上允许违法者像

---

* 在美国指监视缓刑犯的官员。——译者注

购买面包和其他商品而支付货币那样购买一种违法，因而罚款是不道德的。[45]罚款成了违法的价格，但是，其他形式的惩罚也不过如此，譬如，偷窃汽车的“价格”可能是6个月的监禁，唯一的区别在于衡量的单位，罚款是以货币单位衡量的价格，监禁是以时间单位衡量的价格，如此而已，要说稍有区别的话，货币单位只不过像在定价和会计中那样受到广泛欢迎罢了。

由(29)式决定的最优罚款只取决于边际损害和成本，根本不依赖于违法者的经济地位，这曾被指责为不公正，并认为违法者的罚款应与其收入成比例。[46]如果目标是使违法行为在收入方面造成的社会损失最小，而并非对违法者采取报复或使其受到损害，那么罚款应取决于由违法者造成的全部损害，而不直接取决于他们的收入、种族、性别等等。同样，最优监禁判处及其他惩罚的货币价值取决于损害、成本及反应弹性，但不直接取决于违法者的收入。实际上，如果通过监禁等惩罚的货币价值与收入无关，那么，判刑长短与收入负相关，因为相对于某一特定判决的价值与收入正相关。

某一特定罚款的货币价值对所有违法者显然相同，而某一特定监禁判决或缓刑考验期的货币等价物或价值一般与违法者的收入正相关，在此基础上，我们可以简略考虑定罪可能性的某些有趣含义。第二部分的分析表明，实际的定罪可能性对所有违法者并非一视同仁，而通常与年龄、性别、种族，尤其与收入有关；对可能判处某一服刑期的违法而言，高收入的违法者倾向于在谋划犯罪、寻找好律师、依法上诉，甚至为了减少逮捕与定罪可能性在行贿方面更多地耗用时间或钱财，这是因为定罪带来的成本相对来说大于这些支出。类似地，对于某一可能判以罚款的违法而言，贫穷的违法者倾向于在谋划犯罪、法院出庭等方面使用更多的时间来减少某一定罪可能性，这是因为这种定罪成本相对来说大于他们的时间价值。[47]这意味着定罪可能性与违法者的收入有规则地发生关联，它与监禁惩罚负相关，与罚款惩罚正相关。虽然就刑事犯罪及其他可以判处监禁的违法而言，这种负相关关系可以经常观察到并得到研究(President's Commission, 1967c, pp.139—53)，但我不知道是否有人就此对罚款进行过研究，也没有听说过这样的观点，即这种负相关关系与其说是受了财富因素的影响，毋宁说是由惩罚本身的性质产生的必然结果。

另一种反对意见认为，凶杀或强奸之类的犯罪，残暴至极，无论多少钱财也不足以补偿受害人所遭受的损害。这种认识有其敏锐之处,它是一个更为一般原则的特殊情况,此原则即,只要造成的损害超出违法者的资源,罚款便不再是唯一靠得住的惩罚手段,因为,这时受害人不能得到违法者的充分补偿,监禁惩罚或其他形式的惩罚将用来补充罚款以有效地抑制犯罪。由此说明,对情节较为严重的犯罪来说,监禁、缓刑考验和假释是主要的惩罚手段。对于相当严重的损害,刑事罪犯没有足够的资源来补偿。既然罚款常被予以优先考虑,它也表明,有必要建立一套灵活的分期支付罚款制度以使违法者为避免其他形式的惩罚而比较容易地支付罚款。

根据这种分析,对于某些违法而言,如果某些违法者可以支付罚款而其他人不能支付罚款[48],那么前者可以只限于罚款惩罚,而后者则部分地结合其他惩罚手段。实质上,这些方法成为惩罚社会的"债务人"的手段。且不要对此愤愤不平、特别是抱怨它对穷人的不公正,请看下面的分析。

这些受到惩罚的人是一笔"交易"中的债务人,而这笔交易是他们的"债权人"永远不会同意的。[49]这不是贷款一类的自愿交易,债权人可以事先采取适当防范措施。此外,在任何基于市场自愿交易的经济体制中,惩罚必定要将这些"债务人"和其他人作出区分。如果富人购买了一部汽车,人们会向富人庆贺;而如果穷人偷了一辆汽车,人们会把穷人送入监狱。然而,富人的购买是等价于"偷窃"的,如果这一"偷窃"行为又为后来相当于车辆价格的罚款所补偿,事实上,穷人由于交不起这笔"罚款"而被投入监狱。

监禁一类的惩罚作为缺乏足够资源的违法者的全部罚款的替代是否"公正",这当然取决于较之罚款的监禁长度。[50]譬如,用一周的监禁代替 10 000 美元的罚款,如果有所区别的话,那么,对能够支付这笔罚款的富有的罪犯是"不公正的"。因为对社会而言,监禁是一种代价较高的惩罚,对由于不能支付罚款而被投入监狱的罪犯的怜悯的政策将减少罪犯的损失。结果就监禁期的货币等价物低于最优罚款的价值这一点而言,对这些"债务人"的最优监禁期限不是"不公正的",而最优罚款的价值才等于所造成的损害或"债务。"[51]

然而,在监禁和罚款相替代这一比例上,"债务人"所受的监禁似乎经常是看轻监禁期时间价值的。虽然笔者没有见到关于违法者所受不同惩罚及他们所做出的选择的系统证据,但美国的许多法律允许使用罚款和看轻时间价值的监禁惩罚。例如,在纽约州,甲级轻罪被判一年监禁或不超过1 000

美元的罚款。乙级轻罪判处3个月的监禁或500美元以下的罚款(Laws of New York, 1965 Chap.1030, Arts, 70 and 80)。[52]在我看来,相对于罚款而言,这些法律所允许的监禁惩罚过多,由此可以解释为什么说用监禁代替罚款对违法的穷人是不公正的,因为他们必须经常地"选择"监禁。

### 4. 补偿与刑法

美国实际的刑事诉讼似乎寻求一种威慑、补偿与报复的综合体。我已指出,这些目标在某种程度上存在矛盾,不可能广泛地同时实现;例如,如果通过罚款予以惩罚,那么,使违法造成的社会损失最小等同于对"受害者"予以充分补偿,而威慑和报复只能得到有限的追求。因此,如果罚款的情形广为接受,如果通过最优罚款予以惩罚习以为常,那么,刑法的传统方法就得从头修改。

首先,所有法律程序的基本目标将变得千篇一律;不是惩罚或威慑,而只是估算被告造成的"损失",传统刑法的大部分将变成民事侵权法的分支,[53]姑且称为"社会侵权",公众集体要求补偿"公共"损害,犯罪行为从根本上不再由行为性质[54]来概括而是用不能补偿所造成的"损害"来定义。只有那些导致别人遭受不能补偿的损害的行为才能视为"犯罪"。刑法将包括所有这类犯罪,而民事侵权法将包括所有其他(民事)行为。

作为一个具有根本变化的实际例子,考虑一下反托拉斯的情况。古典经济学家认为,垄断扭曲了资源配置并减少了经济福利。部分地受到此观念影响,美国法律视共谋或贸易限制为违法行为。实际上,尽管有时也被课以罚款,受到索赔损失的诉讼、或被投入监狱,但被告常常只是被要求停止违法活动。

如果强调补偿,那么法律程序的主要目标将是使罚款等于[55]因进行贸易限制而使社会蒙受的损害,停止或中止定货、监禁、奚落或解散公司则不择要领。如果关于垄断的经济理论确实可信,如果能够课以最优罚款,那么公司就会自动停止任何贸易限制,这是因为他们的收益将低于他们造成的损害,因而预期收益低于预期罚款。另一方面,如果熊彼特及其他批评者是正确的,且某些贸易限制提高了经济福利的水平,则罚款能够充分补偿给社会造成的损害。由于参与者的收益超过对他人的损害,所以某些贸易限制活动不会停止。[56]

所以,强调补偿与罚款而非惩罚与威慑的一个出乎意料的好处是,没有必要先去判断古典主张的有效性,如果有效,那么补偿性罚款将挫败所有贸易限制,并达到古典学说的目标;如果无效,那么这种罚款将允许为社会所渴望的限制继续存在,与此同时,补偿社会因此而受到的损害。

当然,三方损害诉讼的参与者都已意识到,衡量所造成的损害并非易事,严重的误差在所难免,然而,许多民事诉讼的损害衡量也极为困难[57],但是这些误差并不妨碍继续履行职能,而且总体说来还算令人满意,而且,随着经验的累积,错误的幅度会下降,大数定律(rules of thumb)会发挥作用,最后,必须认识到,现今的反托拉斯政策也要求做出困难的判断,诸如哪些行业的竞争"行之有效",哪些合并会削弱竞争。强调罚款与补偿至少可以通过专注于明智的社会政策最需要的信息而避免无谓的争论。

## 对付犯罪的私人支出

许多公共行动和私人行为都在试图减少犯罪数量和发案率:雇请警卫、看门人和会计、安装保险锁和警铃,扩大保险范围,避开公共场所和街坊四邻,以乘坐出租汽车代替步行或乘坐地铁,等等。1965 年对付犯罪的这类开支接近 20 亿美元,见表 1。这无疑是个低估了的数字。在高度相互依赖的现代经济中需要大量的私人行为,因为,在这样的经济中,一个人经常要让雇主、雇员、顾客或卖主"关心"他的资源,包括"关心"他本身。

如果一个人试图最大限度地减少犯罪在收入方面对他的预期损害,那么,他可以从前面公共最优决策的分析中导出最优私人决策。对个人而言,存在一个与(18)式类似的损失函数:

$$L_j = H_j(O_j) + C_j(p_j, O_j, C, C_k) + b_j p_j f_j O_j \tag{31}$$

$H_j$ 项表示违法行为 $O_j$ 对 $j$ 造成的损害,$C_j$ 表示达到定罪可能性 $p_j$ 的成本。注意,$C_j$ 不仅与 $O_j$ 正相关,而且与对付犯罪的公共支出 $C$、其他成员的私人支出集 $C_k$ 负相关。[58]

$b_j p_j f_j O_j$ 项用以衡量对任何违法行为 $O_j$ 的惩罚对 $j$ 的预期[59]损失。总的来说，绝大多数惩罚导致社会的净损失，但它们对实际受害者经常带来好处。例如，向实际受害人支付罚款，对社会而言只是一种转移支付，但显然有益于受害者；类似地，监禁惩罚对社会造成净损失，但对受害者不过是个可以忽略不计的损失，因为他们通常只为监禁成本承担微不足道的责任。这就是 $b_j$ 通常小于或等于 0 而与此同时社会损失系数 $b$ 大于或等于 0 的原因。

由于 $b_j$ 和 $f_j$ 基本取决于有关惩罚的公共政策，由 $j$ 直接控制的主要决策变量为 $p_j$，如果他选择某一 $p_j$，从而使 $L_j$ 最小，那么类似于(22)式的最优条件是：

$$H'_j+C'_j+C_{jp_j}\frac{\partial p_j}{\partial O_j}=-b_jp_jf_j\left(1-\frac{1}{\varepsilon_{jp_j}}\right) \tag{32}$$ [60]

弹性 $\varepsilon_{jp_j}$ 衡量 $p_j$ 变化对针对 $j$ 的违法数量的影响。如果 $b_j<0$，如果(32)式左边改变 $O_j$ 的边际成本大于 0，那么(32)式意味着 $\varepsilon_{jp_j}>1$。由于违法者可在受害者中寻找替代，$\varepsilon_{jp_j}$ 可能比 $\varepsilon_p$ 大得多，而 $\varepsilon_p$ 为违法总量对平均可能性 $p$ 的变化的反应。因此，在由(22)式决定 $\varepsilon_p<1$ 的最优条件的要求和(32)式的 $\varepsilon_{jp_j}>1$ 的要求之间并不存在矛盾。

## 几点应用

### 1. 最优利益

本文的犯罪分析是经济学外部损害或外部不经济分析的推广。从分析上看，这一推广引入了逮捕与定罪成本，因而使得逮捕与定罪可能性成为重要的决策变量。本文分析还了货币支付和监禁及其他形式的惩罚。从分析上说，犯罪与产生外部损害的其他活动没有什么显著的差异，当犯罪可用罚款惩罚时，分析上的差异最终消失。

外部经济或利益的分析与外部不经济的分析通常是完全对应的。然而，将民事侵权法与刑法类比是徒劳无益的。造成的损害可以用补偿来支付，但一般来说，外部经济者不会得到补偿，没有与警察、街区律师相对应的公务员对做好事者而非违法者加以逮捕和定罪。当然，公众愿意报答做好事者：奖牌、奖金、称号及其他特权通过公共或私人团体授予战斗英雄、政府官员、科学家、学者、艺术家及商人，其中，最著名的是诺贝尔奖、列宁奖、议会荣誉奖、骑士勋章和专利权。但这些都是零零碎碎的努力，只能涉及广大人口中的很小部分，缺乏法体的普遍意义，而法体将各种利益加以分门别类地整理和分析。

这种缺乏可以解释为，刑法和民事侵权法的发展是在外部损害比利益更为普遍或利益难以衡量因而极易出现偏向之时，但是，无论如何法律中的不对称并非分析中的不对称所致。这是不言而喻的。利益、福利及做好事者的规范分析可以同损害、违法及违法者的分析对称进行。例如，函数 $A(B)$ 可以按 $D(O)$ 给出违法 $O$ 的净损害的方式给出福利 $B$ 对社会的净利益，类似地，$K(B, p_1)$ 可给出找到与奖励做好事者的成本，这里，$p_1$ 表示找到与奖励的可能性，且 $K'$ 及 $K_p>0$；$B(p_1, a, V)$ 可给出福利的供给，这里，$a$ 表示每单位福利的奖励，$V$ 表示其他决定因素，且 $\partial B/\partial p_1$ 和 $\partial B/\partial a>0$；$b_1$ 构成 $a$ 的一部分，它是社会的净损失。这里的函数不是表示违法造成的社会收入下降的损失函数，而是一个表示福利带来的收入增加的利润函数，

$$\pi = A(B) - K(B, p_1) - b_1 p_1 a B \tag{33}$$

如果通过选取适当的 $p_1$ 值和 $a$ 值，使 $\pi$ 达至最大，那么，最优条件类似于(21)式和(22)式，有

$$A' - K' = b_1 p_1 a\left(1+\frac{1}{e_a}\right) \tag{34}$$

和

$$A' - K' - K_p \frac{\partial p_1}{\partial B} = b_1 p_1 a\left(1+\frac{1}{e_p}\right) \tag{35}$$

这里

$$e_a = \frac{\partial B}{\partial a}\frac{a}{B}$$

和

$$e_p = \frac{\partial B}{\partial p_1}\frac{p_1}{B}$$

均大于0,这些等式的含义与此前对(21)式和(22)式的分析有关,但在几个重要方面有所不同。

例如,如果$b_1>0$,这意味着$a$并非纯转移,而是耗用了社会资源,显然,由于$K_p>0$和$\partial p_1/\partial B>0$,所以(34)式和(35)式表明$e_p>e_a$。这与$\varepsilon_p>\varepsilon_f$的(21)式和(22)式的含义相似,但后者表明,违法者在边际上对风险持偏重态度,而前者则表明,做好事者在边际上对风险持回避态度[61],因此,$p$与$f$的最优取值是在"违法不合算"的区域——亦即违法者的边际收入低于从事风险较少的合法活动所得到的边际收入,而$p_1$和$a$的最优取值在"做好事合算"的区域内——亦即做好事者的边际收入高于从事风险较小的活动的边际收入,在此意义上,"做好事""合算","做坏事"则"不合算"。

作为本文分析的一种说明,考虑对发明者的奖励。函数$A(B)$表示$B$发明的社会总价值,$A'$表示此种发明的边际价值,函数$K(B, p_1)$表示发现及奖励发明者的成本;在专利制度中,它衡量专利局的成本、申请的准备的成本、律师与法官及涉及专利诉讼的其他成本[62],弹性$e_p$和$e_a$衡量发明者对奖励的可能性与奖励幅度的变化的反应,而$b_1$衡量运用奖励发明者的方法所需要的社会成本。就专利制度而言,社会成本在于发明使用的有限性及由此导致的各种垄断力量。

(34)式和(35)式表明,在任何$b_1>0$的体制中,发明者的反应弹性愈小,奖励的可能性和数量就愈小。(专利的价值可以改变,譬如,通过改变它的使用寿命而改变价值),由此表明,有些人认为绝大多数发明源于基本的求知欲,有些人认为绝大多数发明源于对金钱奖励的憧憬,尤其是在研究和开发中突出强调系统的投资的今天,这两种认识上的争论不无关联。前一种认识通常十分坚定地倡导削弱现有的专利制度,后一种认识同样坚定地要求予以加强。

即使发明的边际价值$A'$"相当大",最优决策也将是放弃发明的财产权,就是说,如果$b_1$和$K$[63]充分大,或者,如果弹性$e_p$和$e_a$充分小,那么可令$p_1=0$。实际上,取消或根本改变专利制度的所有意见要么基于它的成本——因为$K$或$b_1$数值较大;要么认为它缺乏效率——因为$e_p$或$e_a$数值较小(Plant, 1934; Arrow, 1962)。

如果专利制度被现金奖励制度所取代,那么,由于$b_1$约等于0,反应弹性不再与最优政策有关，而且，奖金制度还有许多同罚款一样的优点（见第五部分的分析）。[64]然而，专利制度的一个明显的优点是，它能"自动"衡量 $A'$，就是说，提供的奖金与 $A'$ 自动地正相关，而奖金（或罚款与监禁）制度需要独立地估计 $A'$（或 $D'$），经常带有某种程度的随意性。

**2. 公共政策的效率**

对定罪与惩罚的顾虑可以减少违法造成的损失，因而，通过抑制某些违法行为可以增加社会福利，那么，是什么决定着福利增加，也就是说，是什么决定着公众抑制违法行为的努力的"效率"？如果社会福利用收入衡量，如果将"效率"定义为收入方面最大可能的增加与不存在造成净损害的违法时收入的增加之比，那么，第三部分的模型可以用于解答这个问题（假定惩罚的社会损失系数 $b$ 一定），通过对逮捕与定罪可能性 $p$ 和惩罚轻重 $f$ 赋值，可以得到收入最大可能增加数量。[65]

由此，效率可以在 0 和 1 之间变化，主要取决于两种行为关系：逮捕与定罪成本和违法者对 $p$ 与 $f$ 的变化的反应弹性。逮捕与定罪成本愈小，或者，反应弹性愈大，则减少违法行为的成本就愈小，因而效率就愈高；对于不同类型的违法行为，反应弹性可以迥然不同。例如，就对 $p$ 与 $f$ 的变化的敏感性而言，经常听说凶杀、强奸等情绪型犯罪与偷窃汽车等青年犯罪的敏感性低于盗用公款、违反反托拉斯法、银行抢劫等更精于算计的成人犯罪的敏感性。斯米基尔和伊里奇对 7 项重大刑事犯罪的弹性估算差异很大，但是，在杀人、强奸、偷盗汽车及人身伤害方面的弹性并不明显低于抢劫、一般盗窃和入宅行窃方面的弹性。[66]

就不同违法行为而言，效率的差异更多地源于逮捕与定罪成本，而不是反应弹性。这些成本的一个重要而又变化很大的决定因素是从事违法到侦破之间的时间。[67]因为，犯罪发现愈早，警察愈能及早赶到出事现场，受害者辨明违法者的可能性就愈大，由此表明，对抢劫的效率高于对盗窃的效率，或者，对最低工资法和公平就业法的效率高于对反托拉斯法和公益设置管理规定等白领立法（white-collar legislation）。[68]

**3. 共谋理论**

本章建立的理论可以用于消除某些行为的任何努力，而不考虑这种行为是否“非法”。为了说明问题，考虑竞争性厂商进行共谋以谋求垄断利润的努力。经济学家缺乏用来说明某一产业中厂商的价格决定和产出政策的令人满意的理论，缺乏可以预言完全竞争、垄断与各种中间行为的产生条件的理论。我们对犯罪与惩罚的分析的一个副产品就是共谋理论，这种理论看来能够在很大程度上填补上述空白。[69]

厂商的共谋收益与边际成本曲线的弹性正相关，与其联合需求曲线的弹性负相关。定价低于规定或产出高于规定的违反协议的厂商可以称之为共谋“违约”。对共谋的最终损害取决于违约数量和需求弹性及边际成本曲线的弹性，这是因为共谋收益取决于上述弹性。

如果能够不付代价地消除违约，那么，最优解显然是消除所有违法行为，并实行纯垄断定价，一般来说，如同其他形式的违法行为，有两种消除违约的成本，首先是侦破违约与“逮捕”违约者的成本。所要求的侦破可能性愈大，违约的数量愈多，则这种成本就愈高；如果其他条件相同，那么，违约数量通常与某一产业中的厂商数量正相关，由此可以部分地说明经济学家将垄断力量同集中相联系的典型做法。达到既定侦破可能性的成本也依赖于厂商数量、顾客数量、顾客购买格局的稳定性，以及对于共谋协议的政府政策(Stigler, 1964)。

共谋成本的第二个方面是对违约者的惩罚。最有利的情况是对违约者课以罚款，由另外的共谋者收取罚款。如果拒绝考虑罚款和其他求偿权，那么，掠夺性刹价或暴力之类的方法就将付诸使用。这些方法既损害违约者也损害共谋行为。

参与共谋的厂商要选择某种侦破可能性、违约惩罚和价格与产出以使违约损失最小而同时又能使共谋收益达至最大。需求曲线愈有弹性，卖主和买主数量愈大，可转移的惩罚愈少，政府对共谋愈是敌视，最优定价及产出就愈接近竞争位置。需要指出，资源的配置失当不能只根据实际产出与竞争产出的偏离衡量，它还依赖于实施共谋的成本。需要进一步指出而且更为重要的是，与绝大多数定价理论不同，这种理论提供了从纯粹竞争，经中间过渡状态向纯垄断定价过渡的连续变化，这些状态之间的差异主要是源于“最优”违约数量的差别，反过来又与前面已经提及的弹性、集中、立法等因素有关。

以上论述似乎有助于理解非法产业共谋上的相对成功。正如合法行业的厂商存在共谋动机以提高价格和利润一样，从事毒品、赌博、卖淫和堕胎等非法行当的厂商也有这种动机。“辛迪加”是某些非法产业中共谋行为，看来是高度成功的例子。[70]美国这样的国家禁止共谋，由于暴力和其他非法手段可以采用而违约者又无合法的求偿权，所以，非法产业的厂商看来有种优势，另一方面，像战前德国那样的国家，规定共谋合法，这种合法产业的共谋也有自己的优势，因为违约者能够经常被依法起诉，就此而言，可以预料，美国的非法产业的共谋较为成功，而战前德国合法产业的共谋较为成功。

## 总结与结论

本文运用经济分析探讨了对付违法行为的最优公共决策与最优私人决策。公共决策变量是它用于警察、法庭等方面的支出，这些支出用以决定侦破、逮捕与定罪可能性($p$)，另外两个变量是惩罚轻重($f$)和惩罚形式：监禁、缓刑考验、罚款等等；除了其他约束外，这些变量的最优取值受到三种行为关系的限制：由一定数量非法行为称为违法($O$)，引起的损害，达到既定 $p$ 的成本及 $p$ 与 $f$ 的变化对 $O$ 的影响。

“最优”决策可以理解为使违法在收入方面造成的社会损失降至最小的决策。这种损失为全部损害、逮捕与定罪成本、执行惩罚的成本的总和。在一个或更多变量没有受到“外部”因素限制的情况下，社会损失可以在同时顾及 $p$、$f$ 及 $f$ 的形式的情况下达至最小。从最小值得出的最优条件有许多有趣的含义，可以用几个特殊例子说明。

如果执行惩罚代价昂贵，例如，缓刑考验、监禁或假释需要大量支出，那么在均衡点对 $p$ 变化的违法反应弹性一般会超过它对 $f$ 变化的反应弹性，这意味着，如果非法活动的进入可用经济学家说明合法活动的进入的同样方式加以解释，那么违法者(在边际上)是“风险偏重者”，因而，违法活动(在边际上)“不合算”，也就是说所得到的实际收入会少于从事风险较低的合法活动的收入，“违法不合算”的结论就是一个最优条件，它并不包含警察或法庭效率方面的含义；事实上，只要 $p$ 与 $f$ 选取适应每一效率水平的最优值，那么,不论效率水平如何,该条件均能成立。

如果成本相同违法造成的损害愈大,那么,$p$ 与 $f$ 的最优值就愈大。因此,对凶杀、强奸一类的犯罪的处理应比小偷小摸一类的犯罪的处理更坚决、惩罚得更严厉。现有资料表明,美国实际的可能性与惩罚同最优分析的这一层含义极为一致。

罚款比其他惩罚形式有几个方面的优点:例如,它能保存资源,既能惩罚罪犯,又能补偿社会,而且有利于 $p$ 与 $f$ 的最优值的决定。罚款成为最常用的惩罚手段,其重要性与日俱增,这是不足为奇的。不能支付罚款的罪犯须给予其他形式的惩罚。但最优分析表明,对违法者来说,这些惩罚的货币价值低于罚款。

在历来所提出的诸多立法考虑中,报复、威慑、安全、恢复及补偿也许是最重要的考虑,和它们相比,使收入方面的社会损失最小似乎是狭隘、平淡甚至是古怪的。然而,毫无疑问,收入标准可以从几个方面加以有益的推广,本文分析了其中的几种情况。不要忽视这样的事实,即,罚款比乍看上去更为普遍、更有效力,实际上,它包含着特殊场合下人们更为迫切需要的东西。譬如,如果惩罚是通过最优罚款进行的,那么,使收入上的损失减至最小将等同于完全补偿"受害者"并将消除使边沁非常担忧的"警报";而且,如果逮捕、定罪及惩罚的成本相对较小,那么罚款将等同于抑制造成重大损害的所有违法行为。由于同样适于报复或恢复的说明,所以道德方面是不成问题的,使收入方面的损失减至最小实际上非常概括,因而比那些吸引人的戏剧性但缺乏灵活性的迫切需要更为有用。

本文几乎完全注重于对付违法行为的最优策略,很少注意实际政策。本文考察的实际政策的少数一些证据显然表明与最优政策的正面呼应,例如,人们可能发现美国 7 项刑事犯罪中造成损害愈大,惩罚就愈重,对 $p$ 的变化的反应弹性超过对 $f$ 的变化的反应弹性,两者通常低于 1,均不出最优分析所料。然而,也有某些不一致,例如,不同法律中监禁与罚款之间的实际转换常常较不利于被监禁者,而不像所预言的那样较有利于被监禁者。虽然需要更多地研究实际政策,但是,由于有关违法、定罪成本等定量定性实证性资料的严重限制,也由于缺少可靠的政治决策分析性理论,这种研究严重受阻。

理性人对于不同活动带来的损害或利益的认识经常存在分歧。对某些人来说，任何竞争的劳动市场决定的工资率都是可以接受的，而在另一些人看来，低于某一最低限量的工资率则是对基本人权的侵犯；对某些人来说，只要愿意支付市场价格，赌博、卖淫甚至堕胎都可以自由地进行，而在另一些人看来，赌博无异于罪恶，堕胎等同于谋杀。对于公共政策的发展和完善来说，这些分歧是不可或缺的，但本文的分析暂不考虑这些分歧。本文假定人们对损害与利益的看法是相同的，只是试图为这种认识找出一条最优的实现途径。

在我看来，本章的主要价值在于说明，对付违法行为的最优政策是资源最优配置的一部分。由于经济学已经有了一套资源配置理论，"经济分析"变得适用于分析违法行为，并有助于丰富这种分析，同时，违法行为的特殊方面也丰富了经济分析：监禁等一些惩罚必然是非货币的，既是违法的成本，又是社会的成本，不确定程度既是纳入收益函数、又是纳入成本函数的决策变量，等等。

用"经济分析"研究违法行为谈不上学说上的首创。贝卡利亚和边沁在18世纪和19世纪对刑法学作出了重大贡献，他们明确地应用了经济计算，但不幸地是，这种分析在最近一个世纪被淡漠了。笔者试图发掘其精髓，使其发展成现代理论，但愿本文的分析已经改进了先驱们的研究。

## 数学附录

本附录意在说明诸多参数的变化对 $p$ 和 $f$ 的最优值的影响。始终假设 $b>0$，以及当下式

$$\frac{\partial D}{\partial O}+\frac{\partial C}{\partial O}+\frac{\partial C}{\partial p}\frac{\partial p}{\partial O}=D'+C'+C_p\frac{\partial p}{\partial O}>0$$

成立时，均衡存在。类似的分析也很容易扩展至当 $b$ 以及其边际成本为负值时的情况。正文第二部分中的结论 $D''+C''>0$ 也依赖于上述条件。我认为大致设定 $O$ 对 $p$ 或 $f$ 的弹性是固定的近似处理是有合理性的。多数场合，得到结论的一个充分条件是

$$C_{pO} = C_{Op} = \frac{\partial^2 C}{\partial p \partial O} = \frac{\partial^2 C}{\partial O \partial p}$$

比其他部分要更小一些。此条件在一个较强的假设 $C_{pO} = 0$ 下也能使用，不过我也不能提供任何支持上述充分条件的直觉或证据。

犯罪引发的社会收入的损失定义为

$$L = D(O) + C(O, p) + bpfO. \tag{A1}$$

若 $b$ 和 $p$ 固定，可以从以下必要条件中获得使 $L$ 最小化的 $f$ 值

$$\frac{\partial L}{\partial f} = 0 = (D' + C') \frac{\partial O}{\partial f} + bpf(1 - E_f) \frac{\partial O}{\partial f} \tag{A2}$$

或

$$0 = D' + C' + bpf(1 - E_f) \tag{A3}$$

若有

$$\frac{\partial O}{\partial f} = O_f \neq 0$$

其中

$$E_f = \frac{-\partial f}{\partial O} \frac{O}{f}$$

充分条件为 $\partial^2 L / \partial f^2 > 0$；利用 $\partial L / \partial f = 0$ 和 $E_f$ 是常量事实，充分条件变为

$$\frac{\partial^2 L}{\partial f^2} = (D'' + C'')O_f^2 + bp(1 - E_f)O_f > 0 \tag{A4}$$

或

$$\Delta \equiv D'' + C'' + bp(1 - E_f) \frac{1}{O_f} > 0 \tag{A5}$$

因为 $D' + C' > 0$，且 $b$ 大于等于 0，(A3)式暗示 $E_f > 1$。因此 $\Delta$ 可能大于 0，因为假设 $D'' + C'' > 0$；且满足(A3)式的 $f$ 值 $\hat{f}$，可(局部地)最小化损失 $L$。

假设 $D'$ 与外生变量 $\alpha$ 正相关。$\alpha$ 变动对 $\hat{f}$ 的影响可通过对(A3)式微分

来获得

$$D'_{\alpha}+(D''+C'')O_f\frac{\mathrm{d}\hat{f}}{\mathrm{d}\alpha}+bp(1-E_f)\frac{\mathrm{d}\hat{f}}{\mathrm{d}\alpha}=0$$

或

$$\frac{\mathrm{d}\hat{f}}{\mathrm{d}\alpha}=\frac{-D'_{\alpha}(1/O_f)}{\Delta} \tag{A6}$$

由于 $\Delta>0$，$O_f<0$，且假设有 $D'_{\alpha}>0$，因此有

$$\frac{\mathrm{d}\hat{f}}{\mathrm{d}\alpha}=\frac{+}{+}>0 \tag{A7}$$

同理，可以证明若 $C'$ 与外生变量 $\beta$ 正相关，有

$$\frac{\mathrm{d}\hat{f}}{\mathrm{d}\beta}=\frac{-C'_{\beta}(1/O_f)}{\Delta}=\frac{+}{+}>0 \tag{A8}$$

若 $b$ 与 $\gamma$ 正相关，有

$$(D''+C'')O_f\frac{\mathrm{d}\hat{f}}{\mathrm{d}\gamma}+bp(1-E_f)\frac{\mathrm{d}\hat{f}}{\mathrm{d}\gamma}+pf(1-E_f)b\gamma=0$$

或

$$\frac{\mathrm{d}\hat{f}}{\mathrm{d}\gamma}=\frac{-b_{\gamma}pf(1-E_f)(1/O_f)}{\Delta} \tag{A9}$$

由于 $1-E_f<0$，且假设 $b_{\gamma}>0$，有

$$\frac{\mathrm{d}\hat{f}}{\mathrm{d}\gamma}=\frac{-}{+}<0 \tag{A10}$$

注意到，由于 $1/E_f<1$，

$$\frac{\mathrm{d}(p\hat{f}O)}{\mathrm{d}\gamma}<0 \tag{A11}$$

若 $E_f$ 与 $\delta$ 正相关，有

$$\frac{\mathrm{d}\hat{f}}{\mathrm{d}\delta}=\frac{E_{f\delta}bpf(1/O_f)}{\Delta}=\frac{-}{+}<0 \tag{A12}$$

由于$O$对$f$的弹性等于

$$\epsilon_f = -O_f \frac{f}{O} = \frac{1}{E_f}$$

根据(A12)式,$\epsilon_f$的下降也会带来$\hat{f}$的下降。

假设$p$与外生变量$r$相关。那么,$r$的移动对$\hat{f}$的影响可以从下式得到

$$(D''+C'')O_f \frac{\mathrm{d}\hat{f}}{\mathrm{d}r} + (D''+C'')O_p p_r + C_{pO} p_r$$
$$+ bp(1-E_f)\frac{\partial \hat{f}}{\partial r} + bf(1-E_f)p_r = 0$$

或

$$\frac{\mathrm{d}\hat{f}}{\mathrm{d}r} = \frac{-(D''+C'')O_p(1/O_f)p_r - bf(1-E_f)p_r(1/O_f)}{\Delta} \quad \text{(A13)}$$

因为假设$C_{pO}=0$。又由于$O_p<0$,且$(D''+C'')>0$,

$$\frac{\mathrm{d}\hat{f}}{\mathrm{d}r} = \frac{(-)+(-)}{+} = \frac{-}{+} < 0 \quad \text{(A14)}$$

若$f$而非$p$是固定的,最小化$L$的$p$值$\hat{p}$,可以从下式得到

$$\frac{\partial L}{\partial p} = \left[D' + C' + C_p \frac{1}{O_p} + bpf(1-E_p)\right]O_p = 0 \quad \text{(A15)}$$

只要有

$$\frac{\partial^2 L}{\partial p^2} = \left[(D''+C'')O_p + C'_p + C_{pp}\frac{1}{O_p} + C_{pO} + C_p \frac{\partial^2 p}{\partial O \partial p}\right.$$
$$\left. + bf(1-E_p)\right]O_p > 0 \quad \text{(A16)}$$

由于$C'_p = C_{pO} = 0$,当有下式时,(A16)式成立

$$\Delta' \equiv D'' + C'' + C_{pp}\frac{1}{O_p^2} + C_p \frac{1}{O_p}\frac{\partial^2 p}{\partial O \partial p} + bf(1-E_p)\frac{1}{O_p} > 0$$

(A17)

一般设想第二部分提到的 $C_{pp}$ 都大于 0。若像上面假设的

$$D' + C' + C_p \frac{1}{O_p} > 0$$

(A15)式暗示了 $E_p > 1$，因而有

$$bf(1 - E_p)\frac{1}{O_p} > 0$$

若 $E_p$ 是固定的，$\partial^2 p/\partial O\partial p$ 则为负值[71]，从而 $C_p(1/O_p)(\partial^2 p/\partial O\partial p)$ 为正。故式(A17)中没有一项是负的，且满足式(A15)的 $p$ 值是局部最小值。

不同参数的变化对 $\hat{p}$ 的影响与上文 $\hat{f}$ 分析的过程类似，可以写出下式：

$$\frac{\mathrm{d}\hat{p}}{\mathrm{d}\alpha} = \frac{-D'_\alpha(1/O_p)}{\Delta'} > 0 \tag{A18}$$

$$\frac{\mathrm{d}\hat{p}}{\mathrm{d}\beta} = \frac{-C'_\beta(1/O_p)}{\Delta'} > 0 \tag{A19}$$

以及

$$\frac{\mathrm{d}\hat{p}}{\mathrm{d}\gamma} = \frac{-b_\gamma pf(1 - E_p)(1/O_p)}{\Delta'} < 0 \tag{A20}$$

若 $E_p$ 与 $\delta'$ 正相关，有

$$\frac{\mathrm{d}\hat{p}}{\mathrm{d}\delta'} = \frac{E_{p\delta'} bpf(1/O_p)}{\Delta'} < 0 \tag{A21}$$

若 $C_p$ 与参数 $s$ 正相关，$s$ 的变动对 $\hat{p}$ 的影响等于

$$\frac{\mathrm{d}\hat{p}}{\mathrm{d}s} = \frac{-C_{ps}(1/O_p^2)}{\Delta'} < 0 \tag{A22}$$

若 $f$ 与外生变量 $t$ 相关，$t$ 的变动对 $\hat{p}$ 的影响可由下式给出

$$\frac{\mathrm{d}\hat{p}}{\mathrm{d}t} = \frac{-(D''+C'')O_p f_t(1/O_p) - bf(1-E_p)f_t(1/O_p) - C_p(\partial^2 p/\partial O\partial f)f_t(1/O_p)}{\Delta'} < 0 \tag{A23}$$

(其中 $C_{pO} = 0$)，因为分子中的各项都是负的。

若 $p$ 和 $f$ 受到控制约束，当两者同时取最优值时 $L$ 可以最小化。假设更一般的二阶条件被满足，可解两个一阶条件（A2）式和（A15）式得出此结论，不同参数变动对这些最优值的影响可以通过对两个一阶条件微分及合并二阶条件的约束来获得。

当

$$L_{pp} > 0, \ L_{ff} > 0 \tag{A24}$$

$$L_{pp}L_{ff} > L_{fp}^2 = L_{pf}^2 \tag{A25}$$

成立，满足（A2）式和（A15）式的 $p$ 和 $f$ 的值 $\hat{p}$ 和 $\hat{f}$ 可最小化 $L$。但是，$L_{pp} = O_p^2\Delta'$，且 $L_{ff} = O_f^2\Delta$，由于已经证明了 $\Delta'$ 和 $\Delta$ 都大于 0，（A24）式也可以得证，只需证明（A25）式。$L_f$ 对 $p$ 微分，且利用一阶条件 $L_f = 0$，得到

$$L_{fp} = O_fO_p[D'' + C'' + bf(1 - E_f)p_O] = O_fO_p\Sigma \tag{A26}$$

其中，$\Sigma$ 表示括号项的部分。明显的，$\Sigma > 0$。

替换后，式（A25）变为

$$\Delta\Delta' > \Sigma^2 \tag{A27}$$

且当 $\Delta'$ 和 $\Delta$ 都大于 $\Sigma$ 时，（A27）式成立。$\Delta > \Sigma$ 意味着

$$D'' + C'' + bp(1 - E_f)f_O > D'' + C'' + bf(1 - E_f)p_O \tag{A28}$$

或

$$\frac{bfp}{O}(1 - E_f)E_f < \frac{bpf}{O}(1 - E_f)E_p \tag{A29}$$

由于 $1 - E_f < 0$，（A29）式暗示在 $b > 0$ 假设下，下式

$$E_f > E_p \tag{A30}$$

必定成立；只要合并两个一阶段条件（A2）式和（A15）式就可以证明（A30）式。$\Delta' > \Sigma$ 意味着

$$D'' + C'' + C_{pp}p_O^2 + C_p p_O p_{Op} + bf(1 - E_p)p_O > D'' + C'' + bf(1 - E_f)p_O \tag{A31}$$

由于 $C_{pp}p_O^2 > 0$，且 $p_O < 0$，（A31）式必定成立，当

$$C_p p p_{Op} + bpf(1 - E_p) < bpf(1 - E_f) \tag{A32}$$

通过消去一阶条件式(A2)和式(A15)中的 $D' + C'$，合并各项，有

$$C_p p_O - bpf(E_p - E_f) = 0 \tag{A33}$$

合并式(A32)和式(A33)，有

$$C_p p p_{Op} < C_p p_O \tag{A34}$$

或

$$E_{pO,\,p} = \frac{p}{p_O}\frac{\partial p_O}{\partial p} > 1 \tag{A35}$$

可以得到

$$E_{p_O,\,p} = 1 + \frac{1}{E_p} > 1 \tag{A36}$$

因此，(A35)式得证。

已经证明，满足(A2)式和(A15)式的 $p$ 和 $f$ 值确实可以(局部地)最小化 $L$。不同参数的变动会改变 $p$ 和 $f$ 的最优值，变化的方向和大小可从以下两个线性方程得到

$$O_f\Delta\frac{\partial\tilde{f}}{\partial z} + O_p\Sigma\frac{\partial\tilde{p}}{\partial z} = C_1$$

$$O_f\Sigma\frac{\partial\tilde{f}}{\partial z} + O_p\Delta'\frac{\partial\tilde{p}}{\partial z} = C_2 \tag{A37}$$

根据克莱姆法则，

$$\frac{\partial\tilde{f}}{\partial z} = \frac{C_1O_p\Delta' - C_2O_p\Sigma}{O_pO_f(\Delta\Delta' - \Sigma^2)} = \frac{O_p(C_1\Delta' - C_2\Sigma)}{+} \tag{A38}$$

$$\frac{\partial\tilde{p}}{\partial z} = \frac{C_2O_f\Delta - C_1O_f\Sigma}{O_pO_f(\Delta\Delta' - \Sigma^2)} = \frac{O_f(C_2\Delta' - C_1\Sigma)}{+} \tag{A39}$$

两个微分值的符号与分子的符号一样。

现在考虑参数 $\alpha$ 变动对 $D'$ 的变动的影响。显然，有 $C_1 = C_2 = -D'_\alpha$，替代后，因为 $O_f$ 和 $O_p < 0$，$D'_\alpha > 0$，且 $\Delta'$ 和 $\Delta > 0$，有

$$\frac{\partial \tilde{f}}{\partial \alpha}=\frac{-O_p D'_\alpha(\Delta'-\Sigma)}{+}=\frac{+}{+}>0 \tag{A40}$$

$$\frac{\partial \tilde{p}}{\partial \alpha}=\frac{-O_p D'_\alpha(\Delta-\Sigma)}{+}=\frac{+}{+}>0 \tag{A41}$$

类似的，若 $C'$ 因 $\beta$ 变动而变动，$C_1 = C_2 = -C'_\beta$，有

$$\frac{\partial \tilde{f}}{\partial \beta}=\frac{-O_p C'_\beta(\Delta'-\Sigma)}{+}=\frac{+}{+}>0 \tag{A42}$$

$$\frac{\partial \tilde{p}}{\partial \beta}=\frac{-O_f D'_\beta(\Delta-\Sigma)}{+}=\frac{+}{+}>0 \tag{A43}$$

若 $E_f$ 因 $\delta$ 变动而变动，$C_1 = E_{f\delta} b p f$，$C_2 = 0$，有

$$\frac{\partial \tilde{f}}{\partial \delta}=\frac{O_p E_f b p f \Delta'}{+}=\frac{-}{+}<0 \tag{A44}$$

$$\frac{\partial \tilde{p}}{\partial \delta}=\frac{-O_f E_f b p f \Sigma}{+}=\frac{+}{+}>0 \tag{A45}$$

同样的，当 $E_f$ 因 $\delta'$ 变动而变动，$C_1 = 0$，$C_2 = E_{p\delta} b p f$，有

$$\frac{\partial \tilde{f}}{\partial \delta'}=-\frac{O_p E_{p\delta} b p f \Sigma}{+}=\frac{+}{+}>0 \tag{A46}$$

$$\frac{\partial \tilde{p}}{\partial \delta'}=\frac{O_f E_{p\delta} b p f \Delta}{+}=\frac{-}{+}<0 \tag{A47}$$

若 $b$ 因 $\gamma$ 的变动而变动，$C_1 = -b_\gamma p f(1-E_f)$，$C_2 = -b_\gamma p f(1-E_p)$，因为 $E_f > E_p > 1$ 和 $\Delta' > \Sigma$；有

$$\frac{\partial \tilde{f}}{\partial \gamma}=-\frac{O_p b_\gamma b f[(1-E_f)\Delta'-(1-E_p)\Sigma]}{+}=\frac{-}{+}<0 \tag{A48}$$

同时因可以证明 $(1-E_p)\Delta > (1-E_f)\Sigma$[72]，有

$$\frac{\partial \tilde{p}}{\partial_\gamma}=-\frac{O_f b_\gamma b f[(1-E_p)\Delta-(1-E_f)\Sigma]}{+}=\frac{+}{+}>0 \tag{A49}$$

注意到，当 $f$ 保持不变时，最优值 $p$ 因 $\gamma$ 的增加而下降，而非增加。

若 $C_p$ 因 $s$ 的变动而变动，$C_2 = -p_O C_{ps}$，$C_1 = 0$，

$$\frac{\partial \tilde{f}}{\partial s}=\frac{O_p p_O C_{ps}\Sigma}{+}=\frac{C_{ps}\Sigma}{+}=\frac{+}{+}>0 \tag{A50}$$

$$\frac{\partial \tilde{p}}{\partial s}=\frac{-O_f p_O C_{ps}\Delta}{+}=\frac{-}{+}<0 \tag{A51}$$

## 注 释

① 未予关注可能源于这样的观点，即认为非法行为太不道德，因此不值得任何系统的科学的关注。道德态度对科学分析的影响，马歇尔已经做了清晰的探讨。他认为由于存在边际效用递减，即使是公平的赌博也是一个"经济错误"，他说道："这种快乐的损失必须比从赌博的刺激中获得的快乐少，我们再回到边沁用'道德败坏'这个词来说明赌博的乐趣；经验表明，尽管可能带来更高和更稳定的生活乐趣，但赌博更容易让一个人变得不安分、性情狂燥、不适合稳定的工作。"(Marshall, 1961，数学附录，注释 X)

② 1959 年，13 个州的这方面支出约 200 万美元，见 Landes(1966)。

③ 表面上，欺诈、偷窃等无法得出真正的社会成本，但换个角度，可用受害者的损失来衡量，而受害者的损失可由等量的犯罪收益来补偿。转换后，犯罪收益的市场价值就是直接社会成本的一个估计值。如果偷窃和欺诈行业是"竞争的"，犯罪时间投入的总价值——包括在看守所和监狱呆的时间——加上资本投入的价值，对风险的补偿等，可以大致等值地估计受害者损失的市场价值。结果是，除中间产品投入，受害者的损失，相当于是犯罪的真实社会成本，可以通过衡量对犯罪投入的劳动和资本的总价值来估计。

④ 对 1929 年使城市化和收入增长受压的持续性衰退的分析，见 Cagan(1965, chap. iv)。

⑤ 1929 年，纸币结算与消费支出之比仅为 0.05，1965 年，这一比值为 0.08，1965 年每个家庭的纸币结算高达 738 美元。

⑥ Cagan(1965, chap. iv)将 1929—1960 年纸币持有量的增加归功于因税率上升引起的逃税漏税。

⑦ 下标 $i$ 是有限制的，为了说明，讨论的只是一种活动。

⑧ 根据犯罪委员会的报告，85%—90% 的警力成本是警察的工资和津贴(Crime Commission, 1967a, p.35)。

⑨ 犯罪委员会的工作小组报告涉及了更好的、更有效率的先进技术的应用方面的建议(Crime Commission, 1976e)。

⑩ 对成本函数求导，有 $C_{pp}=C''(h_p)^2+C'h_{pp}$；$C_{oo}=C''(h_o)^2+C'h_{oo}$；$C_{po}=$

$C''h_oh_p+C'h_{po}$。若边际成本上升，$C_{pp}$或$C_{oo}$为负的必要条件是$h_{pp}$或$h_{oo}$大大小于0，这种可能性很小，然而，$C_{po}$近似为0的必要条件是$h_{po}$大大小于0，这也是不可能的，请注意，如果"活动"只用定罪衡量，则有$h_{pp}=h_{oo}=0$，以及$h_{po}>0$。

⑪ 7项犯罪即：故意杀人、暴力强奸、抢劫、严重暴力伤害人身、入宅行窃、一般盗窃、汽车偷盗。

⑫ 例如，Shawness(1965)曾说道："一些法官将所有精力都放在惩罚的手段上。这虽说也是他们的本职工作。但是，这样做并未像他们预想的那样，能在很大程度上阻止犯罪。侦查过程的确定性远比惩罚的严厉性重要。"也可参考18世纪意大利经济学家和犯罪学家 C. B. Beccaria 的观点（Radzinowicz，1948，I，282）。

⑬ 然而，可参阅 Smigel(1965)；Ehrlich(1967)。

⑭ 关于这些范畴的讨论，可参阅 Sutherland(1960)。

⑮ $p_j$和$f_j$均可视作取决于法官、陪审团和检控官等的分布，在合适的$j$取值内。$u_i$取决于$p$和$f$对其他竞争性犯罪的惩罚。犯罪者会替代犯罪行为的证据，见 Smigel(1965)。

⑯ 违法的预期效用定义为

$$EU_j = p_jU_j(Y_j - f_j) + (1 - p_j)U_j(Y_j)$$

这里，$Y_j$表示违法者$j$从违法行为中获得的货币及心理方面的收益；$U_j$表示其效用函数，$f_j$可以理解为$j$受到惩罚的货币等价物，于是

$$\frac{\partial EU_j}{\partial p_j} = U'_j(Y_j - f_j) - U_j(Y_j) < 0$$

和

$$\frac{\partial EU_j}{\partial f_j} = -p_jU'_j(Y_j - f_j) < 0$$

只要收入的边际效用为正。通过纳入某些因素的成本与可能性，便可以将分析予以扩展，这些因素是逮捕、拘禁，以及未能定罪的审理。

⑰ $EY_j=p_j(Y_j-f_j)+(1-p_j)Y_j=Y_j-p_jf_j$。

⑱ 这意味着$f_j$的减少可以"补偿"$p_j$的增加，这种变化将减少效用和违法。

⑲ 由注释⑯

$$\frac{-\partial EU_j}{\partial p_j}\frac{p_j}{U_j} = [U,(Y_j) - U_j(Y_j - f_j)]\frac{p_j}{U_j} \gtreqless \frac{-\partial EU_j}{\partial f_j}\frac{f_j}{U_j}$$

$$= p_jU'_j(Y_j - f_j)\frac{f_j}{U_j}$$

当

$$\frac{U_j(Y_j)-U_j(Y_j-f_j)}{f_j} \gtreqless U'_j(Y_j-f_j)$$

等式左边为 $Y_j-f_j$ 和 $Y_j$ 之间效用的平均变化值。当 $U'' \gtreqless 0$ 时，上式大于、等于或小于 $U'_j(Y_j-f_j)$。对风险的偏重中性和回避态度分别用 $U''_j>0$，$U''_j=0$，$U''_j<0$ 加以定义。

⑳ $p$ 可以定义为 $p_j$ 的加权平均值，有如

$$p=\sum_{j=1}^{n}\frac{O_jp_j}{\sum\limits_{t=1}^{n}O_i}$$

对 $f$ 和 $U$ 也有类似定义。

㉑ 从这个角度看，监禁是一个以排队定价的"等待时间"的特殊例子（Becker，1965，esp. pp.515—16；Kleinman，1967）。

㉒ 数学附录将分析第二个条件。

㉓ 因此，如果 $b<0$，平均收益为正，$\varepsilon^f$ 的最优值大于1，且只有 $C_p$ 足够大时，$\varepsilon_p$ 小于1。

㉔ 若 $b<0$，则最优条件为 $\varepsilon_p<\varepsilon_f$，就是说，违法者对风险持回避态度，最优社会政策即在"违法合算"的范围内选取 $p$ 与 $f$ 的值。

㉕ 若 $O$ 只依赖 $pf$，由于 $\varepsilon_f=\varepsilon_p=\varepsilon$，当 $p=0$，$C=0$，由(21)式和(22)式给定的均衡条件合二为一

$$D'=-bpf\left(1-\frac{1}{\varepsilon}\right)$$

由此，以及关系式 $O=O(pf)$，可以决定 $O$ 及 $pf$ 的均衡值。

㉖ 若 $b<0$，最优解为 $p\approx0$，如果违法者对风险持中性态度或偏重态度，$f$ 可以取任意高的值。

㉗ 关于18与19世纪英国刑法的研究，可参考 Radzinowicz(1948，vol.I)。尽管那时合法的死刑判决很少对不太严重的犯罪施行，但惩罚还是非常严厉的。

近期，越南判定一位有名的商人在大米上"投机倒把"，同时，最近一些苏联监狱中的经济犯也被处以严厉的刑期惩罚。

㉘ 此处应强调 Evsey Domar 的贡献。

㉙ 尤其是对更大的 $f$ 和更小的 $p$。

㉚ 若 $p$ 为违法者受到惩罚的可能性，则 $1-p$ 为违法不受惩罚的可能性，预期

惩罚为 $\mu = pf$，方差 $\sigma^2 = p(1-p)f^2$，方差系数

$$v = \frac{\sigma}{\mu} = \sqrt{\frac{1-p}{p}}$$

当 $p=1$，$v=0$；当 $p=0$，$v \to \infty$

若损失函数为

$$L' = L + \psi(v),\ \psi' > 0$$

最优条件则为

$$D' + C' = -bpf\left(1 - \frac{1}{\varepsilon_f}\right) \tag{21}$$

和

$$D' + C' + C_p \frac{1}{O_p} + \psi' \frac{\mathrm{d}v}{\mathrm{d}p} \frac{1}{O_p} = -bpf\left(1 - \frac{1}{\varepsilon_p}\right) \tag{22}$$

因为 $\psi'(\mathrm{d}v/\mathrm{d}p)(1/O_p)$ 为正，它将充分抵消小于 $O$ 的 $C_p(1/O_p)$。

㉛ 我在这里先强调，是因为边沁的“惩罚的确定性越含糊，惩罚可能就越严厉”说法(1931b, chap.ii，名为“惩罚”的部分，第二条)。边沁的说法有可能成立，当 $p$(或 $f$)外生决定，且 $L$ 的最小化仅由 $f$(或 $p$)来决定，那时 $f$(或 $p$)的最优值与给定的 $p$(或 $f$)值反向变动(见数学附录)。若 $L$ 的最小化仅由 $f$ 和 $p$ 共同决定，它们一般正向变动。

㉜ “如果一个嫌犯既没有被受害人指认，也没有被以犯罪的名义逮捕，想要再逮捕他的可能性就很小了”(President's Commission, 1967e, p.8)。这个结论是基于 1966 年 1 月对洛杉矶部分地区进行的犯罪研究。

㉝ 参见 Becker(1962)的分析，他认为，较“理性”的人而言，易冲动的及其他“非理性”的人更多地被制止购买价格已经上升的商品。

㉞ 通过斜率 $O_p$，供给弹性在(22)式中依旧被保留，因为初始价格并不会影响边际成本，但在此处，通过 $p$ 会影响到 $C$。

㉟ “惩罚的痛苦必须超过犯罪带来的收益。”(Bentham, 1931b，第一条)

㊱ 所谓“受害者”意指社会其他部分，而不仅仅限于实际蒙受伤害的人。

㊲ 这一结果也可以从数学附录的关于 C 增加的影响的特别例子中得出。

㊳ 由于均衡要求 $f = G'(\hat{O})$，且由(28)式有

$$D'(\hat{O}) = H'(\hat{O}) - G'(\hat{O}) = -C'(\hat{O}, 1)$$

直接替代，得(29)式。

㊴ 就是说，如果下式合乎情理，

$$\frac{\mathrm{d}C}{\mathrm{d}p}=C'\frac{\partial O}{\partial p}+C_p>0$$

那么

$$C'+C_p\frac{1}{\partial O/\partial p}<0$$

和

$$D'(\hat{O})=-\left(C'+C_p\frac{1}{\partial O/\partial p}\right)>0$$

㊵ 早期的一些关注犯罪学的作家就认识到了罚款的优越性。例如,“金钱惩罚是非常经济的,因为支付罚金的人所感受到的痛苦,转化为接受罚金的人的收益”(Bentham, 1931b, chap. vi),以及“监禁在早期(如10世纪)看似是一个无用的惩罚;它并不能满足复仇的需要,它让犯人无所事事,我们所做的一切是昂贵的。”(Pollock and Maitland, 1952, p.516)

㊶ 另一方面,包括食物、衣服和住宿场所等形式的转移支付。

㊷ 边沁认识到这点,他说道“提供受害方的赔偿额是一项惩罚的另一个重要特征。它一举可以完成两个目标——惩罚罪犯并补偿其犯罪行为:消除第一阶段的邪恶,且能停止受害人报警。这是金钱惩罚的一个明显的特征。”(1931, chap.vi)

㊸ 同样的,社会对征兵有强制转移,如对一些对退伍军人的额外支付,主要体现在教育、奖金及住院治疗的权利等。

㊹ 参见 Sutherland(1960, pp.267—68)列示的一些经济活动。

㊺ 早期的英国法非常重视货币罚金,甚至对谋杀也是。“每一种人的每一种击打或伤口都可以定价,大部分的法理学必须有这种预设的价格知识。”(Pollock and Maitland, 1952, p.451)

在最近的动画片 Mutt and Jeff 中也体现了类似思想,一辆警车上有这样的标语:“限速30英里/小时——每超速1英里罚款5美元——选择你能承受的速度。”

㊻ 例如,边沁说道:“金钱惩罚,如果总量固定,是最不平等的……罚金的决定并不考虑犯罪的收益或其带来的痛苦,或罪犯的经济状况……金钱惩罚应该根据罪犯的财富调节。它不应该是一个绝对量,而应该是根据犯罪的行为、罪犯的财富制定的相对量。”(1931b, chap.ix)注意到,根据(29式)确定的最优罚金额,确实考虑到了“犯罪的收益”和“其带来的痛苦”。

㊼ 注意到,利用时间来减少给定判罚的可能性与收入无关,因为判罚是固定在时间上,而不是货币上;同理,利用金钱来减少给定罚金数额的可能性也与收入无关,因为判罚是固定在货币上,而不是时间上。

㊽ 在某一研究中，一般的违法者不能支付罚款(President's Commission, p.148)。

㊾ 好几个世纪之前的"债务人"也有一些人不能支付"债务"。

㊿ 不考虑实际的替代选择，判罚是基于"对被告人处以严厉的惩罚性的金钱赔偿看似可以与死刑、监禁等判罚相比较。"("Criminal Safeguards……", 1967)

51 为简单起见，假定定罪可能性为1，此时唯一的最优条件为

$$D' + C' = -bf\left(1 - \frac{1}{\varepsilon_f}\right) \tag{1'}$$

因为 $D' = H' - G'$，通过替代，得到

$$G' = H' + C' + bf\left(1 - \frac{1}{\varepsilon_f}\right) \tag{2'}$$

由均衡条件 $G' = f$，

$$f = H' + C' + bf\left(1 - \frac{1}{\varepsilon_f}\right) \tag{3'}$$

或

$$f = \frac{H' + C'}{1 - b(1 - 1/\varepsilon_f)} \tag{4'}$$

若 $b > 0$，$\varepsilon_f < 1$(见第三部分)，再由(4′)式

$$f < H' + C \tag{5'}$$

这里，表达式右边表示全部边际损害。如果 $f$ 同 $p$ 一样自由变化，那么分析将更为复杂，但对最优监禁的相对货币价值与罚款的结论依然有效。

52 "一般的民事违法行为"，只能被处以不超过15天的监禁以及250美元以下的罚款。因为这是最高惩罚，实际法院判罚的时候通常不会按最高额度判罚。也可以看到，法院可以判以监禁、罚款或两者兼有。(*Laws of New York*, 1965, chap.1030, Art.60)

53 "英美法系(分支)中的主要的侵害原则是，被告要因违法而对原告造成的伤害进行赔偿"(Harper and James, 1956, p.1299)。

54 当然，像谋杀或强奸这类传统犯罪行为也是按这个方法追究刑事责任。

55 事实上，若被定罪的概率小于1，罚款应该超出损害。若想避免被定罪，需要有明智的辩护理由，如惩罚性赔偿金是已定罪的损害的3倍。

56 古典学说认为，$D'(M)$ 恒大于0，这里，$M$ 衡量各种贸易限制，$D'$ 衡量边际损害，批评的观点认为，对某些 $M$ 而言，$D'(M) < 0$，如前文所述，若 $D'$ 恒大于0，则补偿罚款会挫败各种违法，即各种贸易限制，若 $D'$ 有时小于0(除非

侦破与定罪的边际成本相对 $D'$ 充分大，否则），某些违法会依然存在。

57 Harper 和 James 说道："有时（罚金）可以以一个比较合理的水平衡量出来。但是，它通常也仅仅只是一个对个人伤害的数字性和推测性的结果。因此，当下的目标是，法律至少应规定一个大致的关于损害、伤害程度与对应罚金数额之间的关系。"（1956，p.1301）

58 $C_k$ 的增长——$O_j$ 和 $C$ 保持不变——会解决对 $j$ 造成的损害，因为对 $k$ 的损害也大部分可以被解决。

59 不同于预期社会损失，预期私人损失往往有相当大的差异，因为针对任何单一个体的独立的犯罪行为毕竟是少数。若 $j$ 不是风险中性的，$L$ 可能需要被调整以包含一个依赖于 $b_j p_j f_j O_j$ 的分布的变量。

60 我已经假设

$$\frac{\partial C}{\partial p_j} = \frac{\partial Ck}{\partial p_j} = 0$$

换句话说，$j$ 非常"不重要"以至于不能影响其他成员的支出。看似有理，实则是建议由(21)和(22)式给出的最优条件需要调整。因为公共支出的影响依赖于私人支出，既然公共支出足够"重要"以影响私人的行动，(22)式则需调整

$$D' + C' + C_p \frac{\partial p}{\partial O} + \sum_{i=1}^{n} \frac{\mathrm{d}C}{\mathrm{d}C_i} \frac{\mathrm{d}C_i}{\mathrm{d}p} \frac{\partial p}{\partial O} = -bpf\left(1 + \frac{1}{\varepsilon p}\right) \tag{22'}$$

对(21)式也如此操作。"这里的"概率 $p$ 是 $p_j$ 的加权平均值。(22′)式暗含一个推论，公共支出的增加可部分地被由此引致的个人支出的减少抵消。

61 $e_p > e_a$ 的充分必要条件为

$$\frac{\partial EU}{\partial p_1} \frac{p_1}{U} > \frac{\partial EU}{\partial a} \frac{a}{U} \tag{1'}$$

这里，

$$EU = p_1 U(Y + a) + (1 - p_1) U(Y) \tag{2'}$$

（见第 9 章第 271—272 页上的分析）对(2′)式微分，可将(1′)写作

$$p_1[U(Y + a) - U(Y)] > p_1 a U'(Y + a) \tag{3'}$$

或

$$\frac{U(Y + a) - U(Y)}{a} > U'(Y + a) \tag{4'}$$

但是，若处处 $U'' < 0$ 则(4′)成立，若处处 $U'' \geq 0$ 则不成立。

⑥② 这些成本不是微不足道的。例如，1966 年仅美国专利局一家就花掉 3.4 亿美元(Bureau of the Budget, 1967)，在申请的准备和诉讼方面的支出可能更多。

⑥③ 在基础研究中专利不被许可的原因可能是，新概念和定理的所有权的发现(即成本)很有难度。

⑥④ (34)和(35)式的右边都可以设为 0，即最优条件变为：

$$A' - K' = 0 \tag{34'}$$

和

$$A' - K' - K\frac{\partial p_1}{\partial B} = 0 \tag{35'}$$

由于上述两个公式对任意 $p_1$ 和 $a$ 的有限值都无法满足，因此在 $p_1$ 和 $a$ 之间分配奖金有困难(参加第五部分关于罚款的类似分析)。

⑥⑤ 用符号表示，效率可定义为

$$E = \frac{D(O_1) - [D(\hat{O}) + C(\hat{p}, \hat{O}) + b\hat{p}\hat{f}\hat{O}]}{D(O_1) - D(O_2)}$$

这里，$\hat{p}$，$\hat{f}$ 及 $\hat{O}$ 表示最优值，若 $p = f = 0$，则产生违法 $O_1$，$O_2$ 为使 $D$ 最小的 $O$ 值。

⑥⑥ 较少"计算"的犯罪行为对 $p$ 和 $f$ 变动的影响也较少，关于这个论断也存在理论上的争论，参加 Becker(1962)。

⑥⑦ 1966 年 1 月对洛杉矶部分地区进行的犯罪研究发现，"超过半数的逮捕是在犯罪发生后 8 小时内进行的，2/3 在一周内进行"(President's Commission, 1967e, p.8)。

⑥⑧ 与实际效率相关的、但不一定是最优的证据，以及白领犯罪的惩罚，可参加 Stigler(1962, 1966), Landes(1966)以及 Johnson(1967)。

⑥⑨ Jacob Mincer 第一个向我建议此方法。

⑦⓪ 一个从这些角度对辛迪加的解释可参见 Schilling(1967)。

⑦① 若 $E_p$ 和 $E_f$ 是常量，$O = kp^{-a}f^{-b}$，其中 $a = 1/E_p$ 且 $b = 1/E_f$。
因此有

$$\frac{\partial p}{\partial O} = -\frac{1}{ka}p^{a+1}f^{b}$$

和

$$\frac{\partial^2 p}{\partial O \partial p} = \frac{-(a+1)}{ka}p^{a}f^{b} < 0$$

⑫ 若

$$(D''+C'')(1-E_p)+bp(1-E_f)(1-E_p)f_O$$
$$>(D''+C'')(1-E_f)+bf(1-E_f)^2p_O$$

或

$$(D''+C'')(E_f-E_p)>-\frac{bpf}{O}(1-E_f)\left[(1-E_p)\frac{f_oO}{f}-(1-E_f)\frac{p_oO}{p}\right]$$

$$(D''+C'')(E_f-E_p)>-\frac{bpf}{O}(1-E_f)[(1-E_p)(E_f)-(1-E_f)E_p]$$

$$(D''+C'')(E_f-E_p)>-\frac{bpf}{O}(1-E_f)(E_f-E_p)$$

$(1-E_p)\Delta$ 项可能大于 $(1-E_f)\Sigma$。因为左式大于0，右式小于0，不等式肯定成立。

# 第 4 篇

# 时间和家庭生产

《时间分配》一文(第5章)运用经济分析不仅研究了市场领域与非市场领域之间的时间分配,而且还研究了非市场领域内部的时间分配。仅仅通过时间价值上的差异,许多看来迥异的行为得到了统一的解释。本文的应用简单明了,因而很快获得了热情的认同,这与《歧视经济学》的待遇形成了鲜明的对照。第6章将时间分配的分析运用于生命周期的决策。

《时间分配》一文也重新构造了家庭理论。家庭不再被视为从市场购买商品与劳务的单纯被动的消费者,而是健康、声望等非市场商品的积极的生产者。家庭通过综合运用市场商品与劳务、家庭成员的时间、教育及其他“环境”变量生产出非市场商品。第7章则是家庭生产函数分析的说明。

# 5

# 时间分配理论*

## 引论

纵观历史，人类用于工作的时间从未一致地超过从事其他活动的时间，即使一天工作 14 个小时，一周连续工作 6 天，也还有一半时间用于睡眠、就餐及其他活动。而且，不管以前怎么样，经济的发展已经引起工作时间大幅度的持续的下降。今天，绝大多数国家每周的工作时间都低于 50 个小时，即不到一周全部时间的三分之一。由此，就经济福利而言，非工作时间的分配与效率现在变得比工作时间的分配与效率更为重要，然而，经济学家对后一种情况的关注使前者相形见绌。

值得庆幸的是，正在出现的变化使两者渐趋平衡。工作时间的持续下降部分原因在于年轻人延长了在校学习时间，因而日益推延了进入劳动市场的时间。近些年来，许多经济学家强调指出，学习时间是教育过程的一种投入要素，这些时间本可以更充分地参与市场劳动，所以，教育的成

* 重印自 the *Economic Journal* 75，no.299(September 1965):493—517。

本之一便是学生由此所放弃的报酬。实际上，种种估计显示，放弃的报酬既是美国中学和大学教育的一项主要私人成本，又是一项重要的社会成本。① 由于日益意识到放弃的报酬的重要性，所以出现了缩短学习时间的努力，学季制与三学期制的普及便是突出的例证。②

绝大多数经济学家已经认识了教育过程及所有人力资本投资过程所放弃的收入的重要性，批评教育学家和其他人士对这种重要性的忽视。但是，经济学家并没有一视同仁地研究非工作时间的使用，这使不少人多少有些感到意外。例如，剧场演出等劳务或鲜肉制品等产品的成本通常被认为等于它们的市场价格，然而众所周知，就像在校学习一样，观看演出和就餐都要占用时间，这些时间本可以用于生产性的活动，因此，观看演出、就餐等活动的整个成本等于市场价格与所放弃的那段时间价值之和，换句话说，对于非工作时间的分析，要像对于在校学习的分析一样，将直接成本与间接成本同等看待。

最近几年，包括作者在内的哥伦比亚大学的一些学者致力于将时间价值引入工作以外的活动的研究；起初多少属于独立进行，但到后来这种独立性日渐减少。J.明茨用实例说明，在忽略时间价值时不同商品的需求的收入弹性的估值如何出现偏差③；J.欧文分析了对闲暇的需求如何受到时间价值的影响④；E.狄恩考察了某些非洲国家的实际工作时间与市场参与时间的关系⑤；笔者则考察了教育、在职培训和人力资本的其他方面的时间运用。本文旨在建立一套所有工作以外活动的时间分配的一般理论。虽然只用了我的名义，但研究取得的进展应归于明茨、欧文、狄恩和哥伦比亚大学劳动培训班的过去及现在的众多参加者的鼓励。⑥

本文的内容安排如下：第一部分提出选择理论的基本主张，它包括与市场商品成本具有同等重要性的时间价值的分析，其余部分则考察这种理论的各种实际应用，包括：关于工作和“闲暇”时间的变化的最新理论分析，关于所谓“生产性”消费的纯粹经济分析，关于收入对消费商品的数量与质量的影响，关于生产力衡量问题的若干认识，以及排队现象及其他几个问题。虽然本文涉及有关的经验方面的内容，但是尚未进行理论的全面验证。

## 改进的选择理论

根据传统理论，家庭使其效用函数极大化，家庭效用函数形如

$$U = U(y_1, y_2, \cdots, y_n) \tag{1}$$

受资源限制

$$\sum p_i' y_i = I = W + V \tag{2}$$

这里，$y_i$表示从市场购买的商品，$p_i$表示这些商品的价格，$I$ 表示货币收入，$W$ 表示报酬，$V$ 表示其他收入。前面的引论部分已经表明，分析过程必须充分考虑非工作时间，据此，家庭综合运用时间及市场产品，生产出更为基本的产品，这些产品可以直接纳入家庭效用函数。观看演出可以视为家庭的产品之一，它取决于演员、剧本、剧场和观看时间等投入要素；睡眠也是一种家庭产品，它取决于卧榻、房间及时间等投入要素。这些产品统称为 $Z_i$，写作

$$Z_i = f_i(x_i, T_i) \tag{3}$$

这里，$x_i$表示市场商品向量，$T_i$表示用于生产第 $i$ 种产品的时间投入向量。⑦需要指出，当家庭使用电冰箱、汽车等资本物品时，$x$ 意指这些物品所提供的服务；还需指出，$T_i$是个向量，这是因为，举例来说，白天或平时每天使用的时间多少有些不同于夜间或周末的时间，$T_i$的每一维度表示时间的一个不同方面。一般说来，$Z_i$对 $x_i$与 $T_i$的偏导数非负。⑧

在(3)式中，家庭不仅是效用极大化单位，而且是生产单位。家庭综合运用时间与市场商品，通过“生产函数”$f_i$生产基本产品 $Z_i$，并选择家庭产品的最优组合，使效用函数极大化

$$U = U(Z_i, \cdots, Z_m) \equiv U(f_1, \cdots, f_m) \equiv U(x_1, \cdots, x_m; T_1, \cdots, T_m) \tag{4}$$

预算限制为

$$g(Z_i, \cdots, Z_m) = Z \tag{5}$$

这里，$g$ 表示 $Z_i$的支出函数，$Z$ 表示资源边界。生产与消费是个统一的过

程，但经济学家往往泾渭分明地分割开来：厂商的职能是生产，家庭的职能是消费。近些年来，经济学家终于日益认识到，家庭实际上是“小型生产单位”[9]：它结合资本物品、原材料和劳动来使用、供养、生育并生产其他有用产品。传统分割方法的根本原因在于，企业能够支配工作时间以交换市场产品，而家庭能够“自由”支配市场产品及消费时间，以便实现自身的效用。如果（考虑不同的）厂商也能够支配市场产品及消费时间以便提供效用，那么，传统的划分方法在理论方面和实践方面都是站不住脚的。

理论方面的基本要求是找出 $g$ 与 $Z$ 的衡量方法以便挖掘一些实践方面的具体含义，一种最直接的方法是考虑在区分市场商品和时间的条件下，基于(3)式的生产函数的限制，求(4)式的效用函数的极大值；商品限制可以写作

$$\sum p_i x_i = I = V + T_w \overline{w} \qquad (6)$$

这里，$p_i$ 表示 $x_i$ 的单位价格向量，$T_w$ 表示用于工作的时间向量，$\overline{w}$ 表示每单位 $T_w$ 的报酬，时间限制可以写作：

$$\sum_1^m T_i = T_c = T - T_w \qquad (7)$$

这里，$T_c$ 表示既定的用于消费的时间向量，$T$ 表示现有的时间总量，生产函数(3)式可以写成恒等式

$$\left.\begin{aligned} T_i &\equiv t_i Z_i \\ x_i &\equiv b_i Z_i \end{aligned}\right\} \qquad (8)$$

这里，$t_i$ 表示每单位 $Z_i$ 的时间投入量，$b_i$ 表示市场商品的类似向量。

看来，需要在约束条件(6)式、(7)式及生产函数(8)式的多重限制下求效用函数(4)式的极大值。然而，唯一重要的实际限制是：由于可以通过减少用于消费的时间并增加用于工作的时间而将时间转换成商品，所以(6)式并非与(7)式无关，因此，利用(7)式消去(6)式中的 $T_w$，得到单一的约束条件[10]：

$$\sum p_i x_i + \sum T_i \overline{w} = V + T\overline{w} \qquad (9)$$

利用(8)式，将(9)式写作：

$$\sum (p_i b_i + t_i \overline{w}) Z_i = V + T\overline{w} \qquad (10)$$

令

$$\left.\begin{aligned}\pi_i &\equiv p_i b_i + t_i \overline{w} \\ S' &\equiv V + T\overline{w}\end{aligned}\right\} \tag{11}$$

每单位 $Z_i(\pi_i)$ 的全部价格是商品的价格与单位 $Z_i$ 使用的时间价格之和，即消费的全部价格等于直接价格与间接价格之和，类似于人力资本投资的全部成本等于直接成本与间接成本之和。⑪直接价格与间接价格是全部价格的对称的决定要素，在理论上厚此薄彼是没有道理的。

如果 $\overline{w}$ 是常数，与 $Z$ 无关，那么(10)式右边的资源限制就不难理解，$S'$ 所表示的是全部现有时间都用于工作时可以得到的货币收入。可得到的收入用于商品 $Z$，要么通过直接用于商品 $\sum p_i b_i Z_i$ 的支出，要么间接地通过放弃的收入 $\sum t_i \overline{w} Z_i$，即，将时间用于消费而不是工作。只要 $\overline{w}$ 是常数，而且如果 $Z_i$ 的生产存在恒常不变的收益，因而对于一定的 $p_i$ 与 $\overline{w}$，$b_i$ 与 $t_i$ 保持不变，那么，受(10)式约束的(4)式的极大化使均衡条件取得一种非常简单的形式：

$$U_i = \frac{\partial U}{\partial Z_i} = \lambda \pi_i \quad i = 1, \cdots, m \tag{12}$$

这里，$\lambda$ 表示货币收入的边际效用。如果 $\overline{w}$ 不是常数，那么(10)式的资源限制就没有任何特别有益的解释：只要边际工资率低于平均值，$S' = V + T\overline{w}$ 就会过分夸大可得到的货币收入，而且，由于边际值取代平均价格，所以均衡条件将变得比(12)式更为复杂。

只有在平均收入为常数这种异乎寻常的情况下，才能把全部资源限制合理地解释为最大的可得到的货币收入，由此表明，可以不必使用明确区分产品与时间的分析方法，新的分析方法是，资源总限制必然等于最大的可得到的货币收入，称之为“充分收入”(full income)。⑫这种收入是在不考虑消费的情况下，通过将家庭的全部时间及其他资源用于获取报酬的活动所得到的收入。当然，在通常情况下，时间不会全部“用于”工作，睡眠、就餐乃至闲暇对于有效地从事其他活动是必需的，一些时间(及其他资源)将用于以上活动以便使货币收入最大，然而这部分支出只取决于收入受到的影响而非效用受到的影响。例如，为了使奴隶的产出最大，可以让他们暂时“放下”手中的劳动；此外，处于贫困境地的自由人仅为了生存也必须最大化货币收入。⑬

在比较富裕的国家，家庭可能放弃一部分货币收入以取得额外的效用，换句话说，家庭可以用一部分货币收入换取一种更大的心理收入。例如，家庭可能增加闲暇时间，接受乐于从事的工作而不是收入虽然更高但并不喜欢的工作，花钱雇佣侄儿等非生产性人员，或者放纵食欲，在诸如此类的情况下，放弃的货币收入可以用来衡量获取额外效用的成本。

因此，充分收入分析方法提供了一个有意义的约束，并且，它牢固地基于这样一个事实：因为时间可以通过货币收入转化成商品，因此能够将商品和时间联合成一个单一而全面的约束。如果不考虑各种替代关系，不考虑替代在家庭还是在工作中发生，那么，充分收入的分析还提供了一种以非货币因素代替货币收入的统一方法。随着分析的进行，这种方法的优越性会益加明显。

如果用 $S$ 表示充分收入，用 $L$ 表示由于效用的增加而放弃或"丧失"的报酬，那么，$L$、$S$ 及 $I$ 的关系可以表示如下：

$$L(Z_1, \cdots, Z_m) \equiv S - I(Z_1, \cdots, Z_m) \tag{13}$$

$I$ 和 $L$ 是 $Z_i$ 的函数，这是因为获取或放弃的报酬数量依赖于所选择的消费组合。例如，选择的闲暇愈少，货币收入就愈多，放弃的报酬就愈少。[14] 利用(6)式和(8)式，(13)式可以写作

$$\sum p_i b_i Z_i + L(Z_1, \cdots, Z_m) \equiv S \tag{14}$$

基本的资源限制表明，充分收入要么直接用于市场产品，要么间接地通过放弃的货币收入而支出。不幸的是，不存在像(10)式中那样的 $Z_i$ 的平均价格的简单表达式，然而，对行为来说，重要的是边际价格而不是平均价格，只有当平均报酬 $\overline{w}$ 为常数时，这些价格才与(10)式中的限制相同，但是，如果这样，那么，损失函数的表达式可以简化为

$$L = \overline{w} T_c = \overline{w} \sum t_i Z_i \tag{15}$$

而且(14)式可以归入(10)式，此外，即使在一般情况下，由(14)式引起的边际总价格总是可以分成直接与间接部分：在(14)式约束下使效用函数极大化的均衡条件[15]为

$$U_i = T(p_i b_i + L_i), \ i = 1, \cdots, m \tag{16}$$

这里，$p_i b_i + L_i$ 表示边际总价格，$p_i b_i$ 表示边际总价格的直接部分，$L_i$ 表示间

接部分。[16]

在直接成本与间接成本区分的背后是工作导向与消费导向的活动之间的时间与产品的分配，由此表明还有另外一种成本的区分方法，这就是：产品分配产生的成本和时间分配产生的成本。将 $L_i = \partial L / \partial Z_i$写作

$$L_i = \frac{\partial L}{\partial T_i}\frac{\partial T_i}{\partial Z_i} + \frac{\partial L}{\partial x_i}\frac{\partial x_i}{\partial Z_i} \tag{17}$$

$$= l_i t_i + c_i b_i \tag{18}$$

这里，$l_i = \frac{\partial L}{\partial T_i}$与 $c_i = \frac{\partial L}{\partial x_i}$分别表示在 $Z_i$上使用更多时间边际的放弃报酬与使用更多产品边际的放弃报酬。(16)式因而可以写作

$$U_i = T[b_i(p_i + c_i) + t_i l_i] \tag{19}$$

$Z_i$的边际总成本为使用商品生产 $Z_i$的边际成本 $b_i(p_i + c_i)$与使用时间生产 $Z_i$的边际成本 $t_i l_i$之和。只有当 $c_i = 0$，或者说当不存在使用产品的间接成本时，这种区分才等同于直接成本与间接成本的区分。

下面的图示表示由(16)式给定的两种商品情况下的均衡。在均衡点，充分收入机会曲线的斜率等于两种商品的边际价格之比，无差异曲线的斜率等于两种商品的效用之比，并且，充分收入机会曲线的斜率等于无差异曲线的斜率。在 $p$ 点和 $p'$点，机会曲线 $S$ 与 $S'$分别达至均衡。

从分析工作时间的决定因素开始，到各种排队系统的解释，本文的其余部分将从以上分析中引申出理论的许多实际意义。为简明起见，假定直接成本与间接成本的区分等于商品成本与时间成本的区分，换句话说，令使用

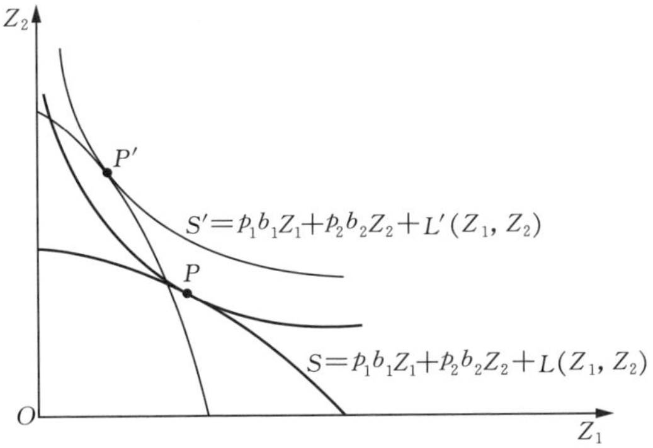

产品所放弃的边际成本 $c_i$ 为 0。如果没有这种假定，分析也不会有多大改变，只是较为繁琐罢了。[17]最后，一直到第四部分，本文都假定产品与时间以固定比例投入商品生产，就是说，(8)式中的系数 $b_i$ 与 $t_i$ 视同常数。

## 应用

### 1. 工作时间

如果能够确定各种变化对用于消费的时间 $T_c$ 的影响，那么通过(7)式可以得到这些变化对工作时间 $T_w$ 的影响。这一节将要考察收入、报酬及市场价格的变化对 $T_c$ 与 $T_w$ 的影响，以作为分析商品在放弃的报酬中重要性的差异的一种重要工具。

放弃的报酬的边际相对重要性可以定义为

$$\alpha_i = \frac{l_i t_i}{p_i b_i + l_i t_i} \tag{20}$$

放弃的每小时报酬与每单位 $Z_i$ 使用的时间愈多，放弃的报酬的重要性愈大；产品的市场价格 $p_i$ 与每单位 $Z_i$ 使用的产品愈多，放弃的报酬的重要性就愈小。类似地，时间的边际相对重要性可以定义为

$$\gamma_i = \frac{t_i}{p_i b_i + l_i t_i} \tag{21}$$

如果充分收入完全因 $V$(其他的货币收入)的扩大而增加，那么，机会曲线在产品相对价格不变的情况下向右平行外移，绝大多数商品的消费将会增加；如果出现这种情况，工作时间将会减少，这是因为，如果所有商品的产出增加，则用于消费的时间必定增加，而由(7)式知，用于工作的时间和用于消费的时间是负相关的。只有当具有较大的 $\gamma$ 值的相对时间密集型产品是地地道道的劣质产品时，工作时间才会增加。[18]

所有时间分配的报酬方面的同一百分比增加将使所有商品的消费中的每小时成本增加同一百分比。[19]然而，只要放弃的报酬对所有商品并不同等重要，不同商品的相对价格就会发生变化，特别是，具有相对重要的放弃的

报酬的商品价格将会上升。根据需求理论的基本原理，相对价格的补偿性变化会导致家庭使用较少的涨价商品，图示表明了报酬的增加完全为其他收入的减少所补偿后的变化：如果 $Z_1$ 表示高度收入密集型产品，那么机会曲线将通过初始点 $p$ 沿顺时针方向转动，如图所示，新的均衡点 $p'$ 必定位于 $p$ 的左上方，或者说，$Z_1$ 的消费较少而 $Z_2$ 的消费较多。

因此，报酬的补偿性单调增加将导致偏离报酬密集型商品而转向产品密集型商品。由于报酬密集度同时间密集度趋于正相关[20]，所以，消费将偏离时间密集型商品，然而，这种偏离将导致总的消费时间的减少，因而增加用于工作的时间。[21]

报酬的非补偿性增加对工作时间的影响取决于替代效应与收入效应的相对强度，前者将增加时间，后者将减少时间，哪种因素占主导不能先验地决定。

报酬的纯增加会增加工作时间；收入的纯增加会减少工作时间，大家一定非常熟悉这一结论，因为这就是传统的劳动—闲暇分析的结论。本章的分析平等地看待所有商品，传统的分析则将一种具有所谓的"闲暇"特性的商品区别于其他一般商品，那么，我们的分析与传统的分析两者之间是怎样的关系呢？显而易见，所谓闲暇商品的成本完全由放弃的报酬构成，其他商品的成本由产品构成，所以，传统分析可以视为本章分析的特例。[22]

由于所有的活动最终都是既使用产品也使用时间，所以这样一种分析方法作为现实的描述是不可靠的，也许可以用分析上的需要或用现实情况有深义的极端近似来进行辩护。然而，资源的变化对工作时间的通常的替代效应与收入效应可以从更为一般的分析中得到。这种一般的分析只强调，时间的相对重要性在诸多商品中是变化的。本章的其余部分试图进一步分析和说明，由于突出对"闲暇"的需求，传统的分析显然严重妨碍了对经济问题的深入考察。本文提出的更为直接和更为一般的分析则自然而然地产生了一系列前所未有的结论。

放弃的报酬的重要性的两个决定因素是一美元产品使用的时间和单位时间的价值。开卷读书、洗头理发、乘车往返的每一美元产品所使用的时间多于用馔就餐、逛夜总会或送子女参加夏令营的每一美元产品所使用的时间。在其他情况一样的条件下，放弃的报酬对前一组商品比对后一组商品更重要。

只有在时间价值对所有商品均相同的情况下，放弃的报酬的重要性才唯一地由时间密集程度决定。一般说来，放弃的报酬的重要性因不同产品和不同时期而有很大差异，例如，周末或晚上的时间价值通常较低，因为那时许多公司都关门了㉓，因此，往返于美国和欧洲的著名国际航班的每次航行有意包含一个周末。㉔那些用于生产性目的传统上称之为“生产性消费”的产品的时间价值一般较低，这类产品包括相当数量的睡眠、用馐就餐甚至某些娱乐。由于这些“产品”间接地用于获取报酬，因而时间的机会成本较低。在经济思想中，生产性消费的范畴由来已久，但地位从不稳固，时隐时现。本文的分析系统地把这一范畴纳入家庭决策。

虽然在经济模型中闲暇的形式上的限定忽视了用于产品的支出，但是，为什么不能认为，更为正确的限定就是将闲暇同相对重要的放弃的报酬联系起来呢？绝大多数人的确认为，闲暇是时间密集型的，不会间接地用于获取报酬㉕，从而并不具备收入密集型商品的两个重要特征。另一方面，在我们看来，并非所有闲暇活动都具有相对重要的放弃的报酬。逛夜总会通常是一种闲暇，然而，至少就其奢华方式而言，它具有很大的消费成分，相反，某些活动需要相对较多的放弃的报酬，但并不视为闲暇，例如理发或照管孩子。所以，报酬密集型商品与其他商品的区分只是部分地同传统上的闲暇与其他活动的区分相对应，如前所述，对经济分析而言，重要的是放弃的报酬的相对重要性而非任何闲暇的概念，所以不必过多考虑后者。实际上，虽然社会哲学家可能不得不精确地定义闲暇范畴㉖，但是经济学家可以根本无需引入这一范畴就能取得比传统分析更为丰硕的成果。

不仅区分闲暇与其他非工作㉗活动存在困难，就是区分工作与非工作活动也不大容易。乘车是工作，还是非工作，或是兼而有之？工作午餐、美味佳肴、歇闲休息又当何论呢？生产性消费的范畴正是用来精确地描述这些商品，它们既有益于消费，又有助于工作。那么，难道不能把纯工作视为这样一个商品链中与消费无关的极限商品吗？类似地，还可以把纯消费视为与工作无关的那部分极限商品，把中间商品视为与工作和消费都有关的商品，作用相对于消费对工作愈重要，放弃的报酬的相对重要性就愈小，所以，报酬、其他收入等方面的变化对工作时间的影响基本上等同于这些变化对报酬密集程度不大的商品消费的影响的特例。举例来说，报酬的纯增加将降低相对价格，因而增加用于这些商品的时间支出，包括用于工作的时间，以类似方式可以说明收入及其他变量的变化，经济分析所做的概括更具有普遍意义。

在本节结束之前，还要扼要提及以上理论的其他几个方面的主要含义，正如报酬的（补偿性）增加会提高与相对较多的放弃的报酬有关的商品的价格从而导致对这些商品的偏离并增加工作时间，市场价格的（补偿性）下降也会引起对这些商品的偏离并增加工作时间：直接成本和间接成本上的变化造成的影响是对称的。事实上，欧文提出的某些证据表明，20 世纪前三十年美国人的工作时间的下降比其后三十年显得更多一些，原因并不在于前一个时期的工资更多地上升，而是在于再生产品的市场价格更多地下降。[28]

传统的劳动—闲暇分析的一个著名结论是，收入税的增加至少将导致偏离工作而转向闲暇的替代效应，本文的分析没有通过转向闲暇的替代，而是借助转向时间密集型消费得出了同一结论。本文分析的另一层简单含义是，如果收入税增加的同时，又对用于时间密集型商品的产品适当课税，或是补贴用于其他商品中的产品，那么，全部相对价格就不会发生改变，因而不会出现偏离工作的替代。传统的分析近来终于通过一种极为繁琐的方式得出了这一结论。[29]

报酬的纯增加不会导致工作时间的减少，传统的分析对于这一规则不会得出存在例外的结论，但本文的分析则允许出现例外。这是因为，如果时间密集与报酬密集（即 $l_i t_i$ 与 $t_i$）负相关，那么，报酬的纯增加将产生转向时间密集型商品因而偏离工作的替代。[30]虽然允许这种例外确实表明了本文的分析更为优越，但是，没有任何理由可以去相信它从经验上说相比于收入效应规则的例外更为重要。

## 2. 时间的生产力

绝大多数报酬的大量、持续的增加刺激了劳动—闲暇分析的发展，这种增加要归功于生产力的提高，而生产力的提高又是源于人力资本与物质资本的增加、技术过程的进步以及其他要素的增加。生产力提高所带来的报酬上的增加既会引起收入效应又会产生替代效应。工作时间的持续下降似乎可以证明，收入效应足以淹没替代效应。

资本与技术的实际增长也改进了消费时间的生产力：超级市场、汽车、安眠药片、电动剃须刀、电话等等便是这种进步的有目共睹的具体事例，消费时间生产力的改进将改变商品的相对价格，并增进充分收入，因而反过来又会产生替代效应与收入效应。有趣的是，对于所观察到的工作时间的下降有迥然不同的解释，其原因在于工作时间生产力的改进所产生的这些效应的作用方向恰恰相反。

假定只有消费时间的生产力出现单调的增加，即生产每单位 $Z_i$ 需要的所有时间 $t_i$ 减少了一个相同的百分比，包含较多的放弃的报酬的商品的相对价格将会下降，替代将转向这些商品而偏离其他商品，同样引起工作时间的减少。因为生产力的增加也会产生一个收入效应，对商品的需求将会增加，反过来，这又会产生对产品的需求增加。[31]由于假定工作时间的生产力保持不变，所以，只有通过工作的增加才能得到更多的产品，就是说，消费时间的生产力进步带来的更多的实际收入将会造成工作时间的增加。

结果，由于强调消费时间生产力的持续增加因而导致对于工作时间的持续下降的迥然不同的解释，即认为是较强的替代效应吞没较弱的替代效应，而非较强的收入效应淹没较弱的替代效应。

当然，工作时间的生产力和消费时间的生产力实际都在增加，正确的理解是在两个极端之间。如果两种生产力以同一比例增加，相对价格就不会出现变化，因而不会出现替代效应，这是因为由一种生产力造成的 $l_i$ 的增加恰好抵消由另一种生产力造成的 $t_i$ 的减少，边际的放弃报酬（$i_i t_i$）保持不变。虽然收入效应也会相互抵消，但是，只有当对时间密集型商品的需求的收入弹性等于 1 时，这种效应才能彻底抵消。[32]如果该弹性大于 1，则工作时间减少，如果该弹性小于 1，则工作时间增加，由于这些商品总的说来可能是奢侈品，所以，收入的增加将会减少工作时间。

如果只是由于劳动分工和规模经济等广为人知的因素造成生产力的增加，那么工作时间的生产力可能比消费时间的生产力更为先进。[33]因而可能出现传统的转向工作的替代效应和偏离工作的收入效应，以及因时间密集型产品的奢侈品属性而产生一种偏离工作的收入效应，所以，工作时间的下降仅仅表明，联合的收入效应淹没了替代效应，而不仅仅是因工作时间生产力的提高所产生的收入效应淹没了它的替代效应。

相对于序列分析而言，因收入的增加而导致的工作时间的减少在断面分析中要更弱一些。上述关系中的一些差异通过实际收入和申报收入之间的区别已经得到了说明[34]，或者，通过雇员之间工作时间的相互依存得到了说明。某些差异也许还可以通过工作的生产力与消费的生产力之间的差别得到说明，这里存在着一种假定，即，从截面上根据货币收入与报酬区分的人的工作中的生产力差异大于消费中的生产力差异，因为这些人基本上是根据工作的生产力区分的。由于根据日历时间区分不同的人，而时间在两种生产力中是中性的，所以上述观点不适用于时间序列。由此，从截面上看，传统的转向工作的替代效应趋于更大，这有助于说明男子的收入与工作时间低斜率的负相关性，而且也是男子的替代效应并不弱的另外证据。[35]

至少从 1929 年起，美国劳务部门的生产力的增进比生产部门的生产力的增进显得更为缓慢。[36]零售、运输、教育及保健等服务行业使用大量的从不计入投入、产出和价格序列因而从不计入生产力度量的家庭时间。我相信，把这些时间纳入价格序列，并考虑其生产力的变化将有助于理解这两个领域的生产力进步方面的明显差异。

对于美国理发业生产力发展趋势的新近研究展示了一个很好的事例。[37]常规的生产力衡量显示，自 1929 年以来，理发店的门面很少变化，但是其中所进行的活动已经发生了实质性变化。在 20 年代，剃须服务的收入占其营业额的相当比例，到了 50 年代，由于家用电动剃须刀的普及，这部分的营业收入已经近乎可以忽略不计，现在，不少人不再前往理发店，在那里等候剃须服务，而是足不出户，自己动手，由此节省了路上时间、等候时间甚至一部分剃须时间。剃须方面的这种生产力的长足进步无论如何不会反映在理发部门的账面上，然而，如果能够进行包括剃须在内的一般理发活动的生产力度量，我相信这种度量将显示，理发活动所取得的生产力进步不亚于绝大多数商品的生产力的进步。[38]

### 3. 收入弹性

人们经常通过具有不同收入的家庭或其他单位的行为来估计需求的收入弹性。当这些单位在同一市场购买时，自然可以认为它们面对同样的商品价格。然而，如果由于报酬不同而使收入出现差别，且截面的收入差异通常由报酬的差异所支配，那么，商品的价格将出现系统的差异。由于高收入者(higher-income units)放弃的报酬较高，对它们来说，所有商品的价格也会较高(顺便提及，这意味着实际收入上的差异低于货币收入上的差异)，报酬密集型商品的价格更是如此。

由于消费与收入之间的截面关系受到收入以及相对价格上的差异的影响，所以，这种关系不能单独用来衡量收入效应。[39]由于报酬密集型商品的相对价格较高，从而引起偏离这种产品而转向其他商品的替代，所以会低估报酬密集型商品的收入效应而高估其他商品的收入效应，由此会低估“闲暇”、非生产性商品及时间密集型商品的需求的收入弹性，而截面估计会夸大“工作”、生产性商品及其他产品密集型商品的需求的收入弹性。较低的报酬密集型商品的名义收入弹性和较高的其他商品的名义弹性可能只是替代效应造成的错觉。[40]

此外，根据本文的理论，需求也依赖于作为收入来源之一的报酬的重要性，因为，如果总收入保持不变，报酬的增加将只能产生替代效应：偏离报酬密集型商品而转向产品密集型商品。所以，分析的一层非同寻常的含义是，收入来源对消费类型有重要影响，这一含义能够而且理应通过现有预算数据加以验证。一种重要而特殊的情况是把在业工人与失业工人加以比较，失业工人不仅收入较低，而且放弃的价值也较低，因而时间及其他报酬密集型商品的相对价格也较低。所谓失业工人的钓鱼、观看电视、上学读书等意向只是他们须以这些商品代替其他商品的冲动的生动说明。

家庭规模和收入之间的关系是上述分析的有趣应用之一。[41]传统的观点通常基于简单的关联。认为，收入的增加导致每个家庭子女数量的减少，然而，如果避孕知识及其他变量保持不变，经济理论一般认为家庭规模与收入正相关，因而，传统的负相关的观点源于收入、避孕知识及其他变量之间的正相关。笔者整理的数据证实了这种解释，同样的解释也见诸一些专题性研究。[42]

虽然对收入的家庭规模弹性为正，但显然数值很低，即使避孕知识保持不变。某些人认为，这种情况(及其他证据)说明，传统的经济分析一般不适用于家庭规模的构成。[43]然而，又有人指出，只要数量的收入弹性和质量的收入弹性区别开来，就会发现，较小的子女弹性同商品弹性并不那么矛盾。[44]在许多产品上增加的支出主要采取增加质量——每磅、每部汽车上增加支出——的形式，数量上的增加则比较适中；类似地，子女的支出的增加主要通过增加用于每个子女的支出的形式，而子女数量的增加则非常有限。

不仅如此，子女的数量的需求弹性看来确实小于所得到的许多产品的数量弹性，也许问题的答案在于无差异曲线的形状，然而，另一个也许更为重要的因素是放弃的报酬的价值随收入的增加而增加。[45]依据报酬判断，照顾子女看来是项非“生产性”的时间密集型活动，利用许多本可以用于工作的时间，因而照顾子女应是一项报酬密集型活动，根据本文的分析，它的相对价格对高收入家庭较高。[46]已有某些证据表明，放弃的价值和收入的正相关能够说明对子女需求的名义数量收入弹性相对较小。明茨发现，子女的放弃价格的截面差异对子女数量有重要影响。[47]

### 4. 运输

人们很少将时间价值纳入经济研究，运输便是属于这种研究的为数不多的活动之一。在绝大多数新建交通网络的成本—收益评估中，和其他收益比较起来，交通时间的节省的价值非常引人瞩目。[48]时间价值的重要性鼓励人们采用不同的决定方法。简单一点的观点认为一小时的价值等于每小时的平均报酬，复杂一些的考虑还要区分标准时间和加班时间、限内时间和限外时间。

交通领域对于从实际行为方面估计边际生产力和时间价值提供了值得考虑的机会，例如，可以使乘飞机旅行的人数同使用低速交通工具旅行的人数之比同旅行距离（当然也可以同市场价格与收入）联系起来，大体说来，由于节省时间的重要性日益增大，愈来愈多的人利用高速度的交通工具进行远距离旅行，所以，从交通媒体与旅行距离之间的关系可以推断时间的边际价值。[49]

另一类得到广泛研究的交通问题是距离长度与往返于工作场所的方式。[50]人们一般认为，火车车费等直接往返成本与往返距离同向变化，居住空间等方面的生活费用与往返距离反向变化。单从这种假定来看，只要居住空间（“住房”）不是劣质商品，那么，上述认识就意味着收入的增加将导致往返距离的加长。[51]

收入的增加至少部分地源于报酬的增加，所以，由于相关的放弃的时间价值的增加，收入的增加必定会增加既定距离的往返成本。往返成本的增加会妨碍这种往返，而对居住空间的需求的增加会鼓励这种往返，两种作用的结果取决于这些矛盾方面的相对强度：只要借助几项假定就可以说明，当，且仅当居住空间的收入弹性大于1时，往返距离才随收入的增加而增加。令 $Z_1$ 表示两地往返这种商品，$Z_2$ 表示其他商品，令

$$Z_1 = f_1(x, t) \tag{22}$$

这里，$t$ 表示用于两地往返的时间，$x$ 表示居住空间的大小，假定往返成本具有 $a+l_1t$ 这种简单形式，这里，$a$ 为常量，$l_1$ 表示用于往返过程的每小时所放弃的边际价值，换句话说，时间价值是唯一可变的往返成本。每单位居住空间的成本为 $p(t)$，这里，假定 $p'<0$，问题是使效用函数极大化，效用函数为

$$U = U(x, t, Z_2) \tag{23}$$

受资源限制

$$a + l_1t + px + h(Z_2) = S \tag{24}$$

如果假定 $U_t=0$——两地往返无所谓劳苦或享乐，那么，基本均衡条件为

$$l_1 + p'x = 0 \tag{25}$$ [52]

此即家庭试图使全部交通成本最少时的均衡条件。[53]如果 $l_1=kS$，这里的 $k$ 为常数，那么，充分收入的变化对用于往返的时间的影响可以通过(25)式的微分得到

$$\frac{\partial t}{\partial S} = \frac{k(\epsilon_x - 1)}{p''x} \tag{26}$$

这里，$\epsilon_x$ 表示空间需求的收入弹性，由于稳定性要求 $p''>0$，所以，当，且仅当 $\epsilon_x>1$，收入的提高才会增加用于两地往返的时间。

在美国的大都市区，高收入家庭愿意远离中心城市[54]，如果根据传统分析的观点，认为住房需求的收入弹性小于1，那么，这就与本文的分析矛盾。在对美国的住房需求的权威性的研究中，玛格丽特·蕾发现，收入弹性大于

1。[55]而且，往返距离的分析只考虑了住房需求的某些因素，基本上是对户外空间的需求。那么，有关往返距离的证据只是表明户外空间属于“奢侈品”，这种观点相当合乎情理[56]，甚至与传统的关于住房总需求弹性的观点也不相矛盾。

### 5. 家庭分工

限于篇幅，这里只能概述关于同一家庭成员内部分工理论的基本含义。多人(multi-person)家庭也将时间在不同成员之间分配而不只是将时间在不同商品之间进行分配。市场活动中效率较高的成员在消费活动中使用的时间少于家庭其他成员在同一活动中使用的时间，而且，某一成员的市场效率的相对提高会引起消费活动中所有其他成员的时间的再分配，从而使前者在市场活动中支出更多的时间，简言之，任一成员的时间分配都受到其他成员的机会的重大影响。

## 时间与产品之间的替代

虽然在生产商品中假定所使用的时间与产品存在固定的比例，但由于不同商品使用的产品与时间的比例不尽相同，替代仍然可以发生。为了从分析中得到更为丰富的含义，现在取消固定比例的假定。

根据可变比例的理论，家庭通过使产品的边际商品与时间的边际商品之比等于产品的边际成本与时间的边际价值之比[57]可以使成本减至最小。时间价值的相对提高将会引起时间数量的下降并使每单位商品使用的产品数量增加，因此，报酬的提高不仅会产生偏离报酬密集型产品的替代，而且还会在商品的生产过程中引起偏离时间而转向产品的替代。虽然后一种替代具有相当程度的重要性，但是，只有前一种替代才能在传统的工作—闲暇的分析中被(含蓄地)认识到。这增强了人们的信念，即，报酬增加产生的替代效应的重要性超出了人们对它的通常的认识。

时间的相对价值与产品的相对成本的变化引起的时间与产品的投入系数的变动被定义为两者之间的替代弹性，并假定它从一种商品到另一种商品有所不同。这种弹性的唯一的实证研究假定，用娱乐产品和“闲暇”时间生产娱乐商品[58]。由于闲暇时间与娱乐产品之比同它们的价格之比负相关，因而可以得到替代性的明确证据，然而，由于总要素成本中的闲暇份额与它的相对价格显然正相关，所以，替代弹性看来小于1。

因相对价值提高而引起的节省时间的动机对于解释一些行为大有裨益，这些行为常常使现代社会的研究者感到困惑不解。在绝大多数经济发达国家，由于工作时间的实际减少，所谓“闲暇”看来有所增加，因而可以自然而然地设想，“自由”时间变得更为充裕，可以更“悠闲”、更“奢侈”地加以使用。如果稍有区别的话，那么可以说，现代人们的时间使用变得比一个世纪以前更加精打细算。[59]如果相对于消费时间而言工作时间的生产力出现持续的提高（见第三部分第2节），那么，由于消费时间变得更为昂贵，所以，节省消费时间的动机得到加强（本文强烈告诫人们不能把这种时间称为“自由”时间）。随时记录用去的消费时间、精心盘算消费时间的支出的作法实在不足为奇。

一般认为，美国民众比贫穷国家的民众浪费更多的食物及其他产品，但是具有强烈的时间观念：他们不断地作时间记录，安排约会计较分分秒秒，来去匆匆，吃饭也要节省时间，如此等等。[60]他们对于物质产品的极度挥霍与对于非物质产品的时间的极度吝惜形成了鲜明的对照。他们既是挥霍者，又是节约者。这两种判断看来都是正确的，这并不表明美国人的标新立异，而是因为，相对于产品的价格来说，时间的市场价值高于世界其他地方的时间的价值，就是说，对时间的吝惜与对产品的挥霍并不矛盾，在一定程度上这不过反映了相对价值上的差异罢了。

因时间的相对价值的提高而引起的产品替代包括转向更为昂贵的商品的替代。举例来说，母亲的时间价值的提高可能促使她进入劳动市场，可能使她通过购买食品半成品来减少做饭的时间，通过使用托儿所、野营活动或雇请保姆来减少照管孩子的时间，另外，城市中的富裕地区的理发店比贫穷地区的理发店收取更高的费用并提供更为迅捷的服务，对理发师的等候已经成了对顾客的恭候，这些例子说明，产品相对价格的变化引起的“产品质量”[61]的改变可能仅仅反映了所使用的用以生产既定商品的方法的改变，而这些商品的质量并没有相应的变化。

因此，报酬增加引起的收入提高将提高所购买的产品的质量，这不仅由于收入对质量的影响，而且由于产品对时间的替代；财产收入的增加引起的收入增加不会产生任何替代，对产品质量的影响不大，更明确地说，在总收入保持不变的情况下，报酬的增加会提高所选择的质量，而财产收入的增加则会降低所选择的质量，这又一次说明了收入构成的重要性，并揭示了理论可验证的含义。

以上分析的一个有趣应用是玛格丽特·蕾最近研究的商店购奶与送奶上门之间的替代。[62]根据本文的分析，“家庭牛奶消费”这种商品的投入成本是商店牛奶的价格与路途往返所放弃的时间价值之和，或者说，投入成本就是送货上门的全部索价，如果时间价值保持不变，那么，同送货上门比较，商店牛奶的价格下降将降低商店购奶的总成本，因而“家庭牛奶消费”将采取商店购奶这种生产方式，基于同样道理，如果牛奶的市场价格保持不变，那么，时间价值的下降也会使生产转向这种方式。

蕾的研究发现，如果收入及其他一些变量保持不变，商店购奶与送货上门的比例同它们的价格之比存在很大的负相关，这一发现既证明了牛奶费用占总生产成本的比重较大，同时又证明不同生产方式之间存在轻易的替代关系。与收入的大的——但没上面那么大的——负相关关系简明地证实了两种生产方式之间的轻易替代关系，它表明，时间价值不比牛奶价格更重要。换句话说，她的价格弹性和收入弹性不但对同种商品生产所使用的不同方法之间的替代作了衡量，而且也是相互一致、值得信赖的。

放弃的报酬的重要性和时间与产品之间的替代对于理解观察到的价格弹性或许至为关键。放弃的报酬的重要性愈大，产品价格的某一百分比增加使商品价格的上升幅度就愈小，其结果，即使全部商品具有同样的实际价格弹性，在只考察产品的数量和价格的典型分析中，放弃的报酬相对重要的商品也会表现出较低的名义弹性。

由于收入上的差异，放弃的报酬的重要性不仅在商品中有所不同，就是在需要某一特定商品的家庭中也有所不同。放弃的报酬的重要性随收入变化而发生同向或反向变化，这取决于时间与产品的替代弹性小于或大于 1，因此，即使当商品的实际价格弹性不随收入的变化而变化，观察到的产品价格弹性也将随替代弹性小于或大于 1 而与收入发生负相关或正相关。

时间与产品的替代的重要性还可以用另一种方式予以说明。为简化起见，假定生产商品 $z$ 起初只需要产品 $x$，而不需要时间。对 $x$ 有最高限价，它名义上是免费物品，为了维持产出不变，对 $x$ 的生产予以充分的补贴，$x$ 的价格降低引起的 $x$ 与 $z$ 的需求数量的增加必然导致实行配给，这是因为 $x$ 的产出没有增加；假定配给制使得数量和所付出的时间与努力构成正函数。例如，受价格管制的面包或能够得到的医疗服务一般取决于面包房外或候诊室内排队等候的时间。此外，如果实行预约服务制，那么，卡片排队会取代有形的长龙，这时需要的是"家庭"等候，有如高峰时节的百老汇看戏、住院登记或乘机旅行的情形。另一方面，即使在萧条时节，获取工作的可能性与寻觅工作的时间支出也正相关。

由于用于 $z$ 所需要的时间投入不是能够任意取得的，所以，固然 $x$ 名义上是免费物品，但是 $z$ 并非免费物品，如果时间价值低于价格管制前的 $z$ 的均衡价格，那么，对 $z$ 的需求大于(由假设所限定的)供给，家庭对有限供给商品的抢购将增加取得单位 $z$ 所需要的时间因而提高 $z$ 的价值，两种价值会一直增加直至时间的平均价值趋近价格管制前的均衡价格：在该点上，由于 $z$ 的供给与需求相等，所以达到均衡。

根据配给的方式，均衡会采取不同的形式。在所谓"先到优先"制度下，排队——例如面包房外或候诊室内的排队——长度会一直延长，直至站队的预期成本抑制了任何过分的需求[63]，在预约服务制度下，卡片的排队——例如看戏的排队——的"等候"时间会一直增加，直至需求被充分削减。如果配给制的运转不够正常，有如衰退期间的劳动市场，那么，寻找稀缺工作所需要的预期时间将会增加，直至寻找工作的需求削减到同有限的供给相适应。

因此，为保持产出不变而予以补贴的 $x$ 的价格管制不会改变 $Z$ 的个人的平均均衡价格[64]，但会以间接的时间价值替代直接的产品价值。[65]然而，由于间接价值与收入正相关；$Z$ 的价格对于高收入者将较高，而对于低收入者将较低，从而产生了从高收入者向低收入者的消费的再分配，这就是说，妇女、穷人、儿童、失业者比高收入者更乐于花时间排队。更愿意找寻配给产品。

## 总结

本章提出了关于在不同活动之间的时间分配的理论。该理论的核心是假定家庭既是生产者又是消费者,这些家庭根据传统厂商理论的成本最小化原则通过产品与时间等投入要素的组合进行商品的生产。商品生产在数量方面取决于价格与资源约束下的商品组合的效用函数的极大化,资源用所谓充分收入衡量,它是因运用产品与时间获取效用而放弃或丧失的报酬和货币收入之和,而商品价格用它们的产品与时间投入的成本之和来衡量。

关于报酬、其他收入、商品价格、工作时间与消费时间的生产力变化对时间分配及所生产的商品组合的影响本章也已做了分析。例如,因其他收入的下降而补偿、从而使充分收入保持不变的报酬的提高将导致用于消费活动的时间的减少,这是因为时间将变得益加昂贵。在每种商品的生产中,产品将部分地取代较为昂贵的时间,产品密集型商品将部分地取代较为昂贵的时间密集型商品,两种替代都要求将更少的时间用于消费而容许将更多的时间用于工作。因为时间的再分配同时涉及产品与时间的再分配,所以三种决策变得密切相关。

本章提出的理论对许多实际现象能够做出引人入胜的解释和引申,如:对工作时间持续下降的传统的“经济”解释是强调工作时间生产力的提高以及由此引起的收入效应和替代效应,并认为收入效应占优势;本章的分析则强调工作时间生产力的提高与消费时间生产力的提高所引起的替代效应趋于彼此抵消,工作时间的持续下降主要在于时间密集型产品已成为奢侈品,由此造成的后果是时间密集型商品中使用产品的相对价格的持续下降。

既然部分地由于报酬提高而引起的收入增加会提高时间与时间密集型商品的相对价值,传统的收入弹性的截面估计就不能维持要素或商品的价格保持不变,因而,除其他情况外,它们会向下偏向时间密集型商品,并给出收入对消费的商品的影响的错误印象。如果总收入保持不变,报酬的提高会使需求偏离时间密集型商品与要素的组合,所以,收入构成也会影响需求。

粗略的估计表明，放弃的报酬在数量方面是重要的，因而充分收入实质上高于货币收入，由于放弃的报酬基本上取决于所使用的时间，所以，在时间的效率及分配方面应予以特别的注意，尤其是，收集货币收入的支出情况的机构可以同时收集时间"支出"的信息；对于由此可以得到的时间预算在绝大多数国家，包括在美国和大不列颠这样的国家尚未进行认真的调查，而这种时间预算应纳入货币预算以得到关于充分收入的规模及其分配的更为精确的描述。

**注　释**

① 见 T.W.Schultz, "The Formation of Human Capital by Education," *Journal of Political Economy* (December 1960)，及我自己的 *Human Capital* (Columbia University Press for the N.B.E.R., 1964), Chapter IV。在那篇文章中，我论证了放弃的报酬的重要性是很明显的，如从免学费的失败到更容易的大学入学或在经济衰退区域或时期内捐赠增多等。

② 关于学年增加的长期趋势的原因分析见我的评论，同上，第 103 页。

③ 参见"Market Prices, Opportunity Costs, and Income Effects," in *Measurement in Economics: Studies in Mathematical Economics and Econometrics in Memory of Yehuda Grunfeld* (Stanford University Press, 1963).在其著名的研究中，他考虑将已婚妇女分配于"家庭主妇"和劳动力参与者之间。(参见"Labor Force Participation of Married Women," in *Aspects of Labor Economics* (Princeton University Press, 1962)。)

④ 参见 *The Supply of Labor and the Demand for Recreation* (unpublished Ph.D. dissertation, Columbia University, 1964)。

⑤ 参见 *Economic Analysis and African Response to Price* (unpublished Ph.D. dissertation, Columbia University, 1963)。

⑥ 我再次强调，文责自负。很感谢能在加利福尼亚大学(洛杉矶分校)、芝加哥大学、匹兹堡大学、罗切斯特大学和耶鲁大学的讲座以及计量经济学会 1963 年的会议中提出我的观点后收获诸多评论。尤其感谢 Milton Friedman 和 Gregory C.Chow 对我早期的初稿提出的有用意见，后期对我的数学公式也提供了不少帮助。Linda Kee 提供了强有力的助教支持。我的研究也部分受 IBM 的资助。

⑦ 假设家庭利用产品和时间生产商品，而非仅简单假设某一行动的时间投入

是消耗产品的一个直接函数，这样的假设有经验上和理论上的优势。例如，与时间相关的产品成本的变动会引发一个显著的对相关的成本上升的抵消。类似的应用在后面的部分也这样处理。

⑧ 若一样物品和一段时间被用来生产若干商品，我假设这些“联合成本”被完全、独立地在这些商品间分配。这里出现的问题与多重产品企业的问题类似。

⑨ 参见，如 A.K.Cairncross，“Economic Schizophrenia，” *Scottish Journal of Political Economy*（February 1958）。

⑩ 约束之间的独立性将此处的问题与经济学分析中其他多重约束问题区分开来，如配给理论中新出现的问题，（见 J.Tobin，“A Survey of the Theory of Rationing，” *Econometrica*（October，1952））。若配给物品可出售且可方便地转换成货币收入，那么配给可以正式简化成单一约束条件的问题。

⑪ 参见 *Human Capital*，*op.cit*。

⑫ 这个概念来源于与 Milton Friedman 的一次谈话。

⑬ 任何可得到的效用只能是追求货币收入的生产的副产品。这也许解释了为什么直到经济发展将收入提高到远高于最低生存水平的收入后，效用分析才逐渐被公式化和被大家接受。

⑭ 为取得充分收入，使报酬函数极大化

$$W = W(Z_1, \cdots, Z_m) \tag{1'}$$

约束条件为(6)式中的支出限制、不等式

$$\sum_1^m T_1 \leqslant T \tag{2'}$$

以及(8)式中的限制。为简化起见，假定用于生产商品的每一方面的时间小于全部现有时间，因而(2′)式可以忽略。不难加入这一限制。使受(6)式与(8)式约束的(1′)式极大化，产生如下条件

$$\frac{\partial W}{\partial Z_i} = \frac{p_i b_i \delta}{1+\delta} \tag{3'}$$

这里，$\delta$ 表示货币收入的边际生产力。由损失函数 $L=(S-V)-W$，除了符号的变化以外，使损失最小的均衡条件与(3′)式相同。

⑮ 家庭最大化其效用仅受(14)式给出的单一的总资源约束。根据(14)式，只要总收入约束满足，可选择的 $Z_i$ 集合便不再受其他约束。利用总收入的概念来解决受时间和产品约束的效应最大化问题可以分两步：第一步，从产品和时间约束中定义总收入；第二步，效应最大化仅受总收入施加的约束。

⑯ 很容易看出，(16)式的均衡条件实际上与由(10)式导出的那些方程一样。

⑰ 我在其他地方讨论了分配产品对生产率的影响(参见"Investment in Human Capital: A Theoretical Analysis," *Journal of Political Economy*, special supplement(October 1962), Section 2)；同时，类似的讨论也可见 *Human Capital op.cit.*, Chapter II。

⑱ 问题是，在何种条件下有：

$$\frac{-\partial T_w}{\partial V} = \frac{\partial T_c}{\partial V} = \sum t_i \frac{\partial Z_i}{\partial V} < 0 \qquad (1')$$

当

$$\sum (p_i b_i + l_i t_i) \frac{\partial Z_i}{\partial V} = 1 \qquad (2')$$

如果分析仅限于两种商品的情况，这里 $Z_1$ 是高度时间密集型商品，那么，显而易见，当，且仅当

$$\frac{\partial Z_1}{\partial V} < \frac{-\gamma_2}{(\gamma_1 - \gamma_2)(p_i b_i + l_i t_i)} < 0 \qquad (3')$$

时，(1′)式成立。

⑲ 所谓同一百分比 $\beta$ 的变化意即

$$W_1 = (1+\beta) W_0 (Z_1, \cdots, Z_n)$$

这里，$W_0$ 表示变化前的报酬函数，$W_1$ 表示变化后的报酬函数。根据损失函数的定义

$$\begin{aligned} L &= S - W - V \\ &= W(\hat{Z}) - W(Z) \end{aligned}$$

此时，

$$\begin{aligned} L_1 &= W_1(\hat{Z}) - W_1(Z) \\ &= (1+\beta)[W_0(\hat{Z}) - W_0(Z)] = (1+\beta) L_0 \end{aligned}$$

所以，所有机会成本也以 $\beta$ 变化。

⑳ 根据(20)式和(21)式的报酬密集与时间密集的定义，除非 $l_i$ 与 $t_i$ 充分负相关，否则，报酬密集度与时间密集度正相关。

㉑ 需要强调，这个结论通常都成立，甚至在家庭是非理性的时候；用于工作或消费的时间价值的复杂计算，或关于生产不同商品所利用的时间量的大量信息，这些都不是必需的。甚至非最大化的、冲动的、有某种习惯偏好的家庭，其工作时间的变动也会趋于与收入的补偿变动正相关，因为对这些家庭

而言，需求曲线也是向下倾斜的。(G. S. Becker, "Irrational Behavior and Economic Theory," *Journal of Political Economy*(February 1962))。

㉒ 假定存在两种商品 $Z_1$ 与 $Z_2$，这里，$Z_1$ 的成本只依赖于市场产品的成本，$Z_2$ 的成本只依赖于时间的价值，这时的产品预算限制只是

$$p_1 b_1 Z_1 = I = V + T_w \overline{w}$$

时间限制为

$$t_2 Z_2 = T - T_w$$

这基本就是亨德逊和奎特的代数分析，这种分析具有代表性。他们将 $Z_2$ 称为"闲暇"，$Z_1$ 称为不同商品的平均。产品与闲暇的替代率等于实际工资率，这样一种均衡条件只是本章(19)式的特例。见参考文献：J.M. Henderson and R.E.Quandt, 1958。

㉓ 在周末或晚上，工人可以得到更多的工资，此时他们的时间成本相对也较高。

㉔ 可以看看美国航空在《纽约客》中的各种广告："The S. S. *United States* regularly includes a week-end in its 5 days to Europe, saving[economic] time for businessmen"(my insertion)。

㉕ 如韦氏词典定义闲暇为"其特点是休闲，利用大量时间"；或如 S.de Grazia 在其 *Of Time, Work and Leisure* 一书中写的"休闲是一种自行实施和结束的活动状态"(New York: The Twentieth Century Fund, 1962, p.15)。

㉖ S. de Grazia 最近也风趣地指出得到一种可信服的定义是多么困难，更不用说，用具体的数字来估量休闲的数量。参见：*ibid.*, Chapters III and IV; W. Moore, *Man, Time and Society*(New York: Wiley, 1963), Chapter II; J.N. Morgan, M.H.David, W.J.Cohen and H.E.Brazer, *Income and Welfare in the United States*(New York: McGraw-Hill, 1962), p.322, and Owen, *op.cit.*, Chapter II。

㉗ 有时候，闲暇被定义为可以自由支配的时间(Moore，前引文献，p.18)。当涉及经济资源时，我们很难精确地定义"自由支配"这个词。可以这么说，在短期内，消费时间可以自由支配，而工作时间不可以自由支配，因为后者部分控制在雇主手中。(若家庭允许企业有权控制他们的消费时间，这两者就没什么区别了，参考第二部分的讨论。)在长期，关于自由支配的以上说法可能不适应，因为替代性就业也可以使工作时间变得自由支配。

㉘ 参见前引文献，Chapter VIII。再生产品肯定有相对较大的收入损失。

㉙ W.J. Corbett and D.C. Hague, "Complementarity and the Excess Burden of

Taxation," *Review of Economic Studies*, Vol. XXI(1953—54); A. C. Harberger, "Taxation, Resource Allocation and Welfare," in the *Role of Direct and Indirect Taxes in the Federal Revenue System*(Princeton University Press, 1964).

㉚ 对收入的影响比较难确定,因为根据假设,时间密集型商品较其他商品的单位时间成本更小。向前种商品转换能提高单位小时收入,且可以部分抵消甚至超出总工作小时减少带来的收入下降。同时,这也说明了工作时间的生产力如何受所选消费集的影响。

㉛ 若所有的时间都被用在单一的工作活动上,总收入将不受影响。若有其他的时间用途,总收入会增加。尽管总收入不受影响,实际总收入也会因 $Z_i$ 的价格的下降而增长。

㉜ 因此"Knight"关于收入增长能带动"闲暇"增加的观点并非准确,甚至当闲暇是一个优先品且不受 Robbins 的替代效应的影响时(L. Robbins, "On the Elasticity of Demand for Income in Terms of Effort," *Economica* (June 1930))。

㉝ 韦斯利·米切尔(Wesley Mitchell)在其著名的《落后的花钱术》文集中给出了一些原因(参见第一篇,*The Backward Art of Spending Money and Other Essays*(New York: McGraw-Hill, 1932))。

㉞ A. Finnegan 确实通过利用平均收入和不同用途的工作时间找到了陡峭的断面关系(参见"A Cross-Sectional Analysis of Hours of Work," *Journal of Political Economy*(October, 1962))。

㉟ 请注意,Mincer 已经找到了妇女中存在非常强的替代关系(参见"Labor Force Participation of Married Women," *op.cit.*)。

㊱ Victor Fuchs, "Productivity Trends in the Goods and Service Sectors, 1929—61: A Preliminary Survey," N.B.E.R. Occasional Paper, October 1964.

㊲ J. Wilburn, "Productivity Trends in Barber and Beauty Shops," mimeographed report, N.B.E.R., September 1964.

㊳ 理发从理发店转移到家庭可以说明甚至在城市家庭也成为了一个个"小工厂"。随着时间价值的增长,他们通过自己在家里解决理发,来减少花在去理发店的路上的时间以及在店里等待的时间。

㊴ Mincer 估计了一些商品比较合适的收入弹性(见"Market Prices……,"如前所引)。

㊵ 在这个注释中,估计收入弹性的序列数据一般以时间序列数据为佳,因为这些数据一般被认为不存在价格与收入的共线性(参见 J. Tobin, "A Statistical Demand Function for Food in the U. S. A.," *Journal of the Royal Statistical*

*Society*, Series A(1950))。

㊶ 工作和闲暇时间的序列估计偏差在下一部分涉及。

㊷ G. S. Becker, "An Economic Analysis of Fertility," *Demographic and Economic Change in Developed Countries* (N. B. E. R. Conference Volume, 1960); R. A. Easterlin, "The American Baby Boom in Historical Perspective," *American Economic Review* (December 1961); I. Adelman, "An Econometric Analysis of Population Growth," *American Economic Review* (June 1963); R. Weintraub, "The Birth Rate and Economic Development: An Empirical Study," *Econometrica* (October 1962); Morris Silver, *Birth Rates, Marriages, and Business Cycles* (unpublished Ph. D. dissertation, Columbia University, 1964); and several other studies; for an apparent exception, see the note by D. Freedman, "The Relation of Economic Status to Fertility," *American Economic Review* (June 1963).

㊸ 参见,如 Duesenberry's comment on Becker,如前。

㊹ Becker,如前。

㊺ 同上文献 p.214 fn.8,提到了损失成本与收入,但未深入。

㊻ 另一种观点认为,高收入家庭照顾子女的价格也较高,这一般是混淆了价格和质量(参见文献同上,pp.214—215)。

㊼ 参见 Mincer, "Market Prices……,"如前。他用妻子的潜在工资率衡量了照顾子女的价格,并用大量序列数据的回归拟合,其中,子女的数量是因变量,家庭收入和妻子的潜在工资率是自变量。

㊽ 参见,如 H. Mohring, "Land Values and the Measurement of Highway Benefits," *Journal of Political Economy* (June 1961)。

㊾ 我所知道的唯一的关于时间边际价值的数量估计,使用的是土地价值与通勤时间的关系(文献同上)。我估计通勤时间的边际价值大概是平均时薪的40%。我也不清楚,为什么结果这么低,有可能是假设上存在错误,或由于工作时间的需求与供给函数方面的缺陷。

㊿ L. N. Moses and H. F. Williamson, "Value of Time, Choice of Mode, and the Subsidy Issue in Urban Transportation," *Journal of Political Economy* (June 1963), R. Muth, "Economic Change and Rural-Urban Conversion," *Econometrica* (January 1961), and J. F. Kain, *Commuting and the Residential Decisions of Chicago and Detroit Central Business District Workers* (April 1963).

51 Muth, *op.cit.*

52 若 $U_t \neq 0$,则基本均衡条件为

$$\frac{U_t}{U_x}=\frac{l_1+p'x}{p}$$

一般说来，最合理的假定是$U_t<0$，这意味着$l_1+p'x<0$。

⑬ Kain，*op.cit.*，pp.6—12.

⑭ 涉及许多职业的远离中心城市的家庭比例的研究，参见 L.F.Schnore，"The Socio-Economic Status of Cities and Suburbs，" *American Sociological Review* (February 1963)。

⑮ 见她的 *Housing and Income*（University of Chicago Press，1962），p.6 以及 *passim*。

⑯ 根据 Reid 的分析，室内空调的需求弹性小于 1（同上，Chapter 12）。若她关于总弹性的描述被大家接受的话，那么可以推断出，户外空间的需求弹性大于 1。

⑰ 为使既定数量的商品 $Z_i$ 的成本减至最小，需要条件

$$\frac{\partial f_i/\partial x_i}{\partial f_i/\partial T_i}=\frac{P_i}{\partial L/\partial T_i}$$

若效用被视为产品与时间的间接函数，而不只是商品的直接函数，那么，除其他因素外，还需要下列条件

$$\frac{\partial U/\partial x_i}{\partial U/\partial T_i}\equiv\frac{\partial Z_i/\partial x_i}{\partial Z_i/\partial T_i}=\frac{p_i}{\partial L/\partial T}$$

这与上述条件完全相同。$x_i$的边际效用与$T_i$的边际效用之比仅取决于$f_i$、$x_i$及$T_i$，因而与其他生产函数、产品及时间无关。间接效用函数是所谓的"弱可分"。

⑱ Owen，同上，Chapter X。

⑲ 参见，如 de Grazia，同前，Chapter IV。

⑳ 关于美国人的时间概念和其他国家的比较，参见 Edward T.Hall，*The Silent Language*（New York：Doubleday，1959），Chapter 9。

㉑ 质量通常被经验地定义为每一自然单位上的支出数量，如每一单位的食物、汽车和子女。参见 S.J.Prais and H.Houthakker，*The Analysis of Family Budgets*（Cambridge，1955）；及我的"An Economic Analysis of Fertility，"如前。

㉒ 见她的"Consumer Response to the Relative Price of Store versus Delivered Milk，" *Journal of Political Economy*（April 1963）。

㉓ 在排队术语中，排队等待时间对稳定排队计划是一个"抑制"因素（参见 D.

R. Cox and W. L. Smith, *Queues* (New York: Wiley 1961))。

⑭ 换句话说，社会成本会翻倍，因为社会成本是个人直接成本和间接替代成本之和。

⑮ 从帕累托最优化的观点出发，时间成本会被诟病，因其往往会带来外部不经济：例如，新加入队伍的人会给排在他之后的人带来一定的成本。外部不经济是实际存在的，并非是罚款产生的，因为时间对需求者来说是一项成本，但对供给者来说并不是收入。

# 6

# 时间与产品的时期分配[*]

## 基本模型

本章讨论时间与产品在生命过程中的三个主要方面的分配，这三个主要方面即，消费、人力资本投资及劳动参与。1965 年 9 月，我的文章《时间分配》在《经济学月刊》上发表，本章使用了该文建立起来的分析框架，然而，当时只是从时点上考察了各种消费中的时间分配和时间使用。这里则要把这种分析推广到跨时期决策和人力资本投资。[**]假定某人的一生必

---

* 重印自 Gary S. Becker，*Human Capital：A Theoretical and Empirical Analysis，with Special Reference to Education*，second edition（New York：Columbia University Press for the National Bureau of Economic Research，1975），pp. 56—71. © 1975 by the National Bureau of Economic Research，Inc. 1967 年发表初稿，之后稍加改动放入 1975 edition of *Human Capital* as an addendum to chapter 3，"Investment in Human Capital：Rates of Return"。由于此文引用了书中的内容，因此公式符号和注释及图表都保留原样。

** 1964 年，加里·贝克尔出版了《人力资本》一书。本章原作于 1967 年。1975 年当《人力资本》再版时，贝克尔将本文附在《人力资本》一书的第 3 章"人力资本的投资：收益率"之后。目前的中文译本属 1964 年版，因而没有这部分内容。参见《人力资本》，北京大学出版社，1987 年版。——译者注

定经历 $n$ 个时期，他的经济福利则依赖于这些时期的选择物品即商品的消费，形如

$$U = U(C_i, \cdots, C_n) \tag{1}$$

这里，$C_i$ 表示第 $i$ 个时期所消费的商品数量。由于前一章中的假定，通过利用从市场得到的产品与自有时间，$C_i$ 可以依次在"家庭"生产。令第 $i$ 个时期使用的（合成的）市场产品为 $x_i$，用于 $x_i$ 的（合成的）时间数量为 $t_{ci}$，于是有

$$C_i = {}_if(x_i, t_{ci}), \quad i = 1, \cdots, n \tag{2}$$

这里，${}_if$ 表示第 $i$ 个时期的生产函数。如果分析伊始假定时间只在消费和劳动参与（称为"工作"）之间分配，那么，对于每一时期下列等式均能成立

$$t_{ci} + t_{wi} = t, \quad i = 1, \cdots, n \tag{3}$$

这里 $t_{wi}$ 表示第 $i$ 个时期的工作时间，$t$ 表示在第 $i$ 个时期内可得到的全部时间。如果各个时期长度相同，那么 $t$ 与 $i$ 无关。

每个时期的"能力"由于受到用于工作的时间这一决策变量的影响，因而并非仅仅是"收入"的一个固定量，而可用向量（$w_i$, $v_i$）代替，这里 $v_i$ 表示第 $i$ 个时间的财产收入数量，$w_i$ 表示这一时期的现有的工资率。

假定存在完备的资本市场，而市场利率 $r$ 在每一时期相等，那么，对产品的约束会补充(3)式所给定的时间约束，这种对产品的约束为，产品支出的当前价值必定等于收入的当前价值：①

$$\sum_{i=1}^{n} \frac{p_i x_i}{(1+r)^{i-1}} = \sum_{i=1}^{n} \frac{w_i t_w + v_i}{(1+r)^{i-1}} \tag{4}$$

从(3)式中导出 $t_{wi}$，代入(4)式，得到约束集

$$\sum_{i=1}^{n} \frac{p_i x_i + w_i t_i}{(1+r)^{i-1}} = \sum_{i=1}^{n} \frac{w_i t + v_i}{(1+r)^{i-1}} \tag{5}$$

和

$$0 \leqslant t_{c_i} \leqslant t, \quad x_i \geqslant 0, \quad i = 1, \cdots, n \tag{6}$$

右边的项等于"充分财富"，它是前文"充分收入"定义的扩展；左边的项表明充分财富如何"支出"：或者用于产品，或者用于与消费中的时间使

用相关联的放弃的报酬。假定每个人(或家庭)都使其效用函数极大化，该函数由(1)式给出，它受(5)式、(6)式给出的限制及(2)式生产函数的约束，决策变量是 $t_{ci}$ 与 $x_i$，有 $2n$ 个变量。如果假定这些变量的最优取值在(6)式所确定的区域内，如果工资率 $w_i$ 同 $x_i$ 与 $t_{ci}$ 无关，那么一阶最优条件不过是

$$U_{ii}f_x = \frac{\lambda p_i}{(1+r)^{i-1}} \quad i = 1, \cdots, n \tag{7}$$

$$U_{ii}f_t = \frac{\lambda w_i}{(1+r)^{i-1}} \quad i = 1, \cdots, n \tag{8}$$

这里

$$_if_x = \frac{\partial_i f}{\partial x_i},\ _if_t = \frac{\partial_i f}{\partial t_{c_i}},\ U_i = \frac{\partial U}{\partial C_i}$$

$\lambda$ 是拉哥朗日乘数，它等于财富的边际效用。

用(7)式除以(8)式，得到

$$\frac{_if_t}{_if_x} = \frac{w_i}{p_i} \tag{9}$$

或者说，每一时期的相对于产品的消费时间的边际产品等于同一时期的工资率，而与利率无关。换言之，当实际工资率相对较高时，消费时间的边际产品相对较高。

为了在某种程度上更好地理解(9)式的含义，假定所有 $_if$ 是一次齐次的，这是本文的一个有益无害的假定。我们还暂且假定产品与消费时间的生产力不随年龄而变化，因而，所有 $f$ 项是同等的。由于线性齐次生产函数的边际生产力只取决于要素比例，所以，(9)式表明，考虑增补的假定，如果边际产品下降，那么，当实际工资相对较低时，商品生产是相对时间密集型的，当实际工资相对较高时，商品生产则是相对产品密集型的。

注意，最后的结果是一种"替代"效应，这是毫不含糊的，它不会被在相反方向发生作用的任何"收入"效应所抵消。因为"充分"财富是固定的，由(5)式的右边所固定，而且同时间与产品的时期或时点上的分配完全无关，所以不存在抵消性收入效应或福利效应。然而，需要指出，这种"替代"效应

是依据不同时期的时间或产品的相对密集度，而不是依据不同时期消费时间(有时称为“闲暇”)的绝对数值。后者不能只由(9)式决定而是依赖于商品的时期分配。只有当商品消费在所有时期相同时，相对与绝对密度才会必然同向变动。

为了说明商品的时期消费，考虑(7)式的另外形式：

$$\frac{U_i}{U_j}=\frac{p_i f_{x_j}}{p_j f_{x_i}}(1+r)^{(j-i)},\quad i,\ j=1,\ \cdots,\ n \tag{10}$$

如果假定价格稳定，$p_i=p_j=1$，(10)式成为

$$\frac{U_i}{U_j}=\frac{f_{x_j}}{f_{x_i}}(1+r)^{(j-i)} \tag{11}$$

前文已经说明，如果 $w_j>w_i$，那么 $t_{c_i}/x_i>t_{c_j}/x_j$，由齐次性假定和收益递减，有 $f_{x_i}>f_{x_j}$，因此，由(11)式

$$\frac{U_i}{U_j}\lesseqgtr(1+r)^{(j-i)}\text{，当 } w_i\lesseqgtr w_j \tag{12}$$

注意左边和右边的等式，它无疑是消费的时期分配中的最著名的均衡条件②，当且仅当工资率在第 $i$ 个时期与第 $j$ 个时期相同时，它才能成立。

考虑(12)式对跨时期的最优消费途径的含义，这里假定，如果所有 $C_i$ 相同，则所有 $U_i$ 相同，在这种较弱的意义上，这里假定时间是中性的，那么，如果(12)式中的等式成立，则当 $r=0$ 时，所有 $C_i$ 均相等，而当 $r>0$ 时，所有 $C_i$ 在各时期趋于上升(忽略财富效应的差异)。然而，只有当 $w_i$ 在所有时期均相等时，等式才能成立。但是，实际工资率趋于随年龄而增加，直至 45 岁，50 岁或者 60 岁，然后开始下降。基于 $w_i$ 的这种变化型式，(12)式表明，如果 $r=0$，则 $C_i$ 不会稳定，而是趋于随年龄而下降，直至达到峰值 $w_i$，然后随 $w_i$ 的下降而趋于增加(见图 1)。③

$C_i$ 的下降尔后上升的比例当然取决于消费中的替代弹性。而且，如果 $r$ 愈大，则 $C_i$ 初始下降就愈发短暂而平缓，继起的上升就愈长久；对于充分大的 $r$ 来说，$C_i$ 可能始终上升。

由于消费时间与产品的比例 $\frac{t_c}{x}$ 随工资率的上升而下降，随工资率的下降

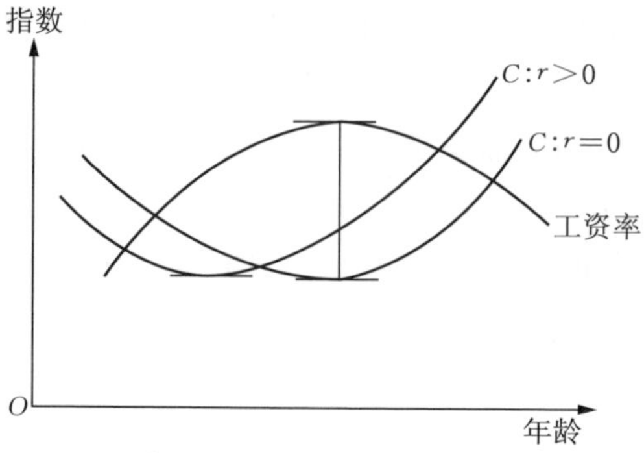


**图 1　年龄、工资率及商品消费的关系**

而上升，因此，如果 $C_i$ 保持不变（见图 2），那么，$t_c$ 的绝对值与这一比例具有同一形式。毋庸置疑，如果 $r=0$，如果 $C_i$ 随 $w_i$ 上升而下降，随 $w_i$ 的下降而上升（见图 1），那么，$t_c$ 将随 $w_i$ 的上升而下降，随 $w_i$ 的下降而上升（见图 2）。如果 $r>0$，那么，$C_i$ 将比当 $r=0$ 时下降得更为短暂并更为平缓；从逻辑上讲，$t_c$ 的变化也是如此；特别是，当 $w_i$ 达到极大值之前，$t_c$ 会达至最小。换句话说，工作时间 $t_w$ 在工资率取得极大值之前达到极大。峰值 $t_w$ 与 $w$ 之间的差额与 $r$ 的程度正相关，与不同的 $C_i$ 与 $C_j$ 之间的替代弹性正相关。例如，面临高利率的家庭应先于其他面临低利率的相似家庭达到工作时间的峰值。

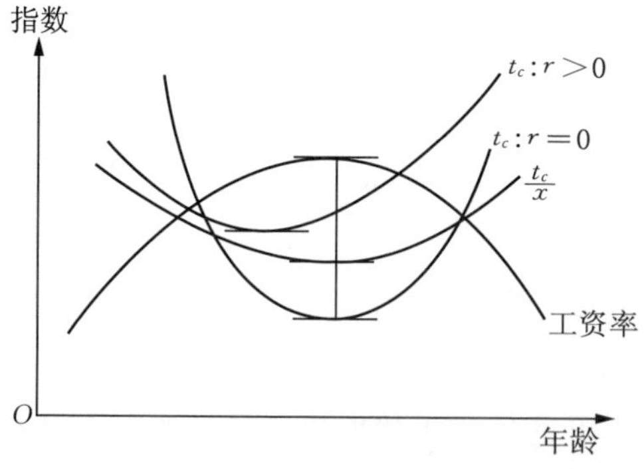


**图 2　年龄、工资率及消费时间之间的关系**

看起来，费雪方程只是被隐匿起来，没有因对 $C$ 而非 $x$ 的注重而被取代。实际上，(11)式的确表示了一种费雪方程，因为，如果 $f$ 项移至左边就

会产生

$$\frac{MU_{x_j}}{MU_{x_i}} = \frac{U_i f_{x_j}}{U_j f_{x_i}} = (1+r)^{j-i} \tag{13}$$

$U_i f_{x_i}$项是$x_i$的增量的边际效用，$j$ 项的含义与此类似。如果 $r=0$，如果时间偏好是中性的，那么(13)式似乎表明 $x_i$的水平轨迹，一种费雪结果。

然而又在情理之中的是，这一结论不可依从，费雪结果不能保留，其原因部分地由于效用函数直接依赖于 $C$，而只是间接地依赖于 $x$，部分地由于 $x$ 的轨迹也依赖于生产函数 $f$，如果 $r=0$ 而 $U$ 表示相对 $C$ 的中性的时间偏好，那么 $C$ 的变化与 $w$ 的变化反向相关，$x/t_o$的变化与 $w$ 的变化正向相关。它们各自变化的程度依赖于 $U$ 的 $C$ 之间的替代弹性以及 $f$ 的 $x$ 与 $t_o$之间的替代弹性。$C$ 的变化使 $x$ 同 $w$ 的变化反向相关。而 $x/t_o$上变化使 $x$ 同 $w$ 的变化正向相关。

因而，实际 $x$ 的变化由这些相悖力量的相对强度决定，就是说，由消费方面的替代弹性与生产方面的替代弹性的相对大小决定。生产中的替代弹性愈大，$x$ 同 $w$ 愈可能正向相关。只有当弹性等同时，两种替代才能相互抵消。$x$ 在 $r=0$ 时，才能是稳定值。④ 当然，$r$ 愈大，$x$(与 $C$)愈有可能随时期而上升。

需要指出，年龄的变化会引起产品消费的增加，这种情况起码直到 45 岁还可以经常观察到。这种增加无须诉诸未来的时间偏好、利率变化的弹性反应，或未来收入的低估等假定就可以得到说明。如果在商品生产中时间与产品有充分轻易的替代，那么，可以认为时间偏好是中性的，可以忽略利率反应，以及未来的完美预期。但是，产品消费的时间轨迹并不是实际消费轨迹(即商品消费)的可靠指示，这是因为后者可能与前者正好反向相关。

## 人力资本投资

我们并未假定时间只能在市场劳动行为和非市场消费行为之间进行分配。现在引入第三类范畴，人力资本投资，我们暂且认为，用 $E$ 衡量的人力资本，其增加量只影响工资率。每个人通过运用一部分自有时间和产品以“在校学习”、接受在职培训等方式生产自身的人力资本，这种资本的变化率等于他的生产比率与其储备折损率之差。⑤

用符号表示

$$\phi_i = \psi_i(t_{ei},\ x_{ei}) \tag{14}$$

这里，$\phi_i$表示第 $i$ 个时期人力资本产出，$t_{ei}$与 $x_{ei}$分别表示时间投入与产品投入，于是有

$$E_{i+1} = E_i + \phi_i - dE_i \tag{15}$$

这里，$E_{i+1}$表示第 $i+1$ 个时期初始存量，$d$ 表示一个时期的折损率，每个家庭使其形如(1)式的效用函数极大化，该函数受(2)式、(14)式及(15)式的生产限制的约束，并受下面的时间与产品的总“预算”的约束

$$t_{ci} + t_{wi} + t_{ei} = t,\quad i = 1,\ \cdots,\ n \tag{16}$$

$$\sum_{i=1}^{n} \frac{x_i + x_{e_i}}{(1+r)^i} = \sum_{i=1}^{n} \frac{\alpha_i E_i t_{w_i} + v_i}{(1+r)^i} \tag{17}$$

这里，$w_i = \alpha_i E_i$，$\alpha_i$表示第 $i$ 个时期每单位人力资本的支付。如果，为简化起见，假定 $\phi_i$只依赖于 $t_{ei}$而 $\psi_i$在各个时期相同，如果最优解有 $x_i$、$t_{c_i}$、$t_{w_i}$及 $t_{e_i}$的非零值，那么，一阶最优条件为

$$U_i f_{xi} = \lambda \frac{1}{(1+r)^i},\ i = 1,\ \cdots,\ n \tag{18}$$

$$U_i f_{xi} = \lambda \frac{\alpha_j E_i}{(1+r)^i},\ i = 1,\ \cdots,\ n \tag{19}$$

$$O = \lambda \left[\frac{\alpha_i E_i}{(1+r)^i} - \sum_{j=i+1}^{n} \frac{\alpha_j t_{w_j}}{(1+r)^j} \frac{\partial E_j}{\partial t_{e_i}}\right] \tag{20}$$

(18)式与(19)式和(7)式与(8)式基本相同，因而，在当前假定前提下，人力资本投资基本不会改变迄今为止引出的含义。例如，用于消费的时间 $t_c$依然随年龄的增长而下降，在峰值工资率年龄之前达到谷底，尔后增加。产品的时期轨道依然取决于利率，以及在消费与生产中的替代弹性。两个显著的差异是，首先，工资率的轨道不再已知，而是取决于外生变量 $E_i$的轨迹。

当 $E_i$ 在 $\alpha_i$ 之前、之间、之后达到峰值时，工资率会在 $\alpha_i$ 上的峰值之前、之间、之后达到峰值；其次，由于 $t_w$ 也依赖于(20)式决定的 $t_e$，所以，$t_w$ 的行为不再只是 $t_c$ 的行为的补充。

(20)式表达了著名的均衡条件：人力资本投资的边际成本的当前价值等于未来收益的当前价值。该式显然表明，用于人力资本的时间投入量随年龄而趋于下降，其中有两个原因，一是余留的时期数，因而未来收益的当前价值将随年龄而减少；二是投资成本将随 $E_i$ 的增加而上升，因为放弃的报酬会增加。

$t_{ei}$ 的趋势随 $i$ 的增加而下降，由此出现几个有趣的结果。一种结果是，年轻时的工作时间 $t_w$ 低于没有人力资本投资情况下的工作时间，它的增长也比没有人力资本投资的情况下更为迅速，结果，只要 $t_{ei}$ 为正，则 $t_w$ 上的峰值在 $t_c$ 的谷底之后将会出现，甚至，在 $w_i$ 的峰值之后也可以出现；然而，由于 $t_e$ 随年龄增长而下降，所以，如果在 $n$ 前的某个年龄 $p$，它变得足够小，那么对于 $i>p$，$t_w$ 的行为大约就是 $t_c$ 行为的补充。

如果在年轻时将如此多的时间投资于人力资本而没有余留时间用于工作($t_w=0$)，那么，在这些年龄，$t_c$ 将与 $t_e$ 相互补充。边际投资成本不再用放弃的报酬衡量，而且用超过放弃的报酬的消费时间的边际价值衡量(否则 $t_w>0$)。

如果 $t_{wi}=0$，$i=1$，…，$q$，而不是(49)式至(51)式，那么，$i=1$，…，$q$ 的一阶最优条件将是

$$U_i f_{x_i} = \lambda \frac{1}{(1+r)^i}, \quad i = 1, \cdots, q \tag{21}$$

$$U_i f_{t_i} = s_i, \quad i = 1, \cdots, q \tag{22}$$

$$s_i = \lambda \sum_{j=i+1}^{n} \frac{\alpha_j t_{w_j}}{(1+r)^j} \frac{\partial E_j}{\partial t_{e_i}}, \quad i = 1, \cdots, q \tag{23}$$

这里，$s_i$ 表示第 $i$ 个时期消费时间的增量的边际效用。如果用 $U_i f_{t_i}$ 代替(23)式的 $s_i$，则有

$$\frac{U_i ft_i}{\lambda} = \sum_{j=i+1}^{n} \frac{\alpha_j t_{w_j}}{(1+r)^j} \frac{\partial E_j}{\partial t_{e_i}}, \qquad i = 1, \cdots, q \tag{24}$$

或者说，用于投资的时间增量所引起的收益的当前价值并不等于放弃的报酬，而是相当于消费时间的增量所引起的边际效用的货币等价物。

用(21)式除以(22)式，利用(23)式消去 $s_i$，得到

$$\frac{f_{ti}}{f_{xi}}=\sum_{j=i+1}^{n}\frac{\alpha_j t_{wj}}{(1+r)^{j-i}}\frac{\partial E_j}{\partial t_{ej}},\qquad i=1,\cdots,q \tag{25}$$

由于不存在工作时间，所以，时间与产品的边际产值的比率不等于工资率，而是等于用于投资的时间的边际生产力的货币价值；因此，即使 $w_i$ 对于 $i<q$ 取值较小，如果投资时间的收益较高，那么商品生产仍将是产品密集型的。

## 年龄和生产函数

通过假定商品的生产函数与人力资本的生产函数在所有年龄上相同，笔者仅仅根据实际工资率与收益的差异，便分析了不同年龄上的时间与产品的不同组合。然而可以推测，随着年龄的变化一个人会取得（或丧失）经验、知识及精力，他的现有的生产可能性边界也会发生变化。这一部分将分析这些变化对时间与产品的最优分配的最终影响。

首先集中分析商品的生产函数的变化，并假定生产效率随年龄变化而提高，直至到效率峰值，尔后下降，直到年龄 $n$。如果效率变化为要素中性的，那么生产函数可以写作

$$_jf=g_jf(t_{c_j},x_j) \tag{26}$$

这里，$g_j$ 表示起先上升尔后下降的系数，则(18)式成为

$$U_{ii}f_{x_i}\equiv g_iU_if_{x_i}=\lambda\frac{1}{(1+r)^i} \tag{27}$$

(19)式变成

$$U_{ii}f_{t_i}=g_iU_if_{t_i}=\lambda\frac{\alpha_iE_i}{(1+r)^i} \tag{28}$$

而(20)式将不受影响。

如果用(28)式除以(27)式，则消去效率系数 $g_i$，那么，如前所述，时间和产品的最优组合只依赖于 $f$ 与 $\alpha_i E_i$ 的形状，因此，在工资峰值年龄之前，产品密度上升，直至达到峰值，尔后下降，完全不依赖于 $s_i$ 的轨迹。

如果 $r=0$，并且 $w$ 随年龄而上升，那么，如果因为生产 $C$ 的边际成本会随年龄增加而以更快速度上升，因而导致(用 $g$ 衡量的)生产效率随年龄而下降，则随年龄变化的 $C$ 的下降大于当生产函数不变时的下降；如果 $g$ 随年龄而上升则情况相反。因为 $C$ 的生产效率——每单位 $C$ 使用的 $x$ 与 $t_c$——的变化能够抵消 $C$ 的变化，所以，对 $x$ 与 $t_c$ 的影响较不确定，而是也依赖于消费中的替代弹性。如果这种替代弹性大于1，那么，当它改变 $C$ 时，效率的变化将使 $x$ 与 $t_c$ 同向变化，正如它对 $C$ 的作用一样。

如果效率变化不是要素中性的，而是譬如说，使消费时间的边际产值超过产品的边际产值("产品节省"的变化)，如果效率也上升，那么，随着工资上升以产品替代时间的动机将较小，因此，当工资与效率均上升时，生产不会成为产品密集型生产；当工资与效率均下降时，生产也不会成为时间密集型生产。当然，如果效率的变化使产品的边际产值超过时间的边际产值，那么相反情形就会成立。

## 人力资本和消费

迄今为止的假定是，人力资本的增加只直接改变市场上时间的生产力。然而，人力资本或许也能改变用于生产家庭消费或用于生产增加的人力资本本身的时间与产品的生产力。

教育及其他人力资本投资的研究已由于忽视消费方面而不断地遭到抨击，尽管批评家们并不比其他人更成功地用一种行之有效的方式研究这些方面的问题。有一种方法是允许人力资本进入效用函数，但由于衡量、确定、比较方面存在的特殊难题，这种方法看来也没有前途。另一种方法是假定人力资本"改变"家庭生产函数⑥，形如

$$C_i = {}_i f(x_i,\ t_{c_i},\ E_i) \tag{29}$$

第 $i$ 个时期人力资本对消费的边际效应可定义为相对 $E_i$的 $C_i$之边际产值或“改变”。

$$MP_{e_i} = \frac{\partial C_i}{\partial E_i} = \frac{\partial_i f}{\partial E_i} = {}_i f_{e_i} \tag{30}$$

时间与产品的最优分配仍被认为可以通过效用函数的微分得到，而该函数受生产函数及预算约束。均衡条件(18)式与(19)式或(21)式与(22)式，形式上不受商品生产中包含的 $E$ 的影响，然而，对用于人力资本投资的时间 $t_e$的均衡条件从(20)式变成

$$\sum_{j=i+1}^{n} U_j f_{e_j} \frac{\partial E_j}{\partial t_{e_i}} = \lambda\left(\frac{\alpha_i E_i}{(1+r)^i} - \sum_{j=i+1}^{n} \frac{\alpha_j t_{w_j}}{(1+r)^j} \frac{\partial E_j}{\partial t_{e_j}}\right) \tag{31}$$

或

$$\frac{\alpha_i E_i}{(1+r)^i} = \sum_{j=i+1}^{n} \frac{U_j}{\lambda} f_{e_j} \frac{\partial E_j}{\partial t_{e_i}} + \sum_{j=i+1}^{n} \frac{\alpha_j t_{w_j}}{(1+r)^j} \frac{\partial E_j}{\partial t_{e_j}} \tag{32}$$

(23)式有类似的变化。

(32)式左边的项是第 $i$ 个时期放弃的报酬的当前价值——在第 $i$ 个时期须用更多时间生产人力资本的成本，右边的项给出了收益的当前价值。右边第二项是熟知的货币收益的当前价值，表示由第 $i$ 个时期增加的人力资本投资产生的财富增长。右边第一项相对陌生，它衡量增加的投资对消费的影响，它实际上衡量由于第 $i$ 个时期投资的增加生产一揽子特定商品所需要的产品与时间的减少的当前价值。⑦

据此说来，人力资本对消费的影响与其对投资的影响是对称的，后者给出了增加的收入流的货币价值，而前者给出了减少的成本流的货币价值。

稍微注意一下人力资本的消费效应的几点含义。因为这些效应显然提高了投资的总收益，所以，每个年龄上用于投资的时间大于这些效应为 0 情况下的同类时间；反过来，这表明了“隅角”解的更大可能性，特别是在年龄不大时。而(21)式与(22)式决定的均衡条件及(23)式⑧的扩展是相互关联的。而且，现在可以充分地假定，消费效率和工资率一同升降，因为它们是人力资本储备变化的联合结果。

## 分析的扩展

认为工资率独立于人力资本的影响而已知的假设既不现实也不必要。由于疲劳因素、非全日制与全日制机会的差异、工作的固定成本、加班津贴等因素，平均工资率与工作时间通常相互关联，我们的分析可以轻易地纳入$t_w$对 $w$ 的影响，形如

$$w_i = w_i(t_{w_i}) \tag{33}$$

或者，更为一般地

$$w_i = w_i(t_{w_i}, t_{w_{i-1}}, \cdots, t_{w_1}) \tag{34}$$

如果将在职学习同其他人力资本形式分开来进行分析，那么，边际工资而非平均工资率是时间价值的恰当的相关度量手段，并将进入均衡条件。[⑨]

更为现实的是，在时期的任意一刻考虑几种商品。每种商品都有自己的生产函数和产品与时间投入。引入下列效用函数可以轻易地达到目的

$$U = U(C_{1l}, \cdots, C_{1n}, C_{2l}, \cdots, C_{2n}, \cdots, C_{ml}, \cdots, C_{mn}) \tag{35}$$

这里，$C_{ij}$表示第 $i$ 个时期所消费的第 $j$ 种商品的数量。这个函数将在各个商品(或许还在各个时期)的生产函数及预算约束条件下最优化。主要的一个含义是，当工资率相对较高时，不仅每种商品的生产为相对的产品密集型生产，而且消费也转向相对产品密集型、偏离时间密集型商品。如果工资率，或者更为一般地说，时间价值在年轻时增加，而最终下降，在年轻和年老时更多地消费时间密集型产品(如子女或子女的子女)。反之，在中年阶段更多地消费产品密集型商品。时间与产品密集型商品的消费上的年龄格局会加强消费时间随年龄出现下降、产品随年龄出现增加的趋势。

由于人力资本拥有量较多的投资者比人力资本拥有量较少的投资者可以有更高的生产力，因而，人力资本的积累也可以“改变”人力资本本身的生产函数。鉴于已有的论述[⑩]，这里我只提及一种含义，即，由于时间变得愈来愈富于生产性，所以，随着资本的积累，投资会得到鼓励，因而，投资的数

量随年龄增长而下降的趋势会在某种程度上受到抑制，这将抵消时间变得更为昂贵所产生的影响。

人的一生时间的分配应在家庭范围内加以考察，而丈夫、妻子或许还有子女的决策是相互影响的。例如，如果妻子的工资率比其丈夫的工资率更稳定，那么，根据本文的分析，已婚妇女的劳动参与率在年轻和年老时相对较高，在中年时则相对较低。观察到的情况恰恰如此。因为抚育子女是时间密集型的活动，如果已婚妇女的时间消费的生产力在中年时较高，那么也会出现类似的结果。本文建立的分析对基于夫妇年龄而出现的劳动参与格局看来能有较为深刻的说明。[11]

## 实证分析

通过笔者运用1960年人口普查千分之一样本中根据年龄、性别、种族和教育程度的交叉分类得到的报酬、时间、工作星期的数据，本模型的某些含义得到了验证。[12]

### 注 释

① 第 $i$ 个时期的储蓄定义为

$$S_i = w_i t_{wi} + v_i - p_i x_i$$

我们的公式含蓄地假定，储蓄过程本身并不占用时间，这是一个较弱的假定，但即使说储蓄的时间密集度低于消费的时间密集度，也不会导致迥然不同的结论。参见 I. Ehrlich and U. Ben-Zion have since analyzed the effect of time on savings in "A Theory of Productive Savings," University of Chicago, 1972。

② 其出处大概归因于 I. Fisher(参见 *The Theory of Interest*, New York, 1965, Chapters XII and XIII)；其也被诸多文献使用，如见 J. Henderson and R. Quandt, *Microeconomics*: *A Mathematical Approach*, New York, 1971。

③ 我用"趋于"一词，主要是因为可能存在不同时期的消费之间的差异程度的替代。例如，$l$ 期的高消费可能会将 $k$ 期的消费边际效用抬得很高，以至于

使均衡值从 $C_k$ 上升至 $C_j$，尽管 $W_j < W_k$。但若效用函数是完全可分离的，这种情况就不会发生。

④ 进一步的讨论，见 G.Ghez，*A Theory of Life Cycle Consumption*，Ph.D. dissertation，Columbia University，1970，and G.Ghez and G.Becker，*The Allocation of Time and Goods over the Life Cycle*，New York，NBER，1975。

⑤ 这个人力资本积累模型与下述文献中的发现很类似，并受到其一定影响，参见 Y. Ben-Porath，"The Production of Human Capital and the Life Cycle of Earnings，" *Journal of Political Economy*，August 1967，or in the addendum to this volume "Human Capital and the Personal Distribution of Income：An Analytical Approach，" pp.94—144。

⑥ 此方法在下述文献中有详细的理论和实证探讨，参见 R.Michael，*The Effect of Education on Efficiency in Consumption*，New York，NBER，1972，an outgrowth of a 1969 Ph.D. dissertation at Columbia。

⑦ 由于 $f$ 关于 $x$ 和 $t_C$ 是一次齐次的，

$$C_i \equiv f_{x_i} x_i + f_{t_i} t_{c_i} \tag{1'}$$

因此有

$$\frac{\partial C_i}{\partial E_i} \equiv f_{e_i} \equiv \frac{\partial f_{x_i}}{\partial E_i} x_i + \frac{\partial f_{t_i}}{\partial E_i} t_{c_i} \tag{2'}$$

定义

$$\widetilde{f}_{x_i} \equiv \frac{\partial f_{x_e}}{\partial E_i} \Big/ f_{x_i} \text{ 和 } \widetilde{f}_{t_i} \equiv \frac{\partial f_{t_i}}{\partial E_i} \Big/ f_{t_i} \tag{3'}$$

因此有

$$f_{e_i} \equiv \widetilde{f}_{x_i}(f_{x_i} x_i) + \widetilde{f}_{t_i}(f_{t_i} t_{c_i}) \tag{4'}$$

用均衡条件(18)和(19)替换 $f_{x_i}$ 和 $f_{t_i}$，得到

$$f_{e_i} = \frac{\lambda}{U_i}\left(\widetilde{f}_{x_i} \frac{x_i}{(1+r)^i} + \widetilde{f}_{t_i} \frac{\alpha_i E_i t_{c_i}}{(1+r)^i}\right) \tag{5'}$$

因而有

$$\frac{U_i}{\lambda} f_{e_i} = \widetilde{f}_{x_i} \frac{x_i}{(1+r)^i} + \widetilde{f}_{t_i} \frac{\alpha_i E_i t_{c_i}}{(1+r)^i} \tag{6'}$$

$\widetilde{f}_{x_i}$ 和 $\widetilde{f}_{t_i}$ 等于在 $i$ 期由于 $E_i$ 增加一单位而引发 $f$ 的"变动"但仍需要维持生产给定的 $C_i$ 从而导致的产品和时间减少的比例。因此，(6′)式等号右边

给出了 $i$ 期为达到给定 $C_i$ 水平而节约的产品和时间的现值。因此，

$$\sum_{j=i+1}^{n}\frac{U_j}{\lambda}f_{e_i}\frac{\partial E_j}{\partial t_{e_i}}=\sum_{j=i+1}^{n}\frac{\widetilde{f}_{x_i}x_j}{(1+r)^j}+\frac{\widetilde{f}_{t_i}\alpha_j E_j t_{c_i}}{(1+r)^j}\frac{\partial E_j}{\partial t_{e_i}} \tag{7'}$$

给出了 $i$ 期由于额外的人力资本投资而节约的产品和时间的总现值。

⑧ 由于消费效用，(23)式可以被替换为：

$$\sum_{j=i+1}^{n}U_j\frac{\partial E_j}{\partial t_{e_i}}-s_i+\lambda\sum_{j=i+1}^{n}\frac{\alpha_j t_{w_i}}{(1+r)^j}\frac{\partial E_j}{\partial t_{e_i}}=0$$

或

$$\frac{s_i}{\lambda}=\sum_{j=i+1}^{n}\frac{U_j}{\lambda}f_{e_i}\frac{\partial E_j}{\partial t_{e_i}}+\sum_{j=i+1}^{n}\frac{\alpha_j t_{w_i}}{(1+r)^j}\frac{\partial E_j}{\partial t_{e_i}} \tag{23'}$$

⑨ 譬如，如果(33)式为工资率函数，(34)式被下式取代：

$$U_i f_{ti}=\lambda\left(\frac{\alpha_i E_i}{(1+r)^i}+\frac{\partial\alpha_i}{\partial t_{wi}}\frac{t_{wi}E_i}{(1+r)^i}\right) \tag{34'}$$

⑩ 见 Ben-Porath，如前，以及下文的附录"Human Capital and the Personal Distribution of Income：An Analytical Approach，" pp.94—144。

⑪ 以下文献可以印证我的说法，参见 A. Leibowitz，"Women's Allocation of Time to Market and Non-Market Activities，" Ph. D. dissertation，Columbia University，1972；or H. Ofek，"Allocation of Goods and Time in a Family Context，" Ph. D. dissertation，Columbia University，1971；or J. Smith，"A Life Cycle Family Model，NBER Working Paper 5，1973。

⑫ 结果发表在 Ghez and Becker，*op.cit.*，Chapter 3。

# 7

# 新消费者行为理论*

关于欲望的研究，人们可以从努力与行为的研究中得到许多借鉴。

——阿尔弗雷德·马歇尔

## 传统的选择理论

### 1. 传统理论的说明

普通的消费者行为理论基于这样一种认识，即，家庭等消费单位试图使其效用达至最大，从市场购买的产品提供的服务中可以直接获得这种效用：

$$U = u(x_1, x_2, \cdots, x_n)① \qquad (1)$$

受产品购买上的限制。根据单一时期分析

* 重印自 the *Swedish Journal of Economics*, vol.75(1973):378—95。见克尔的重要贡献可参见一篇更早期未发表的文章，"Consumption Theory: Some Criticisms and a Suggested Approach"(May 1968)。Robert T. Michael 详解了这一文章。

$$I = \sum_{i=1}^{n} x_i p_i \tag{2}$$

这里，$I$ 表示货币收入，$p_i$表示产品 $x_i$的货币价格，这里的商品是指广义上的商品，实际收入与相对价格对 $x_i$的需求的影响可以用下列需求函数概括表示

$$x_1 = d_1\left(\frac{I}{p}, \frac{p_1}{p}, \frac{p_i}{p}, T\right) \tag{3}$$

这里，$p$ 表示价格指数，同实际收入与相对价格的变化无关的需求的变动被归因于偏好 $T$ 的变化，综合运用上述三种要素——收入、价格及偏好——可以对消费行为做出充分解释。

虽然还能引出几种其他的含义，但是，从这种分析得出的唯一重要的行为"定律"是：任一产品相对价格的补偿性收入（即"纯"）的变化可以导致该产品的需求数量在相反方向上的变化。②经济学家经常修正消费者选择理论以扩展它的适用范围。③但是，这种选择理论的所有修正均没有使它的基本分析框架——有如(1)式至(3)式所示——发生根本性的改变，所以，不妨撇开这些修正而认真考察这一基本分析框架并指出其中的某些带有根本性的弱点。虽然选择理论的新近的修正有效地克服了某些弱点，但是，我们认为，只有对基本模型的基础方面的重新构造——有如第二部分所示——才能有效而概括地说明问题。

## 2. 传统理论的弱点

调查数据一般通过 $n$ 组变量的交叉分类形成相对少数几个单元，这些单元的平均值可以作为分析中的观察值，使用分组数据的回归系数估计是无偏的，加之经济学家对总和的反应时常比对个别消费单位的反应更感兴趣，所以，这些分组数据时常被用作减少衡量的误差和解决具有独立变量的其他问题的方法。然而，使用分组数据的另外一种动机是，即使具有收入与价格的复杂的操作性定义，但是，仅仅这些解释变量看来只能说明单个家庭数据中特殊产品与劳务的需求变化的一小部分。借助独立变量的分组观察数值可以明显加强估计方程的"说服力"(Cramer 1964；Rockwell 1959)。

由于偏好的变化为需求曲线（见等式(3)）提供了复杂的背景，因此，观

察到的行为中收入和价格无法解释的部分总归咎于它。而且,即使分组数据也不得不需要依赖偏好的变化作为对观察到的行为的解释。实际上,总和的数据展示了家庭规模、家庭的年龄构成、教育程度、住房制度、职业、种族、社会经济地位或其他偏好的体现物对行为的全面影响。经济学家承认,他们没有可资利用的偏好构成理论,他们也不能依赖在社会科学的其他原理基础上发展起来的成熟的偏好理论,因为根本就不存在,所以,经济学家将他们的选择理论大幅度地建筑在偏好差异之上的行为是令人困惑的。换句话说,实证研究者所使用的理论不能帮助他们根据演绎推理找出一种适当的偏好的体现物,也不能帮助他们形成有关这些变量对行为的影响的预见。所以,传统的选择理论的缺陷在于,它既不能说明偏好如何形成,又不能预言偏好的影响,但它却基于偏好上的差异去"解释"行为。

为了说明在解释观察到的行为时对"偏好变化"的依赖,可以考察下面的例子。如果取暖燃料作为要素纳入家庭效用函数,那么,这一效用函数必然有季节性的变化,这样才能说明冬天(当取暖燃料价格较高时)家庭的购买之所以较多,再如,由于某些商品的市场价格与年龄无关而支出类型则看起来与年龄有关,所以,当配偶们年老时,他们必然经历偏好上的某种变化,偏离运动器械设施和含卡路里较高的食品而转向除雪或医疗等服务。④当然,在每种场合,经济学家通过诉诸直观的感召力通常能够以一种合乎情理的方式解释观察到的行为,然而,重要的问题是,现有的选择理论本身在其使用中需要自我限制。

不仅如此,由于暗含了效用来自市场上获得的产品与劳务,所以,现有的理论一般是根据货币价格与货币收入建立的,因此,现有理论的应用通常限于市场领域。市场领域的交易最容易通过"货币标尺"⑤的衡量,而许多涉及有限资源在可供选择的目标中的分配——符合经济学的流行定义——的其他行为决策却被排除在外。有关消费者的非市场时间的分配以及有关宗教信仰、婚配、家庭规模、离婚、政治团体或"生活风格"的选择等方面的决策都涉及稀缺资源在可供选择的目标中的分配,然而,由于这些选择牵涉到非货币因素因而经济学家经常不闻不问。

专注于分析对货币因素的反应严重地限制了这种理论对其他社会科学家的吸引力。政治学家、社会学家或人类学家通常思索的典型问题是货币因素不曾染指的行为，因此，当经济学家的选择理论如此倚重于货币价格而又将如此大量的观察到的行为归因于不甚明了的偏好差异时，其他学科的理论家不大理睬这种选择理论就不足为奇了。

不过，人们或许会感到奇怪的是，为什么这样一种理论能够做为标准的经济学的一个重要部分维续下来呢？在缺乏高效率的生产厂商时，低效率的生产厂商——特别是当这种低效率是在某种绝对的意义上定义的时候——也能生存下来。理论界的情况何尝不是如此。

本文的重点在于，现有的选择理论没有适当运用它的比较有说服力的含义；通过重新构造选择理论，我们相信，传统理论无法容纳的许许多多的重要现象可以得到说明。

## 家庭生产函数分析：一种说明

对于选择理论的标准分析的研究最近有了根本性的突破。[⑥] 概括说来，新的分析认为，家庭选择的初级目标是各种称做商品的实体，从中可以直接获得效用；这些商品由消费单位本身通过生产过程生产出来，而家庭作为这种消费单位通过自有时间的部分支出，通过组织从市场获得的产品与劳务从而从事这种生产活动。在这种分析中，所有市场产品被用作市场以外的生产过程的投入要素，消费者对这些市场产品的需求是一种派生需求，类似于厂商对任何生产要素的派生需求。

一般地，令家庭生产函数

$$U = u(Z_1, Z_2, \cdots, Z_n) \tag{4}$$

这里，$Z_i$既表示商品 $Z_i$的数量又表示这种商品提供的服务。商品由家庭运用市场产品向量 $x_i$及家庭的自有时间向量 $t_i$生产出来

$$Z_i = z_i(x_i, t_i; E) \tag{5}$$

这里，$E$ 表示生产所处的环境的变量向量。[⑦] 这些“环境变量”反映生产工艺状态或生产过程的技术水平。效用函数的极大化受生产函数(5)式的限制，并受家庭现有时间的限制：

$$T = t_w + \sum_{i=1}^{n} t_i \tag{6}$$

和通常的收入限制

$$I = \sum_{i=1}^{n} p_i x_i \tag{7}$$

这里，$t_w$与$t_i$分别表示家庭用于劳动市场及用于生产$Z_i$的时间[8]，$p_i$与$x_i$分别表示用于$Z_i$生产的市场产品投入的价格与数量。

时间与货币收入限制可以合并为对家庭"充分收入"$S$的单一资源限制[9]

$$S = wT + V = \sum_i (wt_i + p_i x_i) \tag{8}$$

这里，$w$表示工资率，假定为常数，$V$表示家庭的非工资收入。充分收入概念的重要性在于，它既包括时间限制又包括货币收入限制。它的大小同家庭选择的分配给从事收入——报酬活动的时间比例无关。[10]

使受生产函数(5)式和充分收入(8)式约束的效用函数(4)式极大。拉格朗日方程可以表示为

$$L = u(Z_1, Z_2, \cdots, Z_n) - \lambda\left(\sum_i (wt_i + p_i x_i) - S\right) \tag{9}$$

就商品而言，极大化的一阶条件意味着

$$\frac{MU_i}{MU_j} = \frac{w\dfrac{\mathrm{d}t_i}{\mathrm{d}Z_i} + p_i\dfrac{\mathrm{d}x_i}{\mathrm{d}Z_i}}{w\dfrac{\mathrm{d}t_j}{\mathrm{d}Z_j} + p_j\dfrac{\mathrm{d}x_j}{\mathrm{d}Z_j}} \equiv \frac{\pi_i}{\pi_j} \tag{10}$$

任何两种商品$Z_i$与$Z_j$的边际效用之比$MU_i/MU_j$必定等于它们的边际成本之比$\pi_i/\pi_j$。这里，(10)式中的导数表示边际投入产出系数，这里的边际成本是由市场产品价格与时间以及由生产$Z_i$的每一种生产力决定的$Z_i$的影子价格。

类似地，将(9)式对所有生产要素微分可以决定要素的最优使用：

$$\frac{\dfrac{\partial U}{\partial Z_i}\dfrac{\partial Z_i}{\partial f_{ik}}}{\dfrac{\partial U}{\partial Z_j}\dfrac{\partial Z_j}{\partial f_{jl}}} \equiv \frac{MU_i MP_{ik}}{MU_j MP_{jl}} = \frac{p_{jik}}{p_{fjl}} \tag{11}$$

这里，$f_{ik}$表示用于生产$Z_i$的(产品或时间)要素$k$，$f_{jl}$表示用于生产$Z_j$的(产

品或时间)要素 $l$。当两种要素用于同一生产函数($i=j$)时,该条件就是熟知的条件——边际产品之比等于要素价格之比。或者,还有一种说法,如果 $k=l$(即如果同样的投入要素用于几种生产函数),那么,(11)式则表示,要素要在商品之间进行分配以使不同商品生产的边际商品的效用价值相等。[11]

环境要素 $E$ 的改变可能影响要素价格与投入系数,从而改变商品的相对价格 $\pi_i/\pi$;这里的 $\pi$ 表示所有商品的价格指数。通过从总体上提高或降低平均的 $\pi_i$,$E$ 还可以影响价格水平 $\pi$ 本身。所有商品平均价格的变化同家庭生活费用的变化可以不相上下,或者同它的机会组合的变化不相上下,所以,用商品价格水平除全部货币收入可以将全部货币收入转换成全部“实际”收入 $S/\pi$。[12]家庭的单一全部实际收入限制表示对所有可得到的一揽子商品的限制。影响家庭支出的市场价格力量以及影响家庭所使用的投入要素的生产力的力量可以改变它们的 $\pi$ 从而改变它们的全部实际收入,就像各个家庭的全部货币收入可以不同一样,各个家庭的 $\pi$ 也可不同,效率较高的家庭管理者比拥有同样的全部货币收入 $S$ 的效率较低的管理者有更大的实际机会组合。[13]

**先驱们的建树**

虽然家庭生产函数分析提出从根本上重新构造消费者需求理论,但从选择理论的历史发展的进程来看,这似乎不是什么了不起的突破,杰拉米·边沁在其 1789 年发表的《立法原理》一书中提出了 15 种“简单快乐(simple pleasures)”,并把它称为“我们感官之清单”,这些快乐恐怕概括了人的快乐(亦即效用)函数方面的基本争论。所谓 15 种快乐是:感官的快乐、财富的快乐、追求的快乐、友谊的快乐、声誉的快乐、虔诚的快乐、行善的快乐、作恶的快乐、知识的快乐、记忆的快乐、创造的快乐、期待的快乐、交往的快乐以及减除痛苦的快乐。[14]一般说来,这些快乐在一定程度上可以通过从市场获得的产品“生产”出来。

阿尔弗雷德·马歇尔对效用函数提供的论证少之又少,他指出,满足的基本来源不过有二:特色和优越。[15]马歇尔及后来的理论家都没有探讨这种少得可怜的需要的效用函数,但是,家庭生产函数试图建立一套与本文开始所引述的马歇尔的观点一致的消费者选择理论。

对产品的需求并不在于产品本身，而是在于产品能够提供的特殊服务。关于这种观点的讨论随处可见。在探讨消费概念时，纳骚·西尼尔注意到，“对任何东西的使用都可以普遍地用消费一词表达”，所以，他指出，“如果以‘消费’一词代替‘使用’，那将是政治经济学语言的一项改进。”[16]实际上，将消费既解释为用货币换取市场产品与劳务，同时又解释为从这些产品与劳务中获取效用显然缺乏直观上的感召力。对消费的这种解释没有说明效用来自于所购买商品的获取、占有、还是使用，而通过强调市场产品消费涉及它在一种更为基本的商品生产中的使用可以使人们洞悉产品有用性的本质。

大量的近来的研究文献认为，对产品的需求来自某种更为基本的目标，利用产品的特性可以实现这些目标。凯恩斯认为，对货币的需求来自投机的“动机”、预防的“动机”及其他“动机”；斯蒂格勒认为，对各种食物的消费是为了满足营养方面的要求；格里奇及其他一些研究者运用享乐主义物价指数把对某种产品的需求同这种产品具有的特性联系起来，譬如，他们把对汽车的需求同汽车的马力、轴距、启动装置、自动变速箱等特性联系起来，如此等等，足见这种一般认识的普通性。[17]

另一类研究是致力于分析和界定家庭内部的产品与劳务生产的范围。里德 1934 年的《家庭生产经济学》代表了这方面的努力。里德分析了家庭生产——其定义是由家庭成员进行也为了家庭成员而进行，但却可以用市场产品与劳务代替的无酬活动——的性质和方法在时间方面的变化。里德和米契尔都强调产品决策在家庭生产的管理任务中的重要性，而且指出了家庭中的“科学管理”的广泛应用存在的困难。[18]对消费者行为的家庭生产函数分析采用了家庭生产的概念，但把它扩展到所有非市场活动并且更为注重多种产品生产的技术方面。

最后，近些年来引起众人瞩目的效用函数的可分性将同家庭生产函数联系起来。列昂惕夫关于可分性的早期论述不仅实质上运用了与前面(4)式和(5)式相同的数学概念，他还赞成将其应用于消费者行为的分析：

> 然而，由于缺乏精确的、可操作的办法来研究经过良好限定的商品分组资料，因而使得消费者行为理论的重要部分到了几乎仅仅是孤立而任意的定义方面的整理。

> 求实的经济学家在有实践经验的统计学家的帮助下议论和探讨食物、衣着以及一般的文化需要，甚至衡量这些杜撰的存在范畴的总和的数量，这是实际情况，然而，这仅仅是强调了理论家提供给他们的概念工具的局限性，多变量函数的内部结构的分析……以及函数可分性的概念可能特别有助于缩小纯粹经济学和应用经济学之间的巨大差距。⑲

函数可分性的家庭生产函数解释是一项重要应用，是下一部分分析的内容。

## 家庭生产函数分析的应用

通过将生产概念纳入消费理论，家庭生产函数分析表明，当家庭试图使生产成本减至最小而使效用达至最大时，家庭将对要素价格与生产力的变化作出反应，对商品相对影子价格的变化作出反应，对其充分实际收入的变化作出反应。某些生产要素的价格下降会使生产过程转向相对密集地使用这种产品的技术，并且转向相对密集地使用这种要素的商品。派生需求理论表明，举例来说，如果生产中与消费中的替代弹性愈大，那么，该要素使用的相对增加也就愈大。

同样，如果要素价格保持不变，那么，某些投入要素的边际生产力的提高会引起几种反应。为了使生产成本减至最小，生产过程中这些要素的相对使用将会增加；由于最密集地使用这种要素的商品的相对价格下降，所以，这种商品的相对消费将会增加；由于生产力的提高会提高充分实际收入，所以，对所有“正常”商品（收入弹性大于 0 的商品）的需求将会增加；如果生产中与消费中的综合替代效应以及通过收入变化而扩张的综合效应超过生产力影响本身（或被生产力影响超过），那么，对这些生产力提高的要素的绝对需求将会增加（或减少）。

家庭生产函数分析有着丰富的实际应用，某些应用源于形成消费者需求理论的结构，而且包括关于价格的交叉弹性的相对数值的含义、对函数可分性的解释、对经常使用的收入的边际效用递减的假定的有理化、以家庭做为基本观察单位的依据。此外，对有关旅行、生育力、婚姻、教育程度的影响、迁移与健康、截面型和生命周期型的消费支出及时间分配等行为的分析证明该模型的有用性。兹扼要概述一二。

对于任一要素价格的任何变化来说，其对要素相对价格的影响大于对商品相对价格的影响，因此，该模型可以表明，当消费中不存在比生产中程度更高的替代效应时，用于生产同种商品的要素比用于生产不同商品的要素有更大的价格的交叉弹性。[20]所以，对于能够提供营养的牛排和雏鸡的需求比对牛排和譬如钢琴的需求更为密切相关。正如兰开斯特（Lancaster，1966）所强调的那样，这种关于替代的直观的证据不能从传统的消费者行为理论中推导出来，因为这种传统理论不能说明哪些产品是紧密替代产品。

家庭生产函数分析给出弱可分函数的一种简单解释。[21]如果效用函数间接地根据所有市场产品与非市场时间作为自变量写出，那么

$$\frac{\partial U}{\partial x_i}=\frac{\partial U}{\partial Z_i}\frac{\partial Z_i}{\partial x_i} \tag{12}$$

因此，对用于同一生产过程的 $m$ 个要素中的任何两种投入要素 $f_1$ 与 $f_2$ 来说，

$$\frac{MU_{f_1}}{MU_{f_2}}=\frac{MP_{i_1}}{MP_{i_2}}=\phi_i(f_1,\ f_2,\ \cdots,\ f_m) \tag{13}$$

这里，$MP_{i1}$ 表示生产 $Z_i$ 的 $f_1$ 的边际产值，所以，边际效用的比例只依赖于用于单一生产过程的要素。[22]

从通常的生产函数齐次性假定中可知，与时间的边际产值有关的市场产品的边际产值随产品与时间的比率的上升而下降。从（13）式可知，市场产品或货币收入的相对边际效用也会下降。乍看起来，这一比率似乎可以表明收入的边际效用递减，但（13）式与边际效用之比有关。当货币收入提高时，边际效用（或边际产值）的相对下降导致家庭的行为方式是保存时间而相对密集地使用货币，据称，富裕家庭通过在“非基本”物品上的“轻率”支出显示它们对货币的评价较低，但这些支出也可以解释为偏离它们相对稀缺的时间资源而转向节省时间的（以货币衡量的）更为昂贵的物品的有效替代，这种行为并不指示货币收入的边际效用变化的绝对方向。

家庭生产函数分析强调厂商和家庭作为有组织的单位做出的平行服务。与标准的生产理论中典型厂商分析相似，家庭投资于资本资产（储蓄）、资本

设备(耐用品)和体现在“劳动力”中的资本(家庭成员的人力资本);像厂商一样,作为有组织的实体,家庭从事使用这种劳动与资本的生产。[23]每一家庭的行为都可视为在资源与技术条件约束下使其目标函数极大化。生产模型不仅强调家庭是消费理论所分析的合适的基本单位,而且还揭示出一些家庭决策——单一时期分析中的家庭的劳动供给和时间与产品支出决策、生命周期分析中的婚姻、家庭规模、劳动介入以及产品支出与人力资本投资决策——的相互依赖。

时间是家庭的稀缺资源。对于时间的重要性的认识使得家庭生产函数分析在实际应用方面的发展臻于完善。明茨的估计的收入效应和家庭劳动与市场劳动的时间分配的分析强调了时间限制的基本性质,贝克尔关于时间限制的一般分析也强调了这一基本性质。过去几年相继出现的实证研究可以归成三类。

第一类研究是关于基本上或在较大程度上由非市场时间的使用构成的活动,这方面的例子包括:格鲁诺的关于“城市间参观”的生产中客运工具需求的研究(Gronau, 1970b),欧文的关于闲暇时间和娱乐设施需求的研究(Owen, 1969)。此外,人们早已认识到,不仅消费者在劳动市场上出售时间,而且他们还以某种消费用品和劳务的形式购买时间,不仅有烹饪书籍、冷冻食品、真空吸尘器和电视机的购买,而且还有税务顾问、保健医师、专家教授、汽车机械师方面的付费服务。这些支出多多少少都与节省时间有关。如果时间不是稀缺资源,那么,对这些项目的需求将会大不一样。

而且,从许多市场产品中获得的满足取决于它们消耗的时间的长短。游艇可能长时间系泊于码头,报纸可能一掠而过,为了顾及两个约会,可以狼吞虎咽地吃下快餐,这些行为当然比悠然自得地(支出时间)享用这些东西更少产出,因而更少效用,所以,要想理解绝大多数市场产品和劳务的消费看来必须理解时间的使用。[24]

在生命的不同阶段,个人的时间价值会发生变化,而且,这些变化也会导致转向相对廉价的生产手段的替代。学生生活或许时间价值相对较低而产品的价值相对较高;联谊座谈会、搭便车旅行和冥思苦想的生活都不过是生产某些时间密集型商品的形式(当然,在考试阶段,时间变得相对稀缺,不利健康的起居与饮食习惯正是为了试图保有这段暂时感到稀缺的资源)。

在主要工作年龄，譬如从 30 岁到 55 岁，时间价值相对较高，可以发现，个人的工作时间较多而闲暇时间较少。在生命周期的以后阶段，时间价值再度降得相对较低；工作时间减少，更多的时间用于养殖花卉，观看电视以及从事其他闲暇活动，这是转向不大节省时间的行为的证据。[25]

第二类研究源于这种分析与日益增长的人力资本文献的密切关系。[26]随着消费者的自有时间纳入消费行为的分析，这种时间的生产力——因而体现于消费者个人身上的人力资本——成为考察的重要对象。不仅非市场时间的生产力影响消费行为，而且，人力资本对非市场生产的影响也是影响人力资本投资的一个重要因素，就是说，对于教育、健康、迁移、研究活动等方面投资动机的分析原则上应该纳入投资所带来的“消费收益”或非市场收益。人力资本不仅通过提高市场时间的价值(因而提高 $S$)而且通过提高非市场消费活动的生产力(因而降低商品价格指数 $\pi$)可以提高充分实际收入 $S/\pi$。

米契尔通过研究与教育程度的提高有关的明细支出类型的变化取得了教育投资的消费收益的粗略而实用的估计值，从实证方面发展了上述认识(R.T.Michael, 1972)。格罗斯曼分析了健康资本的家庭生产及其对医疗服务的派生需求(M.Grossman, 1972)，他还揭示，除了其他因素以外，生命周期本身的长度同健康资本的最优投资线如何在一定程度上内生相关。

这种模型的发展脉络提供了一种估计人力资本投资的非市场收益的大有前途的方法。而且，它强调非市场生产所处的环境的重要性；在此框架中，除了家庭规模、年龄、性别等方面的差异以外，气候(自然气候、政治气候或社会气候)的影响或家庭成员的能力等等都能加以分析。有幸的是，近些年来人们对非货币的生活与环境“质量”方面表现出来的普遍兴趣与消费者行为分析中的这些发展是一致的。[27]

由家庭生产函数加以完善的人力资本研究的另一个领域是劳动的供给。新的分析不仅再现了传统的工作—闲暇模型的含义，而且推进了较为复杂的劳动供给决策的分析。海克曼、奥菲克、史密斯的新近研究已应用这一分析方法考察了与工资率、年龄、子女数量、健康及其他变量有关的夫妇之间劳动力决策的相互作用，伊里奇也应用家庭分析函数模型建立他的关于犯罪活动对逮捕、惩罚及其他变量的反应的分析，卡玛松则使用类似的模型研究犯罪受害率，此外，这种分析还促进了关于父母时间对儿童学前投资的供给的分析。

实证研究的第三个方面或行为方面的含义涉及婚姻和生育力。通过强调家庭作为合适的分析单元的重要性，这种分析成为研究婚姻决策的自然框架。贝克尔通过智商、教育程度及其他特征分析了结婚动机与婚姻配偶的最优组合，并用之于婚姻与生育行为的相互作用等方面。弗雷旦在从实证方面分析结婚倾向的差异时采用了家庭分析。根据美国的情况，这种分析还产生出结婚与离婚时机和有组织的非市场生产的其他形式（如一夫多妻制的婚姻家庭、扩大的家庭、社区、独身家庭）的性质等方面的含义（见贝克尔关于一夫多妻制的分析）。

在生育力的分析中，威利斯利用家庭生产函数分析建立了子女需求的扩展模型，使用该模型检验了美国的已完成生育力需求函数的形式和稳定性，本·波拉斯用以色列的数据检验了一个比较模型，米契尔分析了教育在影响生育行为特别是避孕效果方面的作用，这些研究以及在最近的生育力问题研讨会上提出的观点代表了过去10年在人类生育力的经济分析方面所取得的长足进展。

## 评价

虽然新的分析问世的时间不长，它的许多含义也尚待进一步挖掘，但以上的许多应用表明了家庭生产函数分析可以适用于消费理论的各个方面，这种新的分析同考虑家庭对相对价格或实际收入变化做出的反应的传统含义并不矛盾，相反，新的分析的一个突出优点是，它更注重收入和价格的效应，因而在解释行为时不大强调“偏好”的作用。

这种将重点转向价格和收入变化而偏离偏好变化的改变似乎只是——无法对生产函数幌子下的偏好做出解释的——一种遁词，但如果将行为方面的反应归因于偏好上的差异，那么，由于没有关于偏好形成的可资利用的理论，所以这种归位更无道理可言。然而，如果将行为方面的反应归因于生产过程的差异，那么，这些差异反过来表明价格和收入上的差异，关于它们的影响的某些分析是现成的。上述区分看来至关重要。由于与偏好构成有关的要素对于经济学是遥不可及的，所以经济学家出于分析上的方便而将有关的数据加以“分组”以减少偏好上的差异带来的影响，尔后以一种特别的方式着手排除或开始分析留下来的偏好上的差异。但是经济学家声称了解与生产效率有关的要素的一些情况，并成功地研究了这些要素。家庭生产函数分析提供了洞悉消费过程的新的方法，以前外在于经济学研究领域的内容现在看来很适于经济分析。即使经济学家继续关注更为传统的课题，但是家庭生产函数分析提供了一种可以使各种家庭行为得以分析的手段。

以前归因于偏好上的差异的行为差异实际上起源于生产效率方面的差异，依此认识，人们可能认为，所有家庭实际上具有完全相同的效用函数，所有观察到的行为差异起源于相对价格的差异并和实际资源有关。[28]标准理论中，在所有的消费者都在从事同一件事情——使效用或满足最大化——的意义上，他们的行为是相似的。进而人们可能认为，所有消费者都从相同的“基本快乐”或偏好函数中获得效用，只是他们创造这些“快乐”的能力不同。由此看来，拉丁语中所说的“爱好不能争辩”(de gustibus non est disputandum)表明，解决偏好差异引起的争论实在不是什么大不了的问题，因为这种争论实际上并不存在。[29]

家庭生产函数分析把时间约束、消费者知识和消费效率的家庭差异纳入了选择理论的基础。研究者过去运用这些附加的限制来解释观察到的行为，新的分析则赋予消费技术一个重要角色，并对称地考虑货币、时间及生产力方面的限制。虽然许多非经济学家对于选择理论关于理性的假定的非议缺乏充分的理由[30]，但是，要从操作方面区分非理性选择与信息不完备情况下的选择是困难的。选择理论的新的分析对于信息投资和昂贵的信息的积累提供了充分的认识。

如果将观察到的行为方面的差异归因于偏好上的差异，如果把每个人的偏好满足作为标准的陈述的标识，那么，对行为方面的差异就不能做出标准的说明。然而，如果将观察到的行为归因于具有一组相同的偏好情况下的不同效率，那么，这些差异可以根据上述效率造成的充分实际收入水平予以说明，也就是根据它们的生产力水平予以说明。例如，如果认为教育可以改变偏好，那么就谈不上教育对效用水平的影响：大学毕业生所喜好的东西未必也是小学辍学者喜欢的东西，而且，甚至从原则上讲，两人也不能在哪一组偏好“更好”这个问题上达成一致。但是,如果教育影响的是家庭生产函数的效率,那么由此可以对行为方面的差异做出说明。

不管怎么说,生产更多的商品总会受人欢迎,这一点将为两人所承认。如果辍学者的效率较低,那么,他的行为将与人不同;其原因同当他面对较高的价格时他的行为会有所不同一样,两种情形都会限制他的机会集合。机会集合上的差异可以衡量教育的“消费收益”,在决定增加的教育收益过程中,消费收益应加到“市场收益”上。[31]

如果家庭能够影响其所在的环境,那么它们将会转向提高生产力的那些方面,通过在校学习、锻炼、迁移、选举等等,他们就可以“生产”良好的教育程度、健康的体质、怡人的气候或政治上的稳定。如果教育程度和年龄能够提高一个人正确地估价行为的长期后果的能力,那么,可以设想,文盲和年轻人将会更“非理性”地消费。根据这种推理——这里只是顺带提及,可以获得关于各种政策的合意性的福利方面的含义。

将家庭生产函数(5)式代入效用函数(4)式,可以得到根据产品、时间及环境变量“派生”的效用函数:

$$U = u(x_1, \cdots, x_n, t_1, \cdots t_n; E_1, \cdots, E_p) \tag{14}$$

那么,为什么我们使用由(4)式和(5)式确定的更为复杂又不大熟悉的两阶段公式而不是简单地使由(14)式决定的受充分收入限制的派生的效用函数极大化呢?这是否同当前的理论不大协调,并且是否恰如本文倡导的其他方法一样有用呢?尽管关于生产函数的每一陈述均可以转化成关于派生的效用函数的等价陈述,但是我们深感这并不那么有用。家庭生产函数分析的几大优点是:

(1) 效用函数应与偏好唯一有关,它应研究消费单位选择的终极目标。派生的效用函数不能将偏好从资源中区分出来,却代之以某些因素的大杂烩,这些因素包括能够产生满足的一些自变量、使人起腻的一定量的时间与产品,以及它们本身——例如年龄、教育程度——很少产生效用的几个自变量。家庭生产函数有效地区分了选择目标和生产它们的手段。

(2) 两阶段公式意味着一个对派生的效用函数的主要约束,即用于生产某一特定商品的产品与时间是可分的,这种限制在把商品与时间的使用进行互补和替代的自然划分时至关重要。派生的效用分析丝毫没有说明哪种产品与时间使用的替代关系、哪种产品与时间使用是互补关系。

(3) 两阶段公式允许将所有生产理论的概念与分析工具直接用于分析消费:这包括要素中性的或增益要素的生产力的变化、规模效益、替代弹性、“管理者”的效率,如此等等。

(4) 更一般地说,家庭生产函数分析似乎提供了消费分析的有用参数。即使所有说明都可以转换成关于派生的效用函数的说明(类似地,虽然所有有关货币需求和收入决定的数量理论分析的命题均能转换成有关储蓄和投资分析的命题,但这并不意味着它们是同样有用的分析。最近30年正在升温的争论是基于不同的判断,即哪种方法提供了更为有用和更为稳定的参数。)

## 结论

本章表明,关于消费理论的家庭生产函数分析是一种颇有说服力的分析工具,它全面地对称地考虑对家庭行为的许多限制,在解释观察到的行为时加强了对收入和价格变化的依赖,并相应地减少了对兴趣或偏好上的差异的依赖,由于这些改变带来种种另外的行为预测而并不需要理论研究者侥幸的创造或刻意的理论发明,所以,这些改变是值得向往的。通过贬低曾有损于理论分析有效性的偏好的地位,新的分析使经济学的选择理论的适用性扩展到非市场领域,因而在家庭的行为的许多方面的分析中更能尽情地发挥作用。

当然,对任何分析的最终评价取决于它的有用性。前面提到的关于“健康的体质”、子女、婚姻或“城市间观光”等商品生产的研究标志着这种分析激发的诸多的研究。有限的数据妨碍着更为广泛的应用。在说明对研究者有用的某些新型数据时,这一理论是大有裨益的。新的变量本质上比传统的产品与资源的考虑更为全面,它们包括妒忌、声望、体质健康与心理健康,“谨慎”等等范畴——这些范畴经常使社会学家和心理学家感到困扰。在有别于“国民收入账户”的“社会账户”上复活的兴趣同消费者行为分析的家庭生产函数所指明的研究方向是一致的。

在家庭生产函数的运用者手中的消费理论已从经济学的一个贫瘠领域发展成最为激动人心的研究领域之一，从根本上说，这是新的分析的力量及其实际优点的最有说服力的凭据。

## 注 释

① 为了说明上的简便，假定产品数量与其服务流之间成比例，也就是，$x_i$既能表示产品，又能表示其服务流。

② 尽管这个关于行为"定律"可以在一般假设下被看作是在资源约束下的一种非自主反应。参见 Becker(1962)。

③ 例如，关于搜寻价格、质量和种类信息的分析，以及在未来不确定情况下的价格和收入联合决策行为预期的公式化分析。

④ 这种年龄效应，至少并不是对产品耐用性的反应。

⑤ 但是，在关于非货币部门的讨论中越来越多地开始引入"影子"价格。

⑥ 参见 Becker(1965)，Lancaster(1966)及他(1971)和 Muth(1966)关于"特征分析"的扩展解释。

⑦ 尽管大多说明中 $x_i$，$t_i$和 $E$ 一般被视为标量，但我们还是必须注意，$x_i$实际上代表一组用于生产 $Z_i$的市场产品 $x_{i_1}$，$x_{i_2}$，…，$x_{i_m}$，$t_i$和 $E$ 也类似。

⑧ 为说明简便，各种家庭成员的时间不做区别，尽管一般来说，对每个家庭成员应有不同的时间限制。

⑨ 将(6)式代入货币收入的限定

$$I = \sum_j w_j t_{wj} + V = \sum_j w_j (T_j - \sum_i t_{ji}) + V$$

或

$$I + \sum_j w_j \sum_i t_{ji} = \sum_i w_j T_j + V \equiv S$$

这里 $w_j$表示第 $j$ 个家庭成员的工资率。另外，家庭成员之间的差异不在本文的讨论之列。

⑩ 关于它的来源与应用参见 Becker(1965)。

⑪ 联合生产(同一时间一种要素被用于多种生产过程)可以用类似的方法处理，利用要素 $f_k$的边际产出，有

$$\sum_{i=1}^{n} \frac{\partial U}{\partial Z_i} \frac{\partial Z_i}{\partial E} = \lambda_{p_E}$$

$i$ 表示联合利用要素 $f_k$ 生产的商品数。一般的，任意商品的价格都会受其他利用要素 $f_k$ 的商品产出的影响。关于联合生产，参见 Grossman(1971)。

⑫ 关于全部实际收入的深入探讨，参见 Michael(1972)。

⑬ 若环境变量 $E$ 为内生变量，则它的均衡数量取决于在某种价格 $p_E$ 的情况下将 $E$ 纳入预算限制，取决于对拉格朗日算子的微分。若 $E$ 的作用只延续一个时期，即，若 $E$ 是非持久的，则均衡条件为

$$\sum_{i=1}^{n} \frac{\partial U}{\partial Z_i} \frac{\partial Z_i}{\partial E} = \lambda_{p_E}$$

若 $E$ 的作用超过一个时期，则它的最优水平由投资理论的一般工具确定，将它的价值—边际产值流的当前值同其成本的当前值比较(G.Ghez and G.Becker, 1975)。

⑭ 与这些快乐相对的就是"简单痛苦"，对其逐一的解释参见 Bentham(1931, pp.20—27)。

⑮ 参见马歇尔关于需求和欲望章节的拓展阅读，Marshall(1961, Book III, Chapter II)。

⑯ 参见 Senior(1965, p.54)。

⑰ 参见 Keynes(1962, Chapter 15); Stigler(1945); Griliches(1961)。

⑱ 把主妇比作生产中的管理者，里德认为"科学管理"就如"大量的实验通常并无价值，因为家庭生产规模非常小且无法计量"(Reid, 1934, pp.180—181)。在其"The Backward Art of Spending Money"一文中，米契尔争辩道"有知识和有能力的高效率的家庭主妇不能被设定与其低效率的邻居一样的权利……支出方面的能力是在不同的主妇中培养出来的，我们却在单个家庭间筑起了隔离墙"(Mitchell, 1937, p.10)。

⑲ 参见 Leontief(1966, p.164)。

⑳ 例如，若 $p_{x_i}$，生产 $z_i$ 时的要素 $x$ 的价格上涨一个百分点，对相对要素价格 $p_{x_i}/p_{t_i}$ 的影响也是一个百分点。但对格 $\pi_i/\pi_j$ 的影响则取决于 $x_i$ 在 $Z_i$ 的总成本中的占比。若 $x_i$ 的占比小于 1，$\pi_i/\pi_j$ 的变动小于 $p_{x_i}/p_{t_i}$ 的变动；除非消费的替代效应(商品间)比生产的替代效应(在一个生产过程中各要素间)大得多，$p_{x_i}$ 的变动带来的对 $t_i$ 需求的影响才会比其带来的 $x_j$ 和 $t_j$ 需求的影响大。这一争论简单概括了约束较少的有不同产品和时间投入的生产函数。

㉑ Richard Muth(1966)深入解释了可分性问题。

㉒ 如前所述，联合生产的存在削弱了生产过程的可分性。目前，一些关于多个生产过程同时利用同一时间要素的研究也在进行中。

㉓ 这涵盖了生产的市场盈利潜力。一个家庭成员的特性对其他家庭成员收入的影响参见 Benham(1974)。

㉔ Becker(1965)提出来一些更广泛的应用,Linder(1970)提出了一个有启发的讨论,即一个有效的时间限制如何通过一些途径对现代社会有影响。

㉕ 在生命周期中的商品和时间的替代效应的严格分析,参见 Ghez-Becker(1972)和 Heckman(1971)。

㉖ 最近关于这个主题的探讨参见 Schultz(1972)。

㉗ 例如,最近 NBER 基于 NSF 的资金支持,组织了一个大规模的研究项目,以衡量非市场部门的社会绩效和产出率(Juster, 1971)。

㉘ 这种观点并非为一种经济决定论,除非源于决策选择的行为必须是一种对做出这些决策的相对稀缺性的反应。

㉙ 再进一步,若一般自然选择和理性行为推动每个人更快速地生产及更有效地对环境变化做出反应,也许涵盖做出自然选择和理性行为的时间的偏好函数是最好的适合人类社会的偏好函数。即,在短期内偏好函数是固定的,家庭试图在其资源和技术约束下最大化其目标函数。但是,在长期,那些在人类社会宽泛的技术约束下(如体型、心智能力等)最适合人类满足程度的偏好函数便能存活下来。

㉚ 参见 Becker(1962)。

㉛ 一些粗略的估计参见 Michael(1973)。

# 第 5 篇

# 非 理 性 行 为

本篇只有一章，这一章的内容表明，传统的消费者需求理论的基本原理，即需求曲线的倾斜下降本质上源于资源的稀缺性，而并不需要最大化或偏好稳定的假设条件，这种结果可以有效地化解对于经济分析的许多轻率的批评，并且启示了一个值得探索的行为的概率研究方法。

然而，在接下来对家庭及其他行为单元的分析中，笔者仍然依赖最大化和偏好稳定，其主要原因在于，新的家庭理论涉及的内容比传统理论更丰富、更广泛，包括非市场商品、家庭生产、众多家庭成员的时间的联合分配、影子价格、人力资本投资等等。在理解这些不同变量的影响方面，运用最大化和偏好稳定条件的分析可以比第8章所使用的“非理性”行为模型提供更为深刻的启示。

# 8 非理性行为与经济理论*

## 引论

长期以来，虽然人们接受了传统的经济理论关于理性行为的"假定"，但在"理性"一词的含义上一度存在着很大的分歧。对很多人来说，"理性"一词代表一种过了时的心理学、一种能掐会算、一种享乐主义的动机以及一些现实中根本就不存在的行为。随着经济理论的日益清晰化和公式化，关于假定方面的含义的许多争议已大为减少。现在，每个人或多或少地都认为，理性行为就是指效用函数或福利函数等良序函数的一致的极大化。

然而，强烈的甚至难以弥合的分歧在不同层次上展开。批评者声称，家庭和厂商并不极大化，至少并不始终如一，偏好不是良序的，理论对行为的解释空洞无力，某些理论家回敬道，经济理论只是指明一种大致的趋势，并非在每个特殊事件上都能灵验，另外一些人特别强调："空谈不如实践"**，认为即

---

* 重印自 *Journal of Political Economy* 70, no.1(February 1962). © 1962 by The University of Chicago。

** 西谚，原文又可译作"要检验布丁，就要吃一吃"。——译者注

使决策“似乎”不是理性的，但是人们根据理论可以获得有用的预测。还有一些人认为，在一个残酷竞争的世界上，只有理性行为才有更大的生存机会。

本文的目的无意为经济理论提供新的辩护，而是希望能够说明，现代经济学的重要原理如何从一般原则中产生出来，这些原则不仅涉及理性行为和具体事例中的生存行为，而且涉及大量的非理性行为。不论出于何种意图，某些读者可能认为，这种解释的结果是为经济理性提供新的而且是更有说服力的辩护。笔者确信，本文能够为现代经济学的原理提供重要的辩护，尽管唯一根本性的辩护是一种实证角度的辩护，但这并不需要引入新的实证材料。可是，由于这些原理显示的同极端广泛的非理性行为的一致性，所以，对这些原理的辩护未必是对个人理性行为的辩护。实际上，经济理论很能相容于非理性行为，这一点超出了人们的预料，这或许就是本文分析的主要结论。

虽然经济学家通常对于大市场对不同变量的变化的反应颇感兴趣，但是，经济理论建立的是单个厂商和单个家庭分析，而它们的市场反应可以说是通过将单个典型单位的反应加以放大得到的。由于分析与注释直接偏离市场而转向个体或者说由于偏离了经济学家的主要兴趣，因而出现了混淆。有人辩解说，理性只是一种大致的趋势，或者说，为了市场体现这一趋势只需少数几个单位理性地行事，这种争辩敏锐地意识到了市场与个体的不同的分析层次之间的差异，但是，不幸的是，一个人同样地有充分理由认为，非理性行为也只是一种大致的趋势，或者说，只有少量单位为了使市场作出非理性的反应而需要根据非理性行事。在市场层次上支持理性的论点必需能够表明，理性单位做出的反应将会超过的单位非理性做出的反应。本文对市场层次和个人层次作了明确区分，并导出一个市场层次理性的论点，也许这有助于使经济学家的分析兴趣真正转到他们的实际兴趣所在的层次。

第二部分首先提出家庭选择的传统理论，然后说明为什么它的主要含义——市场需求曲线倾斜下降——也可以从广泛的非理性行为中产生。第三部分对厂商进行类似分析，第四部分总结全文并补充另外几个含义。

## 家庭

### 1. 传统理论

传统理论认为,家庭选择同可供使用的有限资源相适应的商品最优组合。为了决定哪种组合"最优",引入偏好或效用函数,该函数有如下性质:任一组合 $A$ 总比其他任一组合 $B$ 具有更多、更少或相同的效用(一致性假设),而且,如果 $A$ 优于 $B$,$B$ 优于 $C$,那么 $A$ 必然优于 $C$(传递性假设)。最优组合具有的效用大于其他任何可能的组合所具有的效用。这种理论可以通过几何方法说明,如图 1 所示。商品 $X$ 用横轴表示,"其他"商品 $Y$ 用纵轴表示,$AB$ 为预算线,$OAB$ 定义为可能性组合,偏好用一组等效用线或无差异曲线表示。最优组合必定在 $AB$ 线上的 $P$ 点,这时 $AB$ 与无差异曲线相切。

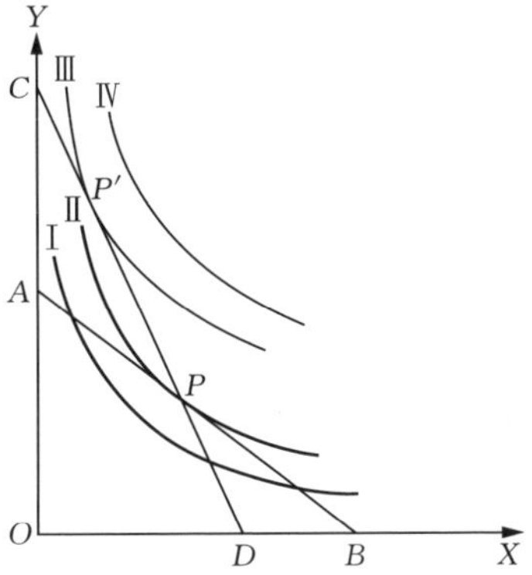

图 1

相对价格或实际收入的变化将改变最优组合的位置。这一理论的基本原理是,如果实际收入保持不变,那么,任一商品的需求曲线倾斜下降。在图 1 中,预算线从 $AB$ 到 $CD$ 的变化会提高 $X$ 的相对价格并降低 $Y$ 的相对价格。通过使货币收入对赖斯伯利斯价格指数之比保持不变可以维持实际收入保持不变。① 在需求的实证研究中,为了从实际收入效应中分离出相对价格,这是一种最常用的方法,最优组合从 $p$ 变为 $p'$,根据基本原理,$p'$ 在 $p$ 的左上方,或者说选择较少的 $X$ 及较多的 $Y$。由于在大量家庭情况下的市场需求曲线通常可由个人需求曲线的水平加总得到,所以它只是个人需求曲线的放大或宏观上的再现,因此,个人需求曲线也倾斜下降。②

人们已从实证角度研究了诸多商品的市场需求曲线,正如传统理论所预言的,几乎所有曲线都是倾斜下降的③;另一方面,人们很少研究家庭需求曲线,因而知之甚少。人们几乎从未从实证角度分析效用理论的其他含义[4]，无论是市场方面的含义还是家庭方面的含义，而且，这些含义实际上几乎没有什么用。

家庭决策的效用分析从其概念问世之日起就遭到了广泛的非议，尽管理论的阐述和批评重点均随时间而出现过很大的变化。今天，批评者不是否认家庭极大化任何效用函数就是否认极大化的函数的一致性和传递性，实际上，他们否认的是家庭能够理性地行为，因为理性行为现在是指极大化一个具有一致性和传递性的函数。[5]

效用理论的重要含义——市场需求曲线倾斜下降从实证方面得到了一致的证明，而且在实践中也大有用武之地，如何才能使这一含义和那些广泛的批评相协调呢？也许有一种解释，即，人们经常从个别事例方面而不是整体方面检验理论的假设，或者等价地说，不是通过它们的含义来检验的。当然，可能还有另一种解释，认为许多批评的矛头所指只是效用理论的规范性的含义。本文从截然不同的线索出发提出一种调和的见解，从原则上揭示，倾斜下降的市场需求曲线与其说源于理性行为本身，毋宁说源于包括广泛的非理性行为在内的一种一般法则，因此，既可以说家庭的行为“似乎”是理性的，也可以说家庭的行为“似乎”是非理性的：证明前一个陈述的实证依据同样适用于证明后一个陈述。

## 2. 一般分析

经济学家早已意识到，不管在何种决策规则之下，家庭的可能性集合或机会集合的某些变化将导致同样的反应。例如，实际收入的下降当然至少会减少在某一商品方面的支出，对所有商品的支出的平均的百分比变化必定等于收入的百分比下降，虽然这些原理“简单”、“明了”，但在实际应用中却能大显身手。然而，人们很少认识到，不管决策规则如何，因相对价格而引起的机会的变化也会产生系统的反应，特别是，传统理论的基本原理——需求曲线倾斜下降——在很大程度上是机会本身的变化所致而与决策规则无关。

在图 2 中，由于预算线 $CD$ 上的商品 $X$ 的相对价格高于预算线 $AB$ 上的商品 $X$ 的相对价格，而 $CD$ 上的商品 $Y$ 的相对价格低于 $AB$ 上的商品 $Y$ 的相对价格，所以，由 $CD$ 构成的集合 $OCD$ 提供的 $Y$ 的消费机会多于集合

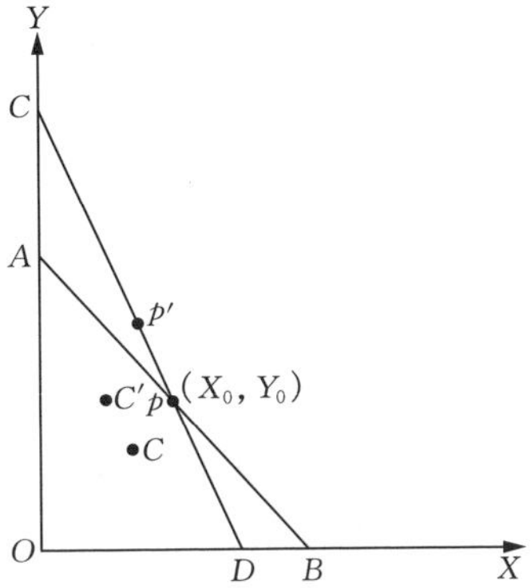

图 2

*OAB* 提供的 *Y* 的消费机会，而 *OCD* 提供的 *X* 的消费机会少于 *OAB* 提供的 *X* 的消费机会。如果 *p* 点代表根据某一决策规则从 *OAB* 选取的 *X* 与 *Y* 的数量（$X_0$，$Y_0$），那么可以说 *OCD* 提供的 *X* 超过 $X_0$ 的消费机会小于 *OAB* 提供的同类机会，*OCD* 提供的 *Y* 超过 $Y_0$ 的消费机会大于 *OAB* 提供的同类机会。如果根据某一决策规则选取的任何商品的数量与该商品的可获得性正相关，那么，从 *OCD* 必将选择较少的超过 $X_0$ 的 *X* 和较多的超过 $Y_0$ 的 *Y*。不管在其他方面存在怎样的差异，对所有这些决策规则来说，需求与价格负相关。

显而易见，理性行为的传统理论是一种规则，这一规则依赖于相对价格变化对机会分布的影响。在均衡位置，理性家庭会从任何一种商品的每一美元的新增支出中获得相同的效用。相对价格的变化会使边际消费机会和平均消费机会转向相对便宜的商品并偏离较为昂贵的商品，这是因为每一美元现在能够购买的便宜商品较多而能够购买的昂贵商品较少，所以，如果将支出用于相对便宜的商品而不是相对昂贵的商品，那么在旧的均衡位置每增加一美元支出会带来更多的效用。因此，理性家庭具有随着机会集合改变其消费的动机，使其消费转向相对便宜的商品而偏离相对昂贵的商品。

不仅效用最大化原则，其他许多容纳大量非理性行为的决策原则⑥也能因为价格变化的机会效应而导出倾斜下降的需求曲线。这可以用既包括广为一般的行为又包括据称是“实际”的行为的两个非理性行为模型加以说明。一方面，家庭常被说成是感情用事、反复无常，不能摆脱怪念头的羁绊；另一方面，家庭又被说成是怠惰成性、墨守成规和反应迟钝的。一种观点认为，货币冲动造成一系列混乱的、无法引导的变化；另一种观点认为，过去的情况很少容许当前的变化或选择。种种非理性行为存在于这两种极端之间，这些行为部分地取决于过去的冲动、部分地取决于当前的冲动。

如果要深入地研究这种行为的含义，那么，“冲动”和“怠惰”的特征必然可以精确和定量地予以说明。为此目的，冲动行为可以用一种概率模型表示，在该模型中，决策可以取决于多面骰子的投掷。怠惰行为也可以用一种模型表示，在该模型中，决策尽可能地取决于过去的情况（该句的含义即将充分展开）。冲动与怠惰之间的行为用两个极端的加权平均表示。虽然对效用理论的最常见而又最强烈的批评无法严格地加以表示，但笔者相信，上述模型已经抓住了这些批评的实质，它们将生动地表明机会分布的变化如何系统地影响非理性选择。

冲动的家庭似乎只诉诸概率机制：并不诉诸偏好系统或效用函数。实际上，为了消除效用最大化的任何痕迹，可以假定每一个机会被选中的概率相等。[7]虽然某一家庭的消费不能事先予以决定，但是大量的独立家庭的平均消费几乎必然位于机会集合的中间位置，这（从数学上讲）也是单一家庭的预期消费。如果机会一开始便受到图 2 中的预算线 $AB$ 的限制，那么许多家庭的平均消费将接近 $AB$ 的中点 $p$ 点，不同家庭均匀分布在 $p$ 点周围。

能够使市场加权的赖斯伯利斯价格指数保持不变的相对价格的变化将通过 $p$ 点旋转预算线，而 $p$ 点表示市场消费。[8] $CD$ 线表示 $X$ 价格的补偿性增加，各点的选取现在在 $CD$ 线上随机进行而并非在 $AB$ 线上进行。每个家庭可以位于 $CD$ 线上的任意位置，但是，大量独立家庭的平均位置几乎注定位于中间位置，这一点在图中用 $p'$ 表示。从几何角度和代数角度均可以说明，$p'$ 位于 $p$ 的左上方不是偶然的：$X$ 价格的补偿性增加总是使预算线的中点向左上方移动，而 $X$ 价格的补偿性下降则会使该点向右下方移动。[9]

所以，至少在市场存在大量家庭的情况下，市场需求曲线倾斜下降这一理性行为的基本原理也可由冲动行为导出。虽然许多实际的个人需求曲线并非倾斜下降，但是每一家庭预期的需求曲线必定倾斜下降。[10]不仅预期的个人需求曲线倾斜下降，而且实际的市场需求曲线的形状也是如此。这是由于价格的变化对机会分布的影响。$X$ 的相对价格的提高使机会偏离 $X$ 并且增加在 $X$ 方面低于初始位置的那部分机会的比例，因而增加冲动家庭减少其 $X$ 的消费的可能性。对于某一家庭只是较为可能的事情对于大量独立的家庭来说则是一种确定的情形。

现在考虑怠惰模型：只要存在可能，家庭就完全按照它们过去的老样子消费。$p$ 点还是表示面对预算线 $AB$ 的大量家庭的平均消费，$CD$ 表示 $X$ 的价格的补偿性增加的结果。价格变化之后，虽然位于区域 $Ap$ 的家庭不再处于预算线上，但他们还是可以永久地停留在那里。然而，除非所有家庭都在 $P$ 点，否则，不管某些家庭多么不想变动，由于 $PB$ 已在新的机会集合 $OCD$ 之外，所以，在价格变化之后，初始位置只得位于半开区域 $pB$ 的家庭无法保持它们的位置不变。显然，由于 $X$ 的价格上升使机会偏离 $X$，所以，只得进行调整的家庭并非恰好就是偶然高出 $X$ 的平均消费的家庭。

如果 $pB$ 上的一般家庭（average household）消费的 $X$ 超过 $OD$，那么，所有家庭消费的平均数量必然下降。$Ap$ 上的那些家庭不会改变它们的 $X$ 的消费，但由于 $OD$ 是为预算线 $CD$ 所允许的 $X$ 的最大值，所以 $pB$ 上的那些家庭只得减少它们的 $X$ 的消费。一般说来，相对价格的变化愈大，家庭间的离差愈大[11]，那么为新的预算线所允许的 $X$ 的最大值低于 $pB$ 上的平均值的可能性就愈大。虽然直到决策规则确定以后 $pB$ 上的家庭所做的调整才能精确地决定，但是，即使从代数上讲不是必然的，这些家庭的 $X$ 的消费也可能下降：由于它们消费的 $X$ 的数量相当大，所以广义的决策规则也会产生这种效果。所以，这就保证了一组怠惰的消费者的需求曲线也趋于倾斜下降，就像理性的和冲动的消费者一样。

广义的非理性行为包括处于极端情形的怠惰行为和冲动行为。这些行为可以纳入某种模型，在该模型中，当前选择部分地取决于过去的选择，部分地取决于概率机制[12]，换句话说，这些选择是冲动家庭与怠惰家庭所作决策的加权平均。由于在此两极上的市场需求曲线均趋于倾斜下降，所以任何加权平均的市场曲线也将倾斜下降，因此，所有这些行为都会再现理性行为的基本原理。

效用最大化的家庭必然具有倾斜下降的补偿性需求曲线和一致的、可传递的“外显”的偏好系统，另一方面，对非理性家庭而言，价格的补偿性变化会有迥然不同的影响。例如，对一个而非一组怠惰家庭而言，补偿性变化不会引起消费的任何变化；虽然一个冲动家庭可能具有趋于倾斜下降的需求曲线和一致的、可传递的外显的偏好，但将存在许多例外。然而，在大量非理性家庭的市场上的市场需求曲线是倾斜下降的。价格的补偿性变化把市场推向初始的机会集合之外，在这个意义上，可以说市场的外显的偏好系统是理性的（一致的和可传递的）。

所以，市场运行似乎是理性的，当家庭理性地行为时是如此，当家庭以怠惰、冲动或其他非理性方式行为时也是如此。这种分析的阐述必须区别于代数方面的阐述，即，在总是假定其他家庭的平均消费不会反常变动的情况下，即使只有少数家庭理性地行为，市场也会理性地运行。依然假定其他家庭的平均消费不会出现反常的变动，那么，从代数方面同样可以说明，即使只有少数家庭非理性地行为，市场也会非理性地运行。我们的分析超脱了代数方面的阐述而源于理性与非理性家庭的反应的分析。

如果“典型”仅指市场反应在微观层次上的再现，那么，即使当实际的家庭不理性地行为时“典型”家庭也会理性地行为。经济学家更进了一步，还建立了只是市场在微观层次上的再现的实际家庭的理论，观察到的行为被用于推论未知的家庭行为，而根本没有认识到，由于市场理性与家庭非理性的相容性，家庭理论无需简单地再现市场。如果用繁荣的物理学中的例子做一类比的话，那么可以说，分子运动的理论不是大型物体运动的简单再现：宏观物体的平缓的、“理性”的运动是无数的反常的、“非理性”的微观物体的运动造成的。

根据市场反应的模式构造家庭理论不仅不必要，而且还会引起许多痛苦而无谓的争论。对市场理性的坚定信念使一些人在各种场合不遗余力地为理性辩护，而对家庭非理性的坚定信念使另一些人同样不遗余力地抨击所有理性。但显然被忽略的是，两种观点都可能部分正确、部分错误：家庭可以非理性地行为而市场仍可以十分理性地运行。如果人们能够普遍地认识到这一点，那么，批评者们就可能更容易接受暗含市场理性反应的模型，经济理论家则会欣然接受包含反常及其他非理性行为的家庭的反应模型。

效用分析并不表明市场需求曲线必然有较大的弹性。不过，人们普遍认为，至少在某些市场上，理性行为会做出相当大的反应。因而，说明非理性家庭能够产生负的而且相当大的弹性可能是有益的。怠惰家庭的市场反应取决于这些家庭间的离差、价格方面的变化以及那些被迫调整的家庭做出的反应。如果 $X$ 的价格上升 10%，如果家庭沿初始预算线均匀地分布，如果被迫调整的家庭将它们的平均消费减至新的预算线的中点，那么，市场需求会下降大约 30%，出现较大的弹性 $-3$[13]；较小的价格变化或较大的离差仍会产生较高的弹性。大量的反常行为的家庭必定具有单一弹性的市场需求曲线。这一点也很重要[14]。所以,本文明确地分析的广义的非理性行为能够产生相当大的市场弹性,因而也能再现“理性”行为的这种特性。

在图 2 中,位于 $Ap$ 区间的怠惰家庭被迫离开边界,进入由预算线从 $AB$ 到 $CD$ 的改变而确定的机会集合内,虽然有时可以有效地定义“商品”,并且通常给出定义,以便家庭必定位于边界上,但是,笔者一般愿意把这看作是理性行为的附加含义。因此,效用最大化的家庭位于边界上,这不是根据定义而是由于效用当被极大化(只要至少一种商品的边际效用为正)。即使对“支出”作出定义以使全部收入都用于支出,但是由于某些“购买力”可能遗失、损坏或未加使用地积累起来,所以,非理性家庭也可能并不花光用尽。如果商品空间意指“消费”而非“支出”,那么这些家庭将位于它们的机会集合以内。

如果需要考察“低效率”消费的影响,那么就要取消关于机会(至少在初始时)受预算线限制的假定。低效率冲动家庭的机会集合中的各点可能具有同等的选择可能性而不只是边界上的各点具有同等的选择可能性。大量的这类家庭的平均消费几乎必然地位于集合的重心位置,而家庭均匀地分布于该点周围。由于价格的补偿性变化会改变机会集合而使重心偏离价格上升的商品并转向价格下降的商品,所以这些家庭也有倾斜下降的市场需求曲线。例如,在图 2 中,$C$ 点是 $OAB$ 集的中心,在 $C$ 左上方的 $C'$ 点是 $OCD$ 的中心。[15]低效率怠惰家庭的初始分布遍及机会集合,由于价格的补偿性变化仍将迫使这些消费相对大量的价格上升的商品的家庭一般转向更少地消费这种商品,所以低效率的怠惰家庭也具有趋于倾斜下降的市场曲线。因此,包含低效率消费的非理性行为的扩展没有改变下面的结论,即,对于价格的变化,非理性家庭倾向于做出理性的市场反应。

## 厂商

如果图 2 中的 $X$ 与 $Y$ 不是表示商品而是表示投入要素,如果 $AB$ 与 $CD$ 不是作为等收入线而是作为等支出线,那么,以上的分析可以轻易地拓展为投入要素的需求分析。理性行为的一个基本原理是,$X$ 的价格的补偿性增加会减少既定支出中的 $X$ 的使用量，支出线 $CD$ 使用的 $X$ 低于 $AB$ 线使用的 $X$。图 2 的应用性在于，它提示，这一基本原理与其说是源于理性行为本身毋宁说是源于投入要素相对价格的变化对要素利用机会分布的影响，甚至非理性厂商也倾向于对投入品价格的变化做出理性反应。例如，平均说来，当面临 $AB$ 时，大量的冲动厂商位于 $p$ 点，当面临 $CD$ 时则位于 $p$ 点左上方的 $p'$ 点。[16]

如果允许总支出变化，则由于此时总支出线有所区别于预算线，所以，图 2 不能直接应用于投入要素的需求：更一般地说，家庭同厂商的传统的分析上的区别是，厂商不受预算线限制[17]，因此，我们关于非理性家庭的分析似乎同非理性厂商的分析不甚相干。只要有利润最大化假设，厂商决策就可以合理地分析而无须求助于预算限制，传统的区别是实实在在的。但是，一旦容许其他决策规则，预算限制的存在和重要性就会显得清楚明了了，而传统的分析上的区别变得模糊，甚至可能终归消失。

据我判断，阿尔钦及其他研究者[18]推动的“生存”分析的巨大建树并不在于说明生存下来的厂商的行为似乎一定要使利润最大化——因为相反的例子不难发现，而是在于说明非理性厂商的决策受预算限制。实际上，生存分析只不过是第二部分针对家庭问题建立的一般分析的特例，这种一般分析将所有经济单位的行为同它们的机会分布相联系。因此，如果出现带来负利润的产出，厂商就不能继续进行生产、不能生存，其原因在于，处于这种配置的生产会使资源消耗殆尽。[19]正是由于这种原因，在收入区域之外家庭不能继续从事消费，在这种意义上，家庭就不能“生存”。上述两种场合的“生存”一词的含义均指对行为的资源限制，而不是从字面上将“生存”区别于“死亡”，虽然某些家庭和厂商因入不敷出而实际死亡。如果理解了本文中的生存的含义，那么，无数关于经济学中应用生物学生存理论的许多不得要领的争论都可以避免。

既然由收入限制构成的区域称为家庭的消费机会集合，那么非负利润区域可以顺理成章地称为厂商的生产机会集合。例如，在图 2 中，受预算线 $AB$ 限制的家庭的消费机会集合为 $OAB$。图 3 显示，平均成本线为 $AC$，需求曲线为 $dd$ 的厂商的生产机会集合为 $Q_eQ_u$。家庭支出不能超过可支配收入，在这种限制下家庭选择它们的消费；同样道理，可以认为，厂商的支出不

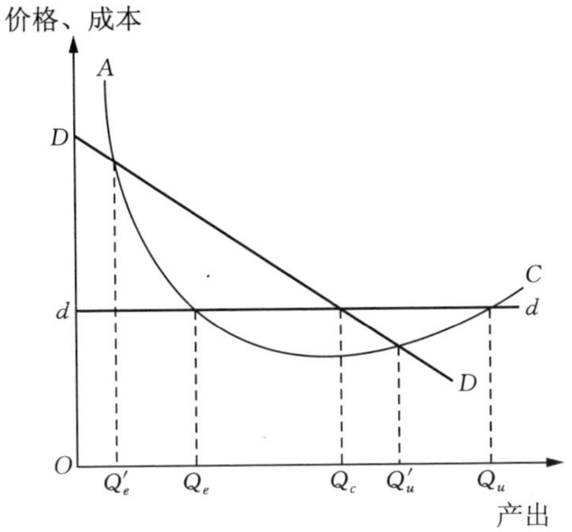


**图 3**

能超过它们赚得的最大利润，在这种限制下厂商选择它们的产出。可以说，当产出利润为 0 时，全部数额均被花费；而如果利润达至最大，也就没有任何支出；一个低于全部数额的正值可以在其他任何容许的产出水平上支出。传统的结论是，当利润最大时，厂商不受预算限制。这一结论显然是成立的：没有任何“支出”，也就没有任何对支出的限制。然而，在其他决策规则情况下，因为存在某些支出，所以对于总支出的限制依然有效。

成本或需求条件的变化会改变生产机会集合而且甚至迫使非理性厂商作出全面的反应。许多变量能够影响这些机会集合。笔者未尝试图决定非理性企业对所有这些变量的反应，然而，明确考虑垄断性产出同竞争性产出之间的某些差异不无裨益：一个著名的原理同利润最大化行为密切相关，甚至抱有怀疑态度的读者对于广义的非理性行为可以再现这一原理的说明可能会留下深刻的印象。

除了分析单位上的差异以外，产业成本与具有大量独立、同质的厂商的产业中的厂商成本相同。但是，产业的需求曲线比厂商的需求曲线更富有弹性，因而，在图 3 中，*AC* 曲线既可以衡量产业的平均成本又可以衡量厂商的平均成本，*DD* 衡量产业的需求条件而 *dd* 衡量厂商的需求条件。不考虑 *DD* 线，最大化利润的厂商将在价格水平 *Od* 和每个厂商生产产量 $OQ_c$ 点达到竞争性均衡，此时边际成本等于价格。如果产业变成一个完全垄断的卡特尔，那么 *DD* 既可以衡量产业的需求又可以衡量厂商的需求，而且 *dd* 不再有意义。有个著名而古老的原理说，如果总是最大化利润，那么在卡特尔条件下每个厂商的产出将低于 $OQ_c$。

完全冲动的厂商会对所有可行的产出赋予同等的选择机会，并从中随机选择一个：没有边际成本函数可资借鉴，当然更谈不上边际成本等于边际收益。如果产业是竞争性产业，那么这些厂商将沿机会集合 $Q_eQ_u$ 均匀地分布，平均产出几乎一定位于中点。仍用 $Od$ 表示均衡价格，$OQ_c$ 表示平均产出，这里，现在的 $OQ_c$ 作为 $Q_eQ_u$ 的中点，单一一点并不一定使边际成本等于价格，卡特尔化使厂商的需求曲线转向 $DD$，并使机会集合转向 $Q_eQ_u$ 的左侧至 $Q_e'Q_u'$，如果产出依然随机选择，那么厂商将沿 $Q_e'Q_u'$ 均匀地分布，平均产出几乎必然位于它的中点，即 $OQ_c$ 的左边。

以同样方式可以说明，怠惰厂商及其他形式的非理性厂商也能够再现古典经济学的著名原理。对这种情况的基本解释是，从竞争到垄断的变化可使生产机会集合转向较低的产出，反过来又鼓励非理性厂商降低它们的产出。边际收益函数的影响充其量是第二位的，因为该解释总是针对最大化利润的厂商作出的。

关于投入要素的价格变化和竞争程度的分析揭示，非理性厂商能够作出十分理性的市场反应，这种看起来似非而是的论点为边际主义者与反边际主义者之间经久不衰的争论提供了解决办法。坚信厂商的非理性导致反边际主义者认定市场反应是非理性的，而坚信市场理性导致边际主义者认定厂商是理性的，能够认识到双方的“证据”均成立而双方的推理均不成立的人为数很少，这是因为双方均有正确的一面同时又有错误的一面；从根本上说，争论中所缺乏的是对非理性企业的反应的全面分析，特别是，机会集合如何受到不同变量变化的影响，因而理性厂商和非理性厂商的决策如何受到不同变量变化的影响。由于这种分析能够揭示非理性厂商经常地被迫作出理性的市场反应，因而，反边际主义者可以认定厂商是非理性的，边际主义者则可以认定市场反应是理性的，其实这二者并不存在矛盾。

## 总结

经济学家早就认识到，家庭的消费机会对那些支出不外乎可支配收入的家庭是有限的，但是他们并没有认识到，厂商的生产机会对那些具有非负利润的厂商——或者当收入可以从其他来源获得时具有略大一些的机会集合的厂商同样是有限的。这种忽视是几乎完全专注于利润最大化厂商造成的，因为它们，也只有它们可以不受生产机会的限制的影响。如果厂商使效用最大化而非利润最大化[20]或者它们非理性地行为，那么，对厂商的机会限制就像对家庭的机会限制一样切切实实地存在，在这种意义上，"厂商"一词除了包括"商业"组织以外，还包括基金会、其他的私人非营利组织、政府及求职者，因而机会集合适用于资源有限的所有决策单位。

即使非理性的决策单位也必须接受现实，而且不能譬如说保持一种不再处于它们的机会集合之内的选择。这些机会集合并非固定不变，也不受反常变化的支配，但不同经济变量可以有规则地改变这些机会集合：某些商品的价格的补偿性增加将使消费机会转向其他商品，某些投入要素的价格的补偿性增加会使生产机会转向其他投入要素。此外，某些职业的吸引力的补偿性下降将使就业机会转向其他职业。因此，在广义的决策规则条件下可以预期全面的反应，包括许多非理性行为的反应。

实际上，本文最重要也是最实质性的结论是，非理性单位因机会的变化往往被迫作出理性的反应。例如，由于一种商品的价格上升会使机会转向其他商品，即使冲动地行为，购买这种商品的机会也会更少，所以，冲动家庭具有趋于倾斜下降的需求曲线，其他非理性家庭也具有趋于倾斜下降的需求曲线；非理性厂商具有倾斜下降的投入要素的需求曲线，非理性工人具有倾斜上升的职业供给曲线。

然而，如果非理性单位经常理性地做出反应，那么如何解释边际主义者同反边际主义者之间、凡勃伦主义者同新古典主义者之间以及其他在经济决策单位具有的理性程度问题上存在分歧的人士之间的根深蒂固的对立呢？主要的解释无疑是，人们很少全面地探讨非理性行为的正规模型——特别是很少探讨关于机会的变化如何影响非理性行为；另一个辅助性解释是，人们很少注意群体反应或市场反应同个人反应之间的区别。在传统理论中，由于市场反应通常只是个人反应的宏观映像，所以这种区别对理性行为的传统理论是不必要的。然而，一组非理性单位做出的反应比单个单位做出的反应更为平缓、更富于理性，而且，个人层次上的不适当强调很容易导致市场反应的非理性程度的夸大。

当非理性单位的市场反应与理性单位的反应有本质区别时，关于实际反应的经验证据在估计个人理性的程度方面是至关重要的。传统理论所使用的那种证据——市场需求曲线的倾斜下降和市场供给曲线的倾斜上升——同样与个人的非理性相容，因而不能厚此薄彼。由于未能给予机会集合和它们对非理性单位市场反应的影响以足够的评价，有关证据的收集显然是不够的。

本文明确分析的只是非理性行为的简单模型，其中，当前选择部分地取决于过去的选择，部分地取决于概率因素。为了构造严格的其他模型并确定它们的含义，还需要做许多深入的研究，虽然不少模型的含义当然会不尽相同，但一致的重要方面源于机会变化的共同反应，这是本文得出的主要结论。

## 注 释

① 实际收入会大致约束家庭趋于停留在同一条无差异曲线上。

② 如果家庭需求曲线是相互依存的，市场需求曲线也会倾斜下降，但会或多或少比平均个人需求曲线富有弹性，并取决于是“从众效应”还是“孤傲效应”占主导。

③ 市场需求曲线倾斜下降这一被广为接受的论点也带来了一些“欺骗性”结果。不同的论点只是等待着“更可信”的结果出现时才会被提出来并被采纳。

④ 特定二次的半负定形式可以涵盖所有的效用理论的含义。参见 Samuelson (1947，p.114)。

⑤ 参见 Edward(1954)。

⑥ 任何效用最大化的推论在本文中都被视为是“非理性”的：更准确或更有理的定义并不需要也不去尝试。

⑦ Zvi Griliches 指出，这一模型在 R.L.Marris(1957)的简短附录中也出现过。这个附录据说是基于 Harry Johnson 的结论。

⑧ 由于并非假设效用最大化，补偿价格变动也不再解释成维持效用(大致)不变。我们的重点是，经验研究通常用此法将价格从收入效应中分离出来，经验的需求曲线有负斜率是一个有用且重要的规律，而不考虑效用是否“真

的”被维持不变。

⑨ 由于预算曲线的中点由($I/2P_x$, $I/2P_y$)给出,其中,$I$ 是货币收入,$P_x$ 和 $P_y$ 是单位价格,价格 $X$ 的补偿性变动必然会使的 $X$ 中点反向变动,而 $Y$ 的中点同向变动。

⑩ 当价格观测值越多,时间期限越长,个人需求曲线更可能倾斜下降。为消除特别行为,此处对时间或价格求平均与在市场中对家庭求平均是一样有效的。

⑪ $pB$ 对应的平均消费与由 $p$ 表示的总体平均附近的分布正相关。

⑫ 从数学上讲,该模型是一阶马尔科夫过程。

⑬ 初始时,$X$ 的平均消费为 $X_0=1/2P_x$,后来将减至

$$X_1=\frac{1}{2}\left(\frac{I}{4P_x}\right)+\frac{1}{2}\left(\frac{I}{2.2P_x}\right)=\frac{31}{88}=\frac{1}{P_x}$$

故

$$\frac{X_1-X_0}{X_0}=\frac{\frac{31}{88}-\frac{44}{88}}{\frac{44}{88}}=-3$$

⑭ $X$ 的消费数量由下列函数给定

$$X=k\frac{I}{P_x}$$

这里,$X$ 表示市场需求,$I$ 表示市场收入,$X$ 的价格的补偿性变化使市场收入与赖斯伯利斯价格指数之比保持不变,即

$$\frac{I}{P}=C$$

故此

$$X=k'\cdot\frac{P}{P_x}$$

或

$$X\cdot\frac{P_x}{P}=k'$$

⑮ $OCD$ 集与 $OAB$ 集不同仅是因为 $ApC$ 与 $BpD$ 面积不同($OApD$ 的面积是一样的)。由于 $ApC$ 位于 $BpD$ 的左上方,因此,$OCD$ 集的中心也一定位于 $OAB$ 集中心的最上方。

⑯ 就如一组冲动的家庭会产生有相同弹性的商品的补偿需求曲线,因此,冲动

的厂商也会产生有相同弹性的投入补偿的需求曲线，或更准确的说，服从柯布-道格拉斯生产函数的最大化其利润的厂商也如此。

⑰ 参见 Hotelling(1935)和 Samuelson(1947，p.218)。

⑱ 参见 Alchian(1950)和 Friedman(1953)。

⑲ 更一般的，若利润和其他来源的净收入之和小于0，企业就无法生存下去。

⑳ 参见 Alchian 和 Kessel(1960)和我的 *The Economics of Discrimination* (1957，chap.3)。

# 第 6 篇

# 婚姻、生育力和家庭

将经济分析应用于生育、婚姻、就业及家庭成员间的其他相互作用这一做法继续遇到公开的敌视。在一个人口问题研讨会上，当本篇的首篇文章提出可以将子女视为耐用消费品时，它受到了许多与会者的嘲笑。然而，从那时起，将经济分析用于生育研究的成果与日俱增。这种研究现在已经受到职业经济学家的尊重。

不过，关于婚姻一文（写成之后大约15年才获发表）比生育力一文更不受欢迎，是婚姻决策比生育决策较少受经济分析中的精打细算的约束，抑或敌视态度只是理智惰性的一种反应？虽然我相信，经济分析在婚姻方面比在生育方面更有用武之地，但是，评价这一主张还为时尚早，这是因为，将经济分析应用于婚姻问题的研究只是最近几年的事情。

传统的家庭理论基本限于单人家庭的情况，这一理论极为贫乏，但也不是一无是处（关于倾斜向下的需求曲线的内容使其免于沦入赤贫的境地），比较而言，新的家庭理论是涉及多人家庭的理论，这种家庭的不同成员具有相互依赖的效用函数，而且，新的家庭理论突出成员间的合作与相互作用，考虑子女、婚姻、涉及工作时间的劳动分工和市场增益技能与非市场增益技能方面的投资、灾害保护、成员的世代之间的资源转移，等等，由此，传统上由社会学家、人类学家和心理学家赋予了家庭在社会中的支配角色，现在，经济学家也终于开始赋予家庭同样重要的地位。厂商理论同30年前比较基本没有变化，而家庭问题已从经济学中贫乏的研究领域变为最为激动人心和最有前途的研究领域。

# 9

# 生育力的经济分析*

人口学家未能准确地预测西方战后出生率的变化，这对人口研究带来有益的影响。绝大多数预测或是根据过去趋势简单外延法，或者根据用人口年龄-性别-婚姻构成加以校正的外延法。前一种方法全然见不到社会经济方面的考虑，而后一种方法也不够成熟。假使这些方法可以像它们以前的半个世纪那样，能够继续作出相当可靠的预测，那就没有什么必要进行社会经济变量与出生率之间的复杂的相关分析。然而，30 年代出生率的急剧下降，伴随着战后时期出生率的骤然上升打消了人们的信心，人们不再认为未来出生率可从人口构成的单调下降函数中预测出来。

马尔萨斯可以合乎情理地假定，生育力主要由两大基本因素决定：结婚年龄及同房次数。然而，19 世纪避孕知识的发展与传播极大地拓展了家庭规模决策的范围，当代研究者不得不比马尔萨斯和其他预言家更加注意家庭决策。心理学家试图将这些决策纳入心理学理论的框架中加以说明，社

---

* 重印自 *Demographic and Economic Change in Developed Countries*, a conference of the Universities-National Bureau Committee for Economic Research (Princeton University Press for the National Bureau of Economic Research, Inc., 1960). © 1960 by Princeton University Press。

会学家试图用社会学的理论对此作出分析，但绝大多数人承认，在组织生育力*的信息方面，两种方法均绩效不佳。

有两个原因促使笔者用经济分析研究家庭规模决策。首先，马尔萨斯的著名论述基于鲜明的经济分析框架，笔者的研究只是他的理论的概括与发展。其次，在印第安纳波利斯的调查①中，虽然没有一个变量能够对生育力的变动作出多大解释，但是经济变量的表现要比其他变量的表现好得多。本章第一部分发展这种分析、并阐述它的某些含义；第二部分利用经济分析考察收入对生育力的实际影响，第三部分考察前面部分提出的某些深层含义。

## 经济分析

### 1. 一般的考虑

在缺乏避孕知识的社会中，出生人数的控制要么通过堕胎，要么通过禁欲，禁欲的形式是推迟结婚及减少同房次数。由于每一个人对这些变量保有一定的控制能力，因而即使在这样的社会中，家庭规模决策也有讨论的余地。在其他条件相同的情况下，希望小家庭的男女可以比一般的男女推迟结婚，或更多地施行堕胎。当然，由于堕胎的禁忌、婚姻决定上的强烈的社会压力、减少房事次数的绩效不佳等因素，决策余地小得可怜；在决定家庭出生子女的分布中，运气显然十分重要。②

避孕知识的增长极大地拓展了决策范围，因为它将生育控制与性行为区别开来。大致说来，决策范围的这种扩展增大了环境因素的重要性，但在无数环境因素中哪种因素最重要呢？为简化起见，在分析开始时，笔者假定，每个家庭对它的生育胎次及其生育间隔能够完全地加以控制。

---

* 在现代人口学中，生育力(fertility)是表示育龄妇女生育强度的绝对指标，出生率(birth rate)则是指一定时期内平均每千人中出生人数所占的比率，这两个指标既有区别又有联系。在本书中，特别是在本章中，这两个概念常常是不做区分的，作者将出生率的含义等同于生育力——。译者注

对绝大多数父母来说,子女是一种心理收入或满足的来源,按照经济学的术语,子女可以看成一种消费商品,有些时候,子女还可以提供货币收入,因而还是一种生产品,而且,由于用于子女的支出和子女带来的收入都不是一成不变,而是随子女年龄的变化而有所不同,使得子女既是一种耐用消费品又是一种生产品。把子女同汽车、房屋、机械等物品相提并论,似乎有些牵强、造作,甚至是不道德的,然而这种分类并不表明子女带来的满足或成本在道德方面与其他耐用品等同。住房等“必需品”提供的满足经常有别于汽车等“奢侈品”提供的满足,然而,在需求分析中两者都被视为耐用消费品。对于子女提供的满足的抽象使得对子女的需求同发展成熟的经济理论相联系成为可能。本文试图说明,耐用消费品的需求理论在关于子女需求分析中是一个有用的框架。

### 2. 偏好

作为耐用消费品,子女被认为可以提供“效用”。通过效用函数或一组无差异曲线,子女的效用可以同其他商品提供的效用进行比较。无差异曲线的形状取决于对子女的相对偏好,或者,换言之,取决于偏好,这些偏好可能依次由家庭的宗教信仰、种族、年龄等因素决定。虽然并未事先申明,但是这种分析能够允许与“经济”因素无关的生育力的差异。

### 3. 子女质量

一个家庭不仅必须决定生育多少子女,而且必须决定用于子女的支出数量——是否提供单独的寝室、入托及上学,是否使他们接受音乐或舞蹈教育,如此等等。我把较为昂贵的子女称为“高档”子女,正如同雪佛兰同卡迪拉克比较被叫做高档汽车。为避免误解,我要马上跟进一句,“高档”并不意味着德行高尚。如果更多的支出志愿用于一个孩子而不是另一个孩子身上,那么,其中的原因是,从增加的这种支出中父母可以得到增加的效用。正是由于这种增加的效用,我们才称之为“高档”。

### 4. 收入

收入的增加必定增加一般产品(average good)的支出额,但未必增加每件产品的支出额。主要的例外是广义分类中的劣质产品，就像雪佛兰被认为是劣质汽车，人造黄油被认为是劣质食品，黑面包被认为是劣质的面包。因为在任何一种广义的分类中，子女似乎都不能列为劣质产品，所以，从长期来看收入的增加很有可能增加用于子女的支出额。③

对汽车、房屋或电冰箱等几乎所有其他耐用消费品来说，同质量的收入弹性比较，数量的收入弹性通常较小，在高收入水平，家庭购买的东西质量更好，数量也更多。④如果子女方面的支出也有类似性质，那么，增加的子女支出的绝大部分将包含子女质量的提高。虽然一般来说数量的减少是个例外，但经济理论并不保证子女数量一定增加，因此，收入的增加可能既增加子女数量，又增加子女质量，但是数量弹性应低于质量弹性。

另一方面，马尔萨斯认为，收入的增加将导致家庭规模的相应扩大，他的论断包含两个要点：第一，收入的增加会引起儿童死亡率的下降，使更多的儿童存活下来。如果出生人数的减少不能抵消儿童死亡率的下降，那么，一般家庭的子女数量将会增加；第二，收入的增加会导致人们早婚并且不大节欲，从而导致生育力的提高。在这一要点上，马尔萨斯则较少呆板的说明而更多地顾及动机因素。

通过将子女数量同子女质量相联系，通过允许收入的数量弹性既可以偏大又可以偏小（甚至为负），本文的分析已经概括马尔萨斯的论点。在我看来，现代社会的数量弹性可能为正，但与马尔萨斯的观点稍有区别。首先，儿童死亡率已经降到如此之低，致使收入上的一般变化对某一同期出生群的儿童存活数量影响很小。⑤而且，即使是儿童死亡率的大幅度下降，它对家庭规模的影响也是值得怀疑的，因为父母的主要兴趣就在于存活下来的子女本身，而不是胎次，所以，儿童死亡率的下降将引起胎次的相应减少；其次，胎次无须节欲就可以得到控制，这在很大程度上降低了生育控制的心理成本。“人性”不再保证适当超出食物水平的收入的增加会导致生育力不知不觉的提高。

### 5. 成本

从原则上说，子女的净成本不难计算，它等于预期支出的当前价值加上父母劳务的估计价值，再减去预期货币收益的当前价值及子女劳务的估计价值。如果净成本为正，则子女总体说来是一项耐用消费品，也就有必要假定可以从中得到心理收入或效用。如果净成本为负，则子女是一项耐用生产品(producer durable)，从中可以得到货币上的收入。各种质量的子女通常均可得到。任一家庭所选择的子女质量取决于偏好、收入及价格。对于绝大多数家庭来说，近些年来用于子女方面的净支出数额庞大。[6]

在过去的100年里，美国人均实际收入增长了3倍以上，这些收入势必增加了对子女的净支出。在19世纪中叶，子女有可能是净生产品，最终能够提供收入而不是耗用收入。然而，在那些从子女身上得到边际心理收入的家庭，其子女的边际成本必定大于0，否则，他们就会另外增加子女。甚至在1850年，美国普通家庭的子女数就低于实际上的可能性。黑奴的数字可以成为一种更为直接的参照——这是人成为生产品的极端例证。这些数字表明，用于男性黑奴18岁以前的净支出为正值。[7]因为一个18岁的黑奴的卖价足以抵消其18岁前的净成本，所以，蓄奴是有利可图的。大致说来，绝大多数白人家庭对其子女18岁以前的支出大于蓄奴者对黑奴18岁以前的支出，而且，白人的子女在18岁之后成为自由公民，可以决定保留自己的收入还是交给父母；交给父母的数量可能超过18岁前的成本，但是，18岁以前的成本更可能高出18岁以后的收益。然而，这并不表明子女的货币收益不重要，本文将在下面几个不同地方予以强调。但是，它又确实表明，将子女视为耐用消费品的基本分析不仅与当前相切合，而且也与过去的某些时候相切合。

子女成本的变化或许源于食物和教育价格的变化，它是一定质量的子女成本的变化。由于这一定义被广泛地误解，所以值得稍加考虑，人们不能仅仅因为更多的人现在购买凯迪拉克和其他昂贵汽车就断言汽车的价格随时间上升了，价格的变化须从一定质量的价格指数方面做出估计，实际收入和其他因素的一般变化导致了子女支出的一般增加，这通常被理解为子女成本的上升。子女成本完全有可能上升(pp.350—353)，但是，因为子女的质量上升了，故不能把这种支出的增加看作是成本上升的证据。今天的儿童有较好的衣、食、住、行等条件，进入幼儿园、校园、中学和大学的人数愈来愈多，基于同样原因，尽管富裕的家庭在子女方面的支出更多，但是子女的价格对富裕的家庭同对贫穷的家庭是一样的。⑧只是富裕家庭不仅选择其他高档产品，而且也会选择高档的子女。⑨

有时人们认为，社会压力“迫使”富裕家庭更多地将支出用于子女，并认为因此提高了富裕家庭的子女成本，这种成本的提高据说可以解释富裕家庭之所以比其他家庭有较少的子女，以及富裕社会之所以比贫穷社会有更少的儿童。然而，由于市场的各种产品成本是一定的，社会压力不能使之改变，只能改变所选取的一揽子商品，就是说，社会压力通过影响无差异曲线的结构而不是通过影响成本来影响行为。换句话说，社会压力可以影响富裕（和贫穷）家庭的子女需求的收入弹性，但是不能影响需求的价格弹性。因而，成本（或价格）与数量之间著名的此消彼长的关系不能解释富裕家庭之所以子女相对减少，而且，经济分析中并没表明社会压力会使子女需求的数量收入弹性为负值。因此，我的结论是，数量的收入弹性虽然相对较小但是取值为正，而且质量弹性相对较大，这种情况与强调社会压力的分析结论完全一致。

考虑所有质量的子女的价格按同一百分比下降而实际收入仍保持不变的情况。虽然经济理论显示，子女消费的“总值”会有所增加，但它并没有说明总值的这一增加是源于数量的增加、质量的增加、或两者的同时增加，它也几乎没有说明价格与总值之间的量的关系。不存在对子女的理想的替代物品，但可能有许多蹩脚的替代物品⑩。

### 6. 供给

总的说来，子女不能从公开的市场购买而必定在家庭生养。对绝大多数家庭来说，除了子女以外，任何其他主要商品都不能实现家庭自给。由于子女在家庭中生养，所以，即使对所有家庭总体上没有不确定性时，家庭的子女生产中的不确定性也会转换成相应的消费中的不确定性。虽然父母不能准确预见子女的性别、智力及身高，但就整个国家而言这些特征分布保持相对不变。这种不确定性使得有必要区分实际效用和预期效用，因此，假定一组父母从男孩得到的边际效用为 $U_m$，从女孩得到的边际效用为 $U_f$，增加一个子女的预期效用是

$$EU = PU_m + (1-P)U_f \cong \frac{U_m + U_f}{2}$$

这里，$P$ 表示生育男孩的概率，约为$\frac{1}{2}$。只要新增子女每一美元预期成本的预期效用大于在其他方面进行支出的预期效用，那么，家庭就会增加子女。只要 $U_f \neq U_m$，实际效用便为 $U_f$ 或 $U_m$，而有别于 $EU$。实际上，如果 $U_f$（或 $U_m$）取负值，那么某些家庭将会得到负效用。

消费与生产相联系所产生的第二个重要结论是，家庭可拥有的子女数量不仅取决于收入和价格而且取决于家庭生育子女的能力，有的家庭渴望 3 个子女，但最多只能生产 2 个，有的家庭想要 3 个孩子，结果却生了不止 5 个。[11] 在避孕知识相当缺乏的社会里，已婚妇女的平均的活产数会高得惊人。例如，在 19 世纪的爱尔兰，女性的婚龄在 20—24 岁，平均有 8 个活产婴儿。[12] 这表明，一般家庭经常拥有的子女数不是太少而是太多。

至少在最近 100 年里，人们可以得到比较有效的避孕技术，但与此有关的知识却没有迅速普及，宗教和其他方面的反对妨碍了这种知识的迅速传播，而在其他先进国家，相对于其他发明（知识）来说，避孕知识是比较普及的。在 19 世纪，即使在先进的西方国家，绝大多数家庭并没有有效的避孕知识，这种知识从上层社会缓慢地传播到下层民众。[13]

每个家庭试图尽可能接近它所希望的子女数量，如果希望 3 个孩子而至多只能得到 2 个，那就努力生两个；如果想要 3 个而至少会生 5 个，那就生 5 个，对子女的边际均衡条件不会得到满足，而对其他商品而言，这一条件可以得到满足，因此，消费者选择理论基本上不受影响。[14] 多子女家庭的其他产品消费较少，尤其是接近替代子女数量的产品的消费较少。因为质量似乎像是子女数量的相对接近的替代，在收入和偏好相同的条件下，多子女家庭在每个子女身上的支出低于其他家庭的这类支出，由此可见，避孕知识的增加既会减少子女数量，又会提高子女质量。

## 实际应用

由于经济理论已经提出了标准的分析框架，现在考察其在生育力类型研究的应用。这种分析表明，收入的增加既会增加所希望的子女数量，又会增加所希望的子女质量，质量方面的增加较大而数量方面的增加较小。尽管从一般家庭支出中区分出用于子女的支出是困难的，但是显然，富裕家庭与先进国家用于每个子女的支出比贫困家庭和贫困国家的这类支出高出许多。有关数量受到的影响不易从原始数据中得到印证。事实上，绝大多数数据似乎表明收入和生育力之间存在反向关系。对于1910年、1940年及1950年的人口普查数据来说，这种看法是真实的，在调查中收入用父亲的职业、母亲的教育程度，或用月租费表示，对于印第安纳波利斯的调查数据，对于19世纪普罗维登斯*家庭的数据，以及其他调查来说，这种看法也是真实的。[15]这会促使人们得出结论，要么偏好有规则地随收入而变化——因为它与相对收入可能有关，要么子女数量是劣质产品。从根本上说，偏好变动规则当然需要充分地加以认识，但是目前无须假定子女数量是劣质产品，在前一部分建立形成的分析框架内就可以对现有数据作出解释。首先，应该指出，所有原始数据并非同出一辙，在某些研究中，与生育力和收入有关的曲线比较平展，甚至在高收入阶层出现上升，而在另一些研究中，曲线始终为正。[16]其次，偏好不是随收入而可能发生有规则变动的唯一变量。这里有许多关于避孕知识与收入正相关的一般证据。在避孕史的研究中，希姆斯指出，上流阶层相对更早地得到了避孕方面的知识。[17]如果这种知识从上流社会逐渐传播到社会的其余阶层，那么，阶层之间生育力的差异应该先是增加尔后变小，这显然就是英格兰的模式，美国也可能如此。[18]

这种证据仅仅表明，避孕知识上的差异可以解释生育力与收入间的反向关系。幸运的是，印第安纳波利斯的调查——至少1941年的调查——使得有可能估计它在量的方面的重要性。表1列出了这项研究的某些数据。在第(1)栏，样本中的土著白人新教教徒的夫妇按丈夫收入分类；第(2)栏表示每个收入阶层每100对夫妇的子女数量，最低收入阶层生育最多(每对夫妇2.3个子女)，而高收入阶层生育最少(每对夫妇1.5个子女)，但是最高收入阶层每对夫妇平均的子女数略高于收入次高阶层。经济水平与生育力之间的这一关系大抵和1940年人口普查所显示的结果相同。[19]不育率的变化规则与收入无关，

---

* 美国罗得岛州首府。——译者注

所以，第(3)栏限于有生育能力的家庭，第(3)栏同第(2)栏仅略有区别。

**表1 按丈夫收入和家庭计划情况分类的印第安纳波利斯每100对夫妇生育的子女数(土著白人新教教徒)**

| 收入<br>(1) | 全部夫妇<br>(2) | 相对生育力<br>(3) | 子女数量及其间隔的计划者<br>(4) | 全部计划者<br>(5) | 相对生育力期望<br>(6) |
|---|---|---|---|---|---|
| 3 000美元以上 | 159 | 180 | 149 | 175 | 171 |
| 2 000—2 999美元 | 149 | 176 | 182 | 161 | 170 |
| 1 600—1 999美元 | 163 | 194 | 91 | 126 | 153 |
| 1 200—1 599美元 | 189 | 229 | 97 | 144 | 175 |
| 1 200美元以下 | 227 | 266 | 68 | 146 | 193 |

资料来源：Whepton和Kiser(1951，Vol.2，part 9)。第(2)栏与第(3)栏出自表4；第(4)栏和第(5)栏的数字根据图8算出，第(6)栏根据图8和注释㉑算出。

众所周知，富裕家庭比贫困家庭更早更频繁地使用避孕措施，但是，要想断定贫困家庭是忽视避孕方法还是它们比富裕家庭想要更多的孩子是困难的。在印第安纳波利斯的调查中，通过根据避孕措施的使用和生育上的控制对夫妇进行分类，研究人员试图将偏好区别于避孕方法的忽视。第(4)栏表示属于"子女数量及其间隔的计划者"的夫妇的平均子女数，它只包括已计划了全部子女数的夫妇，这时可以看到一种正向关系，最富裕家庭平均的子女数是最贫困家庭平均子女数的2倍以上，收入弹性为+0.42。第(5)栏表示"计划了子女数"的夫妇——包括计划了他们最后一胎的所有夫妇的数据。这些数据也显示了一种正向关系，弹性为+0.09，低于子女数量及其间隔的计划者的弹性。

有生育能力的多子女的夫妇被问及有关这些子女的数量问题。第(6)栏利用这方面的信息及第(5)栏提供的信息将收入同有生育能力的所有夫妇期望的子女数联系起来，弹性小于0，约为−0.07。[20]然而，经过深入的研究，波特发现了期望的子女数被夸大的证据。他自己的预期生育力的估计显示出与收入的正向相关。[21]因此，印第安纳波利斯调查的证据表明，避孕知识方面存在的差异确实可以使收入与期望的生育力之间的正相关关系变成收入与实际的生育力之间的负相关关系。[22]

其他几项调查提供了关于期望的生育力方面的信息。例如，1954 年在密执安州的一个调查小组向底特律地区的家庭询问："如果一对年轻夫妇的生活水平与你们相仿，那么，在你看来，他们的理想的子女数是多少?"结果发现，在理想子女数与户主的收入之间存在显著的正相关关系。[23]

如果避孕知识不随收入的变化而变化，那么，实际生育力与收入之间的关系等同于期望的生育力与收入之间的关系。据说，在斯德哥尔摩的各阶层中避孕知识广为传播，1917—1930 年的斯德哥尔摩家庭的生育力与其收入正相关。[24]据说，在战前的中国，避孕知识在社会各阶层中极不普及，生育力与收入之间的正相关关系似乎在那里也普遍存在。[25]同一院校同一班级的毕业生在正规教育以及避孕知识、价值观等方面大致相同，笔者的印象是，这些毕业生的收入与生育力倾向于正相关，但笔者只考察了一个样本。用职业和"成功度"将哈佛和耶鲁的某些毕业生分类，在每一职业中，愈成功的学生通常拥有愈多的子女。[26]

在一个递交给消费者协会的样本中，我们得到了有关家庭收入、教育程度、工资收入者及被抚养子女的资料。[27]由于这个样本基本上由合理安排消费活动的家庭组成，所以这个样本对我们很有价值。如果笔者的分析全然不成问题的话，那么，这些家庭的生育力与收入的正相关程度应当超过美国总体上的家庭生育力与收入的正相关程度。表 2 表示户主年龄在 35—44 岁的单一工资收入者家庭平均抚养子女数。每个家庭按其收入及户主的教育程度分类。在同一教育程度上，收入与子女数切切实实地正相关，而教育程度本身对子女数量影响不大。大学四年制教育的毕业生和研究生院的毕业生的收入弹性分别为大约 0.09 和 0.14。这些数据与本文的分析非常一致。它们表明，当收入增加时，合理安排消费的家庭确实会拥有更多的子女。

战争期间避孕知识在美国迅速传播，在防止性病和私生子的努力中，部队在很大程度上成为这种传播的有力的推动者，可以预料，这些努力的结果降低了低收入阶层的相对生育力。人口普查署于 1952 年和 1957 年所做的研究证实了上述推测。表 3 给出了 1952 年城乡非农业家庭和 1957 年所有家庭的有关数据，第(1)栏表示丈夫的收入，第(2)栏表示每一百名年龄为 20—59 岁的男子所拥有的标准年龄为 5 岁以下的子女数，第(3)栏表示每百

**表 2　1958 年 4 月递交给消费者协会的志愿者样本中户主年龄在 35—44 岁的单一工资收入者家庭平均被抚养子女数**

| 收入分类 | 根据户主教育程度分类的平均被抚养子女数 | | | |
|---|---|---|---|---|
| | 中学或中学以下 | 专科 | 大学四年制教育 | 研究生 |
| 3 000 美元以下 | 2.43 | 1.61 | 2.50 | 2.17 |
| 3 000—3 999 美元 | 2.15 | 2.47 | 2.18 | 2.23 |
| 4 000—4 999 美元 | 2.70 | 2.40 | 2.04 | 2.18 |
| 5 000—5 999 美元 | 2.68 | 2.73 | 2.88 | 2.67 |
| 7 500—9 999 美元 | 2.80 | 2.94 | 3.00 | 3.03 |
| 10 000—14 999 美元 | 2.89 | 3.03 | 3.12 | 3.23 |
| 15 000—24 999 美元 | 2.85 | 3.04 | 3.04 | 3.31 |
| 25 000 美元以上 | 3.12 | 3.23 | 3.28 | 3.60 |

资料来源：Thomas Juster 在国民经济研究署关于消费者购买问题研究的未发表数据。

**表 3　按丈夫收入分类的生育力**

| (1)<br>丈夫的收入 | 20—59 岁的每百名已婚男子的子女(5 岁以下)<br>(2)<br>(年龄标准化) | 15—44 岁的每百名妻子生育的子女<br>(3)<br>(年龄标准化) | 45 岁以上的每百名妻子生育的子女<br>(4) |
|---|---|---|---|
| (一) 1952 年美国城乡非农业地区的数字 | | | |
| 7 000 美元以上 | 53 | 189 | 194 |
| 6 000—6 999 美元 | 52 | 188 | 210 |
| 5 000—5 999 美元 | 50 | 188 | 210 |
| 4 000—4 999 美元 | 52 | 177 | 217 |
| 3 000—3 999 美元 | 52 | 184 | 240 |
| 2 000—2 999 美元 | 51 | 189 | 256 |
| 1 000—1 999 美元 | 40 | 181 | 279 |
| 1 000 美元以下 | 40 | 211 | 334 |
| (二) 1957 年美国的数字 | | | |
| 7 000 美元以上 | — | 216 | 213 |
| 5 000—6 999 美元 | — | 220 | 230 |
| 4 000—4 999 美元 | — | 221 | 240 |
| 3 000—3 999 美元 | — | 236 | 279 |
| 2 000—2 999 美元 | — | 247 | 304 |
| 1 000—1 999 美元 | — | 289 | 341 |
| 1 000 美元以下 | — | — | 383 |

资料来源：U.S. Bureau of the Census(1953，no.46，p.20；1958，no.84，p.12)。

名 15—44 岁的妻子所生育的年龄标准化后的子女数，第(4)栏表示 45 岁以上的每百名妻子生育的子女。第(2)、第(3)栏主要研究自 1940 年以来的生育情况，第(4)栏主要研究 1940 年以前的生育情况。第(2)、第(3)栏显示的生育力与收入之间存在的负相关关系大大低于第(4)栏显示的同类关系。

生育力与收入之间的关系既可以通过截面的收入差异加以分析，又可以通过时间序列方面的收入差异加以考察。在西方国家经常发生收入的周期性波动，如果我们的分析成立，那么，收入的变化会导致生育力的同向变化。在我们看来，生育力的周期性波动可以用出生率的周期性波动衡量。某些较早的研究发现，即使经过结婚比率的波动校正，生育方面的变动也确实同经济的周期性波动明显一致。[28]

笔者将自 1920 年以来次年提交的有关头胎出生率和多胎出生率的一些年度数字同国民经济研究署年度的经济周期数据联系起来。表 4 的第(3)栏表示从一个时期期初到下一个时期期初的头胎出生率和多胎出生率的每年的百分比变化。第二次世界大战以前生育的明显的持续下降使得这之前的绝大多数表值出现负值，因而模糊了经济环境的周期性波动的影响。如果经济环境影响生育，那么，经济萧条时期的生育应比经济高涨时期的生育下降得更为迅速(或上升得不太急剧)，这种变化可以从第(3)栏的表值的第一组差异中看到，这种差异反映在第(4)栏。除了 1938—1948 年的战争时期以外，多胎生育的数字在方向上同参考年份完全一致，头胎生育的数字与参考年份也相差无几，所以，这种考虑参考周期的分析鲜明地显示，经济环境影响出生率。由于多胎生育的一致性无可挑剔，所以这种影响不完全依赖于结婚比率的周期性波动。

接下来是将出生率的变动幅度同一般经济活动的变动幅度联系起来，并以此同其他耐用消费品的相应数字进行比较。可以按照分析生育力的相同方式分析表示国民净产值与耐用消费品购买的时间序列。为了获得生育和耐用消费品的周期性收入弹性，可以使表 4 第(4)栏表示出生率的数字和耐用消费品购买的相应数字被相应的国民产值数字去除，如表 5 所示。这些数字对几乎所有购买均为正，由此说明，生育和耐用消费品购买的周期性变化同国民产出的变化呈同一方向。头胎生育的周期性变化一般大于多胎生育的周期性变化，两者通常低于国民产出的变化，然而，头胎生育和多胎生育的变化绝非无足轻举，它们分别相当于产出的相应变化的 74%和 42%。

表 4 美国 1920 年以来出生率的参考周期类型

| 参考周期年份 高峰 | 参考周期年份 低潮 | 14—44 岁的每千名妇女的出生率 高峰时 | 14—44 岁的每千名妇女的出生率 低潮时 | 年度变化百分比 经济扩张 | 年度变化百分比 经济收缩 | 高于年度变化百分比 扩张收缩前 | 高于年度变化百分比 扩张收缩后 |
|---|---|---|---|---|---|---|---|
| (1) | | (2) | | (3) | | (4) | |
| | | | 头胎生育 | | | | |
| 1920 | | 39 | | | | | |
| | 1921 | | 34 | | −12.82 | | |
| 1923 | | 34 | | 0.00 | | +12.82 | |
| | 1924 | | 34 | | 0.00 | | 0.00 |
| 1926 | | 32 | | −2.94 | | −2.94 | |
| | 1927 | | 30 | | −6.25 | | −3.31 |
| 1929 | | 30 | | 0.00 | | +6.25 | |
| | 1932 | | 25 | | −5.57 | | −5.57 |
| 1937 | | 31 | | 4.80 | | +10.37 | |
| | 1938 | | 31 | | 0.00 | | −4.80 |
| 1944 | | 29 | | −1.06 | | −1.06 | |
| | 1946 | | 46 | | 28.33 | | +29.39 |
| 1948 | | 36 | | −10.87 | | −39.20 | |
| | 1949 | | 33 | | −8.33 | | +2.54 |
| 1953 | | 34 | | 0.76 | | +9.09 | |
| | 1954 | | 33 | | −2.94 | | −3.70 |
| 1957 | | 33* | | 0.00 | | +2.94 | |
| | | | 多胎生育 | | | | |
| 1920 | | 82 | | | | | |
| | 1921 | | 78 | | −4.88 | | |
| 1923 | | 78 | | 0.00 | | +4.88 | |
| | 1924 | | 74 | | −5.13 | | −5.13 |
| 1926 | | 68 | | −4.05 | | +1.08 | |
| | 1927 | | 64 | | −5.88 | | −1.83 |
| 1929 | | 60 | | −3.12 | | +2.76 | |
| | 1932 | | 52 | | −4.45 | | −1.33 |
| 1937 | | 48 | | −1.53 | | +2.92 | |
| | 1938 | | 47 | | −2.08 | | −0.55 |
| 1944 | | 57 | | 3.46 | | +5.54 | |
| | 1946 | | 67 | | 8.47 | | +5.01 |
| 1948 | | 71 | | 2.98 | | −5.49 | |
| | 1949 | | 73 | | 2.81 | | −0.17 |
| 1953 | | 84 | | 3.77 | | +0.96 | |
| | 1954 | | 85 | | 1.19 | | −2.58 |
| 1957 | | 88* | | 3.53 | | +2.34 | |

注：* 表示最后数字是 1956 年的数字。

资料来源：见国民经济研究署经济周期的标准参考年份的数据；以及 Dudley Kirk 对我本卷中“The Influence of Business Cycles on Marriage and Birth Rates”一文所写的附录。

生育的周期性变化小于耐用消费品的周期性变化，后者平均约为产出变化的 2.84 倍，或者说，分别为头胎生育变化和多胎生育变化的 4 倍和 7 倍，这与我们强调的生育控制知识的欠缺是一致的。这种知识的欠缺似乎能够解释许多（但非全部）多胎生育的平均的周期性变化与耐用品购买的平均的周期性变化之间的差异。[29]有些差异可以用下面的事实解释，即，有关子女的数据只包括数量上的波动，而耐用品的数据既包括数量上的波动又包括质量上的波动。其余差异可以用子女与耐用消费品之间的其他区别加以说明。

**表 5　参考周期商业周期的生育与耐用消费品购买的周期性收入弹性**

| 参考周期商业周期 | | 头胎生育 | 多胎生育 | 耐用消费品购买 |
|---|---|---|---|---|
| (1) | | (2) | (3) | (4) |
| 1920—1921 | ↘ | 0.81 | 0.31 | 2.48 |
| 1921—1923 | ↗ | 0.00 | .58 | 2.96 |
| 1923—1924 | ↘ | −1.55 | .57 | 6.63 |
| 1924—1926 | ↗ | .87 | .48 | 5.26 |
| 1926—1927 | ↘ | 2.05 | .90 | 4.05 |
| 1927—1929 | ↗ | .37 | .09 | 1.40 |
| 1929—1932 | ↘ | .47 | .13 | 1.51 |
| 1932—1937 | ↗ | .26 | .03 | 1.96 |
| 1937—1938 | ↘ | −.09 | .46 | 1.38 |
| 1938—1944 | ↗ | 4.26 | .73 | 9.20 |
| 1944—1946 | ↘ | 3.89 | .54 | 5.33 |
| 1946—1948 | ↗ | −.44 | .03 | 0.11 |
| 1948—1949 | ↘ | .88 | .09 | 0.01 |
| 1949—1953 | ↗ | .78 | .54 | 1.78 |
| 1953—1954 | ↘ | 1.19 | .95 | 3.23 |
| 1954—1957 | ↗ | | | |
| 简单平均不包括 | | .56 | .42 | 2 |
| 1938—1948 | | .56 | .42 | 2.84 |
| 和负数 | | .77 | .42 | 2.84 |

资料来源：生育情况得自表 4 第(4)栏。耐用消费品购买和国民净产值的类似数据由计算求得。耐用消费品数字源于 R.W.Goldsmith，*A Study of Savings in the United States*，Vol. Ⅰ，tables Q-6，A-25 for 1920—1949，以及 U.S. Dept. of Commerce，*Survey of Current Business*，July，1958，Table 2，for 1949—1957。国民净产值数字源于 Simon Kuznets，Technical Tables(mimeo)，T-5，underlying series in *Supplement to Summary Volume on Capital Formation and Financing* for 1920—1955，以及 U.S. Dept.of Commerce，*Survey of Current Business*，Jnly，1958，T-4，for 1955—1957。

例如，为了购买一件耐用消费品，某人需要用他的自身资源作为头期支付，以后的支付或者使用自身资源，或者使用借入资源，由萧条导致的经济上的不确定性减弱了使用自身资源或借入资源的意愿，导致贷款者提高贷款条件，更加谨慎地审查申请者。[30]因而一些耐用消费品的购买将被推迟，直至经济环境有所改善。但是，与其他耐用品的购买比较起来，子女的"购买"不适于随意推迟，而且，比较而言，子女方面的支出相当自然地分摊于不同时期，子女的初始费用(看病挂号费、幼儿用具费、精力和时间的消耗等等)只是其总成本中相对很小的一部分，因而，子女可以用很小的头期支付购买，而且，与其他绝大多数耐用品比较起来，子女的购买更少使用借入资金。

子女的购买不大适宜推迟的另外一个原因是，假使其他情况相同，那么，相对于暂时的经济波动而言，具有较长建设周期的产品的需求的敏感性低于可以轻易生产出来的产品的需求的敏感性，这是因为，当这种波动过后，交付也还可能发生。生产与交付周期对汽车等耐用品很短，而对子女则很长，平均起来，怀孕要占大约10个月的时间，还要有9个月的哺乳期，总共19个月的时间，这一时期长得足以减小暂时的收入变动对子女需求的影响。

子女的购买适宜推迟的原因也是存在的。因为子女不能买卖，同一般耐用品比较起来，子女是缺少流动性的资产，萧条带来的经济上的不确定性会增加对流动资产的公众偏好。一个更为完整的分析还需考虑其他因素，诸如加速数和永久收入概念，它们在生育力与耐用品方面可能引起不同的周期性反应，所以，本文的目的不是提供关于生育力方面相对的周期性变动的确切的解释，而是仅仅表明，经济分析有助于达成这种解释。

虽然生育力的周期性变动的数据似乎同我们的分析一致，但是，另一组时间序列数字同我们的分析存在明显的矛盾。从时期上看，美国人均收入上升而生育力出现下降，这种情况表明收入与生育力之间的负相关。当然，其他许多变量已经发生了很大变化，直到能够说明这些变化与生育力的下降无关，我们才能认真看待生育力和收入持续的变动中的这种明显矛盾。有三种变化显得非常重要：婴儿死亡率的下降、避孕知识的普及、子女成本的提高。

从1870年到1940年，一般城市白人家庭的平均已完成生育子女数下降了大约56%。婴儿死亡率的下降能解释这种下降的14个百分点或25%。[31]某些证据已经显示，美国人的避孕知识与日俱增，然而，足够精确地估计这种增加幅度使其能同生育力的下降作一比较则是办不到的。

笔者曾经强调，子女支出随时间增加这一点不能作为子女成本已经上升的证据，因为子女的质量也已经提高了，由一定质量的子女的相对成本指数才能估算子女的相对成本的变化。我们可以通过几方面的原因说明一定质量的子女的相对成本之所以随时期而发生变化。婴儿死亡率的下降减少了一定质量的子女的成本，虽然这种影响可能不大；禁止使用童工和要求接受义务教育的立法的增加可能提高子女的成本，但是，在很大程度上强迫人们去做的事情不过是绝大多数父母愿意去做的事情罢了。[32]这是子女质量提高的另一个方面，并不表明子女成本的增加。如果这种立法终归提高了成本，这也主要是对最贫困的家庭而言，因为这些家庭不大倾向于使它们的子女接受更多的教育，所以，立法在一定程度上或许缩小了最近 50 年按收入阶层划分的生育力上的差异。[33]从农村到城市社区的人口转移总体来说提高了子女的平均成本，其原因在于，农村的子女抚养较为便宜，但这种变动对城市社区内部的子女的成本影响不大。因为市场领域的技术进步比发生在家庭的技术进步可能更为迅速，所以，用于子女的时间和精力的估计价值可能会有一个实质性的增加，由此可见，子女成本出现了持续上升，而这种上升也会导致生育力的下降。

教育的接受、宗教的参与和对妇女的歧视等方面持续出现的变化也会降低生育力，当然还可能存在增加生育力的除了收入增长的其他变化。收入上的增加才会提高生育力。在尽管存在收入增加的情况下确定降低生育力的因素是否足以造成生育力的持续下降，这是一个亟待研究——即使可能不具有决定性——的课题，目前，生育力的持续变化与收入的持续变化之间的负相关看来还不足以推翻这样一个假设，即在偏好、成本和知识等因素保持不变的情况下，收入的增加将提高生育力。

## 一些深层含义

第二部分试图说明，第一部分所做的经济分析对于理解收入对生育力的影响大有裨益，这一部分将要探讨某些另外的含义。如果人们能够普遍认识到，如同新车购买是汽车储备的物流，生育则是子女"储备"的"物流"，那么，我们就可以加深对生育的暂时波动的理解。物流不仅取决于决定储备的变量，而且取决于折损率、加速、储蓄以及在生育的周期性变动的分析中所考虑的时间抉择等因素。把生育同活产次数联系起来的新近研究表明，人口学家和经济学家开始强调储备与物流之间的相互作用。[34]这一研究需要系统地加以拓展。

第一部分的分析清楚地表明，子女的数量与质量密切相关，收入的增加或子女成本的下降既会影响子女的数量也会影响子女的质量，通常会使这两个方面均有增加。避孕知识的普及也会影响这两个方面，但将提高子女质量而减少子女数量。因为它能够决定未来劳动力的教育程度、健康和动机形成，所以，子女质量本身就是一个极其重要的问题。经济分析的重要意义在于，它提出了数量与质量之间的相互作用——这种作用在人口学和关于劳动力质量的论著中几乎是见不到的。

人们经常认为，由于偏好上的差异，农村家庭的规模大于城市家庭的规模，然而，即使没有偏好上的差异，由于农户在子女抚养以及提供食物方面存在相对成本优势，他们也会倾向于更多的生育。农村的优势并不在质量的所有方面都是一样的，事实上，在童工和食物并不起多大作用的高质量方面，其优势是不足的。随着时间的推移，城市家庭和农村家庭都转向质量较高的子女，这也许有助于最近几十年来的城乡生育力方面差异的缩小。子女成本的差异的影响值得全面彻底地加以研究，这是因为，在一定程度上，它不仅可能解释这些城乡生育力的差异，而且还可以解释截止到二次大战的生育力的持续下降以及城市经济阶层中生育力差异的明显的持续缩小。

在西方国家，战后初期的出生率显然高于30年代的出生率。在某些国家，包括美国和加拿大，出生率仍保持在战后初期的水平，在另一些国家，包括大不列颠和瑞士，出生率下降到接近40年代的水平，而在其他一些地方，包括法国，出生率介于战前和战后时期的中间水平。本文的分析不在于匆忙解释这些差异，但这种分析确实说明，所有这些国家的出生率之所以明显高于从持续的趋势预期的水平，婴儿死亡率的持续下降和避孕知识的日益普及是生育持续下降的重要原因，到1945年，儿童死亡率已经很低，几乎到了无以复加的地步；虽然避孕知识没有在社会每一阶层深入地扩散，但进一步改善的余地也已十分有限。随着这些力量的减弱，出生率持续下降的许多主要根源已不复存在，收入增加等正面力量现在面对着减弱的反面力量，因而，对于生育力不再下降甚至在某些国家出现回升的现象人们不必感到十分惊奇。

最近的几项关于消费的研究把家庭规模和收入与价格一同作为自变量。[35]如果家庭规模是随机变量或完全取决于“非经济”因素，那么这种方法是可取的；[36]另一方面，如果家庭规模在一定程度上由经济因素决定，那么这种方法就会导致其他自变量的回归系数的错误估计。因此，假定家庭规模与收入正相关，并且食品消费仅仅通过家庭规模的影响而随收入变化，假定家庭规模不变，食物消费与收入之间的回归系数将会等于0，这是收入增加对食物消费的持续影响的错误估计。假定汽车数量保持不变，人们不能通过找出汽油消费与收入之间的回归系数来估计收入对汽油消费的影响，因为汽油消费随收入而增加，这主要是由于汽车数量的增加，正如食物消费可以因家庭规模的扩大而增加。简而言之，本文的分析足以表明，学习消费经济学的学生应比过去更加注意家庭规模的决定因素。

## 总结

本文运用经济分析研究生育力的决定因素。子女被视为耐用品，基本上属于耐用消费品，它给父母带来收入，主要是心理收入，生育力取决于收入、子女成本、知识、不确定性及偏好等因素。收入的增加和价格的下降会增加对子女的需求，当然，区分子女需求的数量和质量是有必要的，子女质量与用于他们的支出直接相关。

由于子女不能在市场上买卖，所以每个家庭必须自己生养子女，这就是子女生产的每一种不确定性（如他们的性别）都会造成消费的相应不确定性的原因，这也是家庭的子女数量不仅取决于对他们的需求，也取决于生育或抚养他们的能力的原因。有些家庭生产的子女数量只能超过他们期望的子女数量，有些家庭则不能达到他们期望的数量，因而实际生育力与期望的生育力可能存在很大的差异。

本文简要探讨了这种理论的某些含义。例如，在一定程度上，这种理论可以解释战后西方国家生育力的上升，可以解释同其他耐用品比较而言相对较小的生育力的周期性波动、子女数量与质量之间的某些观察到的关系以及农村妇女比城市妇女更为多产的原因。

本文还详细地验证了一个重要含义，即，期望的子女数量与收入直接相关，粗略的截面数据显示同收入的负相关，但这些数据并不反映假定避孕知识保持不变情况下的两者的关系。当避孕知识保持不变时，两者存在一种正相关关系。收入与生育力的周期性波动之间的正相关印证了这种观点。由于婴儿死亡率的持续下降、避孕知识的日益普及以及子女成本的持续增加可以轻易地抵消收入的持续增加的影响，所以生育力的持续下降也会同正相关的关系相一致。

## 注　释

① 参见 P.K.Whelpton 和 C.V.Kiser(1951)。

② 关于运气的影响，在之后的文章中会涉及。

③ 可以根据另一推理思路表达这一结论。$\sum k_i n_i = I$，这里，$k_i$表示用于第 $i$ 项商品的支出份额，$n_i$表示用于第 $i$ 种商品支出的收入弹性。在其他条件不变的情况下，$k_i$愈大，$n_i$偏大或偏小的情况就愈不可能出现，特别地，$n_i$不大可能为负。在绝大多数家庭中，用于子女支出的收入份额很大，因而减小了子女的收入弹性为负的可能性。

④ Chow(1957)估计了汽车的总收入弹性为＋2，但一般的弹性数量约为＋0.31，参见 Federal Reserve Bulletin，August，1956，p.820。

⑤ 之后会深入探讨。

⑥ 参见 Tarver(1956，pp.144—153)，以及 Dublin 和 Lotka(1946，chap.4)。很多研究都仅仅考虑 18 岁之前的成本和收益。在 18 岁之后，用美元衡量的收益可能高于成本；但由于 18 岁后年龄会大幅贴现且 18 岁之前的成本如此之高，对这一偏误的修正也几乎没有可能显著减少子女的净成本。

⑦ 参见 Conrad 和 Meyer(1958，p.108)。当(奴隶的预期收益率的)贴现率为 8%时，净成本的现值为＋35 美元，或约为总成本现值的 1/3。虽然这一值有相当的误差，但也是一个最好的粗略估计。

⑧ 一个条件是必需的，因为在子女投入的时间上，富裕家庭可能比贫穷家庭更多。在分析其他商品的需求时，也要考虑同样的条件。

⑨ 为了说明这个错误的观点有多盛行，甚至的一些著名的经济学家中，我引用一篇最近的文献，即 Leibenstein(1957, pp.161—170)。他试图将子女的成本与收入水平关联，辩论道"一个孩子的价值对家庭收入和人均收入变动的贡献比例是明显的。当人均收入增加时，利用子女作为收入来源的需要就下降了。同时，更高的人均收入时的教育水平和人口综合素质意味着需要花更多时间在子女的培训、教育和发展上，因此，子女作为生产力来利用的时间就会减少"，且"当人均收入增加时，养育子女的传统的成本也会增加。养育方式取决于家长的社会地位和收入；因此，当收入增加时，我们预期这类成本也会增加……"(pp.163—164)。

为了建立成本与收入的关联，Leibenstein 混淆了成本和质量，不经意间将质量与收入成功关联。他的技术暗示，由于质量选择上升，几乎每一组商品的价格都随着时间的推移而上升，显然这是站不住脚的。这一缺陷大大减弱了其关于人口出生率长期下降的分析。

Bernard Okun 常将经济理论应用于人口领域，且假设富裕家庭的子女成本较高是由于他们在子女身上花费得更多(1958a, p.1458)。像 Leibenstein 的观点一样，他的观点也暗示了，富裕家庭的大部分(并非全部)商品的成本比贫穷家庭的高。也可参见 Coontz(1957, part II)。

⑩ 令 $x$ 表示子女数量，$p$ 表示 $x$ 的质量方面的支出，$y$ 表示其他产品的指数，$I$ 表示货币收入，$U$ 表示效用函数，$\alpha$ 表示使 $x$ 的每一质量成本改变相同百分比的参数，$\pi$ 表示 $y$ 的价格。消费者使 $U(x, y, p)$ 极大化，约束条件为 $\alpha px+\pi y=I$，由此，均衡条件

$$\frac{Ux}{\alpha p}=\frac{Up}{\alpha x}=\frac{Uy}{\pi}$$

子女数量上每增加一美元支出的边际效用必定等于他们质量上每增加一美元支出的边际效用。

我写完这篇文章的草稿后，还发现了一篇文献，Theil(1952, pp.129—147)很好地处理了质量和数量的相互作用的关系。同一主题，还可参见 Houthhakker(1952)。Theil 也对房产做了类似的微分处理，得出给定质量下一种商品的价格补偿性下降必然会使该商品的质量/数量增加或者两者同时增加。

⑪ 由于禁欲会使家庭尽量少生孩子，因此，这句话的最后部分的含义是模糊的。"计划外的"、"额外的"或者"不想要的"孩子指的是若有完美的怀孕控制就不会出生的孩子。在已知的避孕技术和知识条件下，不会有计划外的孩子。

⑫ 参见 D.V.Glass 和 Grebenik(1954, p.271)。

⑬ 支持这段话的文献,可参见 Himes(1936)。

⑭ 最大化效用函数 $U=u(x_1, \cdots, x_n)$ 的消费者(不考虑质量),受约束于 $\sum_{i=1}^{n} p_i x_i \equiv \gamma$, and $x_1 \geqslant$ or $\leqslant c$,其中,$p_i$ 是第 $i$ 个商品的价格,$r$ 是货币性收入,$x_1$ 表示子女。如果第二个约束是有效的,$x_1=c$。此时,消费者最大化 $U=U(c, x_2, \cdots, x_n)$,且仅受约束于 $\sum_{i=2}^{n} p_i x_i \equiv \gamma' \equiv \gamma - p_1 c$,这给出了 $x_2, \cdots, x_n$ 的边际条件。

⑮ U.S. Bureau of the Census, Census of Population, 1940; *Differential Fertility 1910 and 1940*, Government Printing Office, Washington, 1945; U.S. Bureau of the Census, Census of Population, 1950; *Fertility*, Government Printing Office, Washington, 1955; *Social and Psychological Factors Affecting Fertility*, by P.K. Whelpton and C.V. Kiser, eds., Milbank Memorial Fund, 1951; A.J. Jaffe, "Differential Fertility in the White Population in Early America," *Journal of Heredity*, August, 1940, pp.407—411.

⑯ K.A. Edin and E.P. Hutchinson, *Studies of Differential Fertility*, London, 1935; W.H. Banks, "Differenti al Fertility in Madison County, New York, 1865," *Milbank Memorial Fund Quarterly*, Vol. 33, April, 1955, pp.161—186.

⑰ 参见 N.A.Himes(1936)。

⑱ 参见 C.V.Kiser 和 G.Z.Johnson(1960)。

⑲ 参见 P.K.Whepton 和 C. V. Kiser (1951, Vol.2, p.364)。

⑳ 这些弹性就是多子女夫妇的对数与收入对数回归方程的斜率估计。不设上限的收入分类的均值假设为 4 000 美元,其他收入分类的均值假设位于其中点。

㉑ 参见 R.G. Potter(1955, pp.277—304)。

㉒ 只有当允许偏好和成本也随收入变动时,这个结论才成立。由于我们假设所有的夫妇都住在一个城市中,因此他们的子女成本都是一样的。年龄、种族、肤色和出生都保持不变,以限制偏好的系统性差异。教育随收入而变动,但对一些调查者和计划者而言,可以将收入影响从教育影响中剥离出来。多子女与收入的简单相关关系为+0.24,多子女与教育的相关关系为+17,两者在1%水平上均显著。固定教育时,多子女与收入的偏相关系数为+0.23,与简单的相关系数接近,也在1%水平上显著。而多子女与教育的偏相关系数仅为+0.04,且在1%水平上不显著(Whelpton and Kiser, 1951, Vol.3)。固定教育水平,对多子女与收入的关系的影响几乎没有。

㉓ 参见 Freedom, Goldberg 和 Sharp(1954, pp.187—197)。一个更早的关于

美国家庭的平均理想规模的调查显示，理想规模与人均年收入有负向关系。但是，理想规模应该与被调查者的假设收入关联，而非其实际收入关联，但是这样的操作也无法实现。R.G. Potter(1956, pp.251—270)批评了这两个调查，因为调查结果趋于显示比实际规模更大的理想规模。也没有可能确定是否这一偏差系统地与收入相关。

㉔ 参见 Edin 和 Hutchinson(1935)。

㉕ 参见 H.D. Lamson(1933, pp.308—321)。在有限的避孕知识条件下，对社会更低阶层和更高阶层而言，禁欲都是一个主要的控制人口出生率的形式。

㉖ 参见 Huntington 和 Whitney(1927, ch.xv)。尽管他们并未清晰地定义“成功”的概念，但在一种职业中收入是排名的重要因素，而在职业排名中，收入相对不那么重要。

㉗ 这是 Thomas Juster 消费者购买问题的一部分，很感谢他提供数据给我。

㉘ V.L. Galbraith and D.S. Thomas, "Birth Rates and the Interwar Business Cycles," and D. Kirk, "The Relation of Employment Levels to Births in Germany," both in *Demographic Analysis*, J.J. Spengler and O.D. Duncan, eds., Free Press, Glencoe, 1956.

㉙ 假设美国白人家庭的避孕知识的分布与印第安纳波利斯调查中的家庭的避孕知识的分布是一样的，我们就可以获得计划的家庭的出生率的期望变化的估计值，即对于计划的家庭而言，出生率的实际变动等于预期变动，而其他家庭的出生率的实际变动则为零。因此，预期变动等于实际变动(一般约为产出变动的42%)除以所有计划家庭的出生率(31%)，或者约为产出的136%。此为耐用消费品变动的一半。

㉚ 贷款条件与住房需求的周期性变动之间的关系，参见 J. Guttentag(1958)。

㉛ 引自我未发表的文章“Child Mortality, Fertility and Population Growth”。

㉜ 参见 Stigler(1950, Appendix B)。

㉝ 这一分析带来对英国1870—1880年出生率急剧下降是源于避孕教育的开展这一说法的怀疑。上流阶层的出生率下降最多，但其是受立法影响最小的。

㉞ 经济学家和人口学家都发现，战时对人口储备的影响对战后人口物流有重要作用。

㉟ 参见 Theil，同上；Prais 和 Houthhakker(1955)。对家庭规模的衡量不仅只包含父母与子女的核心关系，还包含生活在同一个家庭中其他关系的成员。我的讨论一般只涉及核心关系；对“其他关系”需要一些不同的讨论。

㊱ Prais 和 Houthhakker 相信，家庭规模取决于非经济因素，他们写道“可能可以这么认为，由于家庭规模，在某种程度上，是一个非经济因素……”(同上，p.88。)

# 10

# 数量与质量之间的关系*

长期以来，在人类生育力问题上，研究者们意识到某个家庭生育的子女数量与这些子女公认的“质量”之间存在某种特殊关系，人们只要注意一下在截面分析数据和时间序列数据中经常观察到的每个家庭子女数量与质量之间的负相关关系就够了。有的学者（Becker，1960）10 多年前就强调了子女数量与质量之间相互作用对于理解生育力（生育数量）的重要性，我们高兴地注意到，这种相互作用为绝大多数文章所强调，尤其为迪特雷和威利斯的文章所强调。

某些经济学家认为，常见的子女数量与质量之间的负相关是家庭效用函数中父母的消费或生活水平与他们子女的消费或生活水平之间较低的替代弹性造成的（Duesenberry 1960；Willis，1969）。迪特雷的分析尽管有所不同，但做了同样的关于效用函数和家庭生产中数量与质量的替代方面的特殊假定。

在这里，我们试图说明，即使不作这样一个假设——即认

---

* 重印自 the *Journal of Political Economy* 81，no. 2，part 2（March/April 1973）；S279—S288. H. Gregg Lewis 与我合作写的文章。

为在效用函数或家庭生产中，和任选的两种商品之间的关系相比，数量和质量更密切地相联系——我们还是能对数量和质量之间相互作用的数据及数量和质量自身的数据达成深刻的理解。继起的“分析”不是尽善尽美的，其主要原因在于，只是近些时候我们才发展了这方面的分析。

我们分析的中心是，相对于数量的子女的影子价格（即，假定质量不变，增加一个子女的成本）愈高，子女的质量就愈高，类似地，相对于子女质量的影子价格（即，假定数量不变，质量增加一单位的成本）愈高，子女的数量就愈多。而且，还可以说，家庭消费的其他商品也具有这样的性质，然而，为了简化本文的分析，我们只对子女做数量—质量的区分。为了说明推理过程，特规定下面的简化的效用函数：

$$U = U(n,\ q,\ y) \tag{1}$$

这里，$n$ 表示子女数量，$q$ 表示子女质量（假定所有子女的质量相同），$y$ 表示所有其他商品的消费比率。从下面的简单的预算限制着手分析

$$I = nq\pi + y\pi_y \tag{2}$$

这里，$I$ 表示充分收入，$\pi$ 表示 $nq$ 的价格，$\pi_y$表示 $y$ 的价格，对于构成 $\pi$ 的基础的效用函数或家庭生产函数中的 $n$，$q$，$y$ 之间的替代弹性我们不做任何特别假定。

使受预算限制的效用函数极大化的一阶条件是：

$$MU_n = \lambda q\pi = \lambda p_n;\ MU_q = \lambda n\pi = \lambda p_q;$$
$$MU_y = \lambda\pi_y = \lambda p_y \tag{3}$$

这里，$MU$ 表示边际效用，$p$ 表示边际成本或影子价格，$\lambda$ 表示货币收入的边际效用，这里的关键在于，相对于数量的子女的影子价格（$p_q$）与子女质量 $q$ 正相关，相对于子女质量的影子价格与子女数量 $n$ 正相关；经济意义上的解释是，如果存在较多的子女，那么，由于质量的增加分散于更多的单位，所以这部分增加就变得更为昂贵；类似地，如果子女的质量较高，那么，由于较高质量的子女需要更多的花费，所以数量的增加也更为昂贵。

从关于数量与质量的几处文献中（Houthakker，1952；Theil，1952；Becker，1960；及 Willis 在本卷中的文章）可以找到均衡条件（3）式及其二阶条

件，但对数量与质量而言的收入效应与价格效应的许多重要含义显然尚待探讨。

## 收入效应

令子女数量($n$)与质量($q$)及其他所有商品($y$)的需求的“实际”收入弹性分别为 $\eta_n$、$\eta_q$及 $\eta_y$。这些弹性可以在 $n$、$q$ 和 $y$ 的“价格”保持不变的条件下通过改变“收入”这一常用方法得到。为此目的，利用影子价格(边际成本)$p_n$、$p_q$及 $p_y$是适当的，在均衡位置其比率〔见(3)式〕等于效用函数中的边际替代率。适当的收入概念是按这些影子价格计算的用于 $n$、$q$ 及 $y$ 的总“支出”；就是说，为此目的，收入的正确的计量是

$$R = np_n + qp_q + yp_y = I + nq\pi。 \tag{4}$$

实际收入弹性的平均值为 1，这是众所周知的，亦即：

$$1 = \frac{np_n}{R}\eta_n + \frac{qp_q}{R}\eta_q + \frac{yp_y}{R}\eta_y。 \tag{5}$$

然而，考虑到 $\bar{\eta}_n$、$\bar{\eta}_q$及 $\bar{\eta}_y$表示的“观察”到的收入弹性，当 $\pi$ 和 $\pi_y$保持不变时，通过改变 $I$ 可以获得这些弹性。考虑(2)式的预算限制和(3)式中 $p$ 的定义，可直接得到，观察到的收入弹性的简单加权平均数为 $I/R = I/(I+nq\pi)$，它小于 1，亦即

$$1 > \frac{I}{R} = \frac{I}{I + nq\pi} = \frac{np_n}{R}\bar{\eta}_q + \frac{qp_q}{R}\bar{\eta}_q + \frac{yp_y}{R}\bar{\eta}_y。 \tag{6}$$

也就是说，一般而言，在比例 $I/R$ 中，观察到的弹性小于实际弹性。对这种向下的偏差的经济意义上的解释很简单。保持 $\pi$ 不变而非 $p$ 不变，那么，$I$ 增加的直接效应一般是增加 $n$、$q$ 及 $y$，然而，$n$ 与 $q$ 的增加引起影子价格 $p_n$ 与 $p_q$上升，因此，由于可以被 $p$ 的指数压小的缘故，实际收入的增加百分比低于货币收入 $I$ 的增加百分比。

这种货币收入增加的价格效应有些类似于工资率的上升造成的货币收入增加所产生的价格效应。用比例表示，这种增加在实际收入方面低于货

币收入方面，这是因为，时间价值的增加提高了家庭中的商品生产成本（Becker，1965）。①

不妨假定，相对于质量的实际收入弹性（$\eta_q$）远远大于相对于数量的实际收入弹性。由于观察到的弹性存在向下的偏差和对价格的影响，所以，即使实际弹性（$\eta_n$）非负，观察到的数量弹性也可能为负。为了简便起见，假定 $\eta_n=0$；令收入 $I$ 增加而 $\pi$ 和 $\pi_y$ 保持不变，$I$ 增加的直接效应是 $q$（和 $y$）增加而使 $n$ 保持不变，但这时相对于数量的影子价格（$p_n=q\pi$）将上升而质量的影子价格（$p_q=n\pi$）与 $y$ 的影子价格（$p_y=\pi_y$）保持不变，这将引起 $q$ 与 $y$ 对 $n$ 的替代，因而 $n$ 将减少。

更一般地说，当效用函数和预算限制由上面（1）式和（2）式给定时，数量与质量的观察到的收入弹性与下面的相应的实际弹性相关②：

$$\frac{D\bar{\eta}_n}{1-k}=(1-k\delta_{nq})\eta_n-(1-k)\bar{\delta}_n\eta_q$$

$$\frac{D\bar{\eta}_q}{1-k}=(1-k\delta_{nq})\eta_q-(1-k)\delta_q\eta_n \tag{7}$$

这里

$$\begin{cases} k\equiv\dfrac{nq\pi}{R} \\ (1-k)\bar{\delta}_n=k\delta_{nq}+(1-2k)\delta_{ny} \\ (1-k)\bar{\delta}_q=k\delta_{nq}+(1-2k)\delta_{qy} \\ D\equiv(1-k\delta_{nq})^2-(1-k)^2\bar{\delta}_n\bar{\delta}_q \end{cases} \tag{8}$$

$\delta$ 表示为人熟悉的效用函数的艾伦部分替代弹性；$\bar{\delta}$ 表示 $\delta$ 的平均值，它们必定为正；由二阶条件，$D$ 与（$1-k\delta_{nq}$）为正。（7）式证实，即使当实际数量弹性（$\eta_n$）为正时，观察到的数量弹性也可能为负，而且，如果像我们假定的那样，$\eta_q>\eta_n$，那么，除非 $q$ 对 $y$ 的替代大大优于 $n$ 对 $y$ 的替代，否则，$\bar{\eta}_q>\bar{\eta}_n$，这是因为，由（7）式和（8）式有

$$\frac{D}{1-k}(\bar{\eta}_q-\bar{\eta}_n)=\eta_q-\eta_n+(1-2k)(\delta_{ny}\eta_q-\delta_{qy}\eta_n) \tag{9}$$

而且，$\bar{\eta}_q$大于 $\bar{\eta}_n$的程度可能超过 $\eta_q$大于 $\eta_n$的程度，就是说，$\bar{\eta}_q$的向下的偏

差可能低于 $\bar{\eta}_n$ 的向下的偏差。当 $\delta_{nq}=\delta_{ny}=\delta_{qy}=\delta$ 时，这种情况显而易见。于是，取值为正的 $D$ 等于 $(1-\delta)[1-\delta(1-2k)]$ 且 $\bar{\eta}_q-\bar{\eta}_n=(1-k)(\eta_q-\eta_n)/(1-\delta)$，因而，如果 $\delta>k$，那么，$\bar{\eta}_q-\bar{\eta}_n>\eta_q-\eta_n$。实际上，通过假定 $\eta_n=0$ 和 $\delta_{nq}=\delta_{ny}=\delta_{qy}=\delta$，由(7)式与(8)式或许可以看到，$\bar{\eta}_q$ 甚至可能超过 $\eta_q$。于是

$$\bar{\eta}_q=(1-k)(1-k\delta)\eta_q/(1-\delta)[1+\delta(1-2k)]$$

假使 $k=\frac{1}{3}$，$\delta=\frac{3}{4}$，那么 $\bar{\eta}_q$ 将大于 $\eta_q$。

即使 $\eta_n$ 为常数，由于 $\bar{\eta}_n$ 不仅取决于 $\eta_n$，而且取决于替代弹性和货币收入 $I$〔$nq\pi/I=k/(1-k)$〕中的 $nq\pi$ 的份额，所以 $\bar{\eta}_n$ 未必也是常数。例如，如果 $\eta_q$ 随收入 $I$ 上升而下降——不妨这样假定，那么，$\bar{\eta}_n$ 将倾向于随收入上升，即使 $\eta_n$ 为常数时也上升，而且，当然，$\eta_n$ 可能随收入而增加，造成 $\bar{\eta}_n$ 的增加。实际上，收入水平较低则 $\bar{\eta}_n$ 可以为负，收入水平较高则 $\bar{\eta}_n$ 为可以正，在一些生育力数据中可以看到这种变化类型。③

## 价格效应

在分析价格效应之前，我们对(2)式的预算限制稍加推广，形如：

$$I=n\pi_n+nq\pi+q\pi_q+yp_y \tag{10}$$

因而影子价格或边际成本现在为

$$p_n=\pi_n+q\pi;\ p_q=\pi_q+n\pi;\ p_y=\pi_y \tag{11}$$

$n$ 与 $q$ 的这些影子价格均包含一个“固定”成分；$p_n$ 中的 $\pi_n$，$p_q$ 中的 $\pi_q$。子女成本中的成分 $n\pi_n$ 由依赖于数量而非质量的成本构成。例如，一个恰当的例子是避孕费用和怀孕费用(如产妇护理费)；类似地，成分 $q\pi_q$ 取决于质量而非数量，因而具有“公共产品”的特征，或者更确切地说是“家庭产品”，恰当的例子是家庭培训的某些方面以及某些衣服的“世代相传”。我们假定，固定成分对数量的重要性大于对质量的重要性，亦即，$n\pi_n>q\pi_q$。

(一) 首先考虑譬如由于外在的避孕技术的改进引起的 $\pi_n$ 的增加的净替

代效应。由于这种增加将会提高既相对于质量的影子价格($p_q$)又相对于 $y$ 的影子价格($p_y$)的数量的影子价格($p_n$),所以,$n$ 会减少;但数量上的下降会降低质量的影子价格($p_q=\pi_q+n\pi$),这会导致有利于质量的替代;结果,不仅是数量将会下降,而且质量将会有相对较大的提高——即相对于其他商品而言——而并不需要假定数量与质量的替代优于任何其他随机选择的两种商品的替代。假使因某种因素譬如父母教育程度的提高而使 $\pi_q$ 下降,那么,结果也是一样。$p_q$ 的下降导致质量的提高,这反过来导致数量的影子价格($p_n=\pi_n+q\pi$)的上升,因而导致数量的相对较大的下降。

所以,迪特雷发现,母亲教育程度的提高对子女的质量有显著的正面影响,对子女的数量有显著的反面影响;生育控制知识上的重要进步不仅可以显著减少子女数量,而且可以显著提高子女质量,这两项发现同前面所做的分析是一致的。由于质量的影子价格依赖于数量,数量的影子价格依赖于质量,所以数量与质量密切相关。我们重申,无须专门假定家庭生产或消费中的替代关系我们就能获得数量与质量之间的特殊关系。

(二)现在考虑假使工资率的上升引起的 $\pi_n$、$\pi_q$ 及 $\pi$ 的同等百分比增加的净替代效应。考虑极端的形式,假定 $\pi_q=0$ 和 $\pi_n>0$。相对于 $\pi_y=p_y$ 的 $\pi_n$、$\pi_q$ 及 $\pi$ 的同等增加可以简单地视为 $\pi_y=p_y$ 的相对减少。如果 $n$、$q$ 是 $y$ 的不相上下的替代品,那么,$p_y$ 的下降起初会导致 $n$、$q$ 的同等百分比的下降,然而,由于,$n$ 和 $q$ 的同等百分比的下降会使 $p_q$ 的减少大于使 $p_n$ 的减少,所以 $n$ 将相对于 $q$ 减少。因此,相对于 $\pi_n$、$\pi_q$ 及 $\pi$ 的同等百分比变化的数量的补偿性收入弹性从数值上讲大于相对的质量的弹性。迪特雷发现,妇女工资率的上升会使子女数量的下降百分比远远超过子女质量的变化的百分比。

当然,对其他商品来说,如果数量的替代优于质量的替代——在我看来这是一项合理而又特殊的假定,那么,这种差异将会加剧。因为这时 $p_y$ 的下降直接导致相对于 $q$ 的 $n$ 的下降,这会加速相对于 $p_n$ 的 $p_q$ 的下降。

因此,我们认为,观察到的数量的价格弹性超过质量的价格弹性,这同我们对观察到的收入弹性的认识刚好相反。[4] 价格弹性与收入弹性的数量——质量排序的相反关系不仅在某种程度上令人感到意外,而且对于迪特雷及其他研究者的发现提供了一致的解释。

当然，我们的绝大部分分析不仅适用于子女数量与质量的相互作用，而且适用于汽车、住房、食物、茶叶、教育、出版物以及许许多多的其他商品的数量与质量之间的相互作用。数量与质量的观察到的价格与收入弹性在可预见的方向上不同于“实际”弹性。从本文的观点出发全面地分析与重新考察所有产品的数量与质量之间的相互作用不无裨益。

## 数学附录

具体描述的预算约束的(2)式和(10)式并非 $n$ 和 $q$ 的线性函数。正是由于这种非线性，才导致本文所讨论的“质量与数量间的互相作用”。

可以用直接的、流行的对预算约束及其一阶条件求微分的方法推导子女数量($n$)和子女质量($q$)的需求函数的弹性。由于预算约束的非线性，若采用直接推导方法计算弹性，很容易错失隐含于效用函数之中的收入弹性和替代弹性。因此，我们采用一种间接的方法，即利用需求理论中很常见的命题推导相关弹性。

首先，我们在(10)式给出的曲线预算基础上两边加 $nq\pi$ 使其变为平面：

$$I + nq\pi = n(\pi_n + q\pi) + q(\pi_q + n\pi) + y\pi_y \tag{A1}$$

$$R = np_n + qp_q + yp_y \tag{A2}$$

其中，

$$R = I + nq\pi = I/(1-k);\ k \equiv nq\pi/R \tag{A3}$$

根据预算约束中的非线性项 $nq\pi$ 区分两个收入项 $R$ 和 $I$。

定义

$$k_i \equiv \frac{ip_i}{R},\ i = n,\ q,\ y;\ k_n + k_q + k_y = 1 \tag{A4}$$

知道真实收入弹性($\eta_n$, $\eta_q$, $\eta_y$)必须满足以下关系：

$$1 = k_n\eta_n + k_q\eta_q + k_y\eta_y \tag{A5}$$

当 $\pi$ 固定不变时，观察到的全部收入 $I$ 变化时的收入弹性($\bar{\eta}_n$, $\bar{\eta}_q$, $\bar{\eta}_y$)必须

满足以下关系：

$$1-k=-\frac{I}{R}=k_q\bar{\eta}_n+k_q\bar{\eta}_q+k_y\bar{\eta}_y \tag{A6}$$

当 $\pi$ 固定不变时，求预算约束(10)对 $I$ 的对数微分，并利用(A3)式和(A4)式，可以证明(A6)式。因此，平均来讲，观察到的弹性小于真实弹性，用比率表示成 $1-k=I/R$。

定义两个家庭的价格指数 $\bar{\pi}$ 和 $\bar{p}$，用下述微分形式表示

$$E\bar{\pi}\equiv\frac{y\pi_y}{I}E\pi_y+\frac{n\pi_n}{I}E\pi_n+\frac{q\pi_q}{I}E\pi_q+\frac{nq\pi}{I}E\pi$$

$$=\frac{1}{1-k}[k_yE\pi_y+(k_n-k)E\pi_n+(k_q-k)E\pi_q+kE\pi] \tag{A7}$$

$$E\bar{p}\equiv k_yEp_y+k_nEp_n+k_qEp_q \tag{A8}$$

其中，$E$ 表示自然对数差分算符 dln。

因为 $p_y=\pi_y$，$p_n=\pi_n+q\pi$，和 $p_q=\pi_q+\eta_\pi$，有

$$Ep_y=E\pi_y;\ Ep_n=\frac{(k_n-k)E\pi_n+k(E\pi+Eq)}{k_n};$$

$$Ep_q=\frac{(k_q-k)E\pi_q+k(E\pi+En)}{k_q} \tag{A9}$$

将(A9)式代入(A8)式，再利用(A7)式得到

$$E\bar{p}=(1-k)E\bar{\pi}+kEnq\pi \tag{A10}$$

现在，对(A3)式求对数微分，有

$$ER=(1-k)EI+kEnq\pi \tag{A11}$$

(A11)式减去(A10)式：

$$E(R/\bar{p})=(1-k)E(I/\bar{\pi}) \tag{A12}$$

当 $I$ 增加时，固定 $\pi$，实际收入 $R/\bar{p}$ 以较小的比率 $1-k=I/R$ 增加。这就是观察到的收入弹性较真实收入弹性偏低的经济学基础。

现在转向观察到的收入和替代弹性的微分分析。我们利用常见的命题

$$\begin{cases} En = \eta_n E(R/\bar{p}) + k_y\sigma_{ny}Ep_y - (1-k_n)\bar{\sigma}_n Ep_n + k_q\sigma_{nq}Ep_q \\ Eq = \eta_q E(R/\bar{p}) + k_y\sigma_{qy}Ep_y + k_n\sigma_{nq}Ep_n - (1-k_q)\bar{\sigma}_q Ep_q \\ (1-k_n)\bar{\sigma}_n \equiv k_y\sigma_{ny} + k_q\sigma_{nq};\ (1-k_q)\bar{\sigma}_q \equiv k_y\sigma_{qy} + k_n\sigma_{nq} \end{cases} \quad (A13)$$

其中，$\sigma$，$s$ 为效用函数的艾伦偏替代弹性。注意到，$\bar{\sigma}_n$ 表示 $n$ 对 $y$ 的平均替代弹性，$\bar{\sigma}_q$ 表示 $q$ 对 $n$ 和 $y$ 的平均替代弹性。

首先，在 $\pi$ 固定时变动 $I$，导出观察到的收入弹性 $\bar{\eta}_n$ 和 $\bar{\eta}_q$。由于 $\pi$ 固定，通过(A9)和(A12)式，可得

$$Ep_y = 0;\ Ep_n = \frac{kEq}{k_n},\ Ep_q = \frac{kEn}{k_q};\ E(R/\bar{p}) = (1-k)EI \quad (A14)$$

将代入(A13)式，整理后得

$$\begin{cases} (1-k\sigma_{nq})\bar{\eta}_n + \dfrac{k(1-k_n)\bar{\sigma}_n}{k_n}\bar{\eta}_q = (1-k)\eta_n \\ \dfrac{k(1-k_q)\bar{\sigma}_q}{k_q}\bar{\eta}_n + (1-k\sigma_{nq})\bar{\eta}_q = (1-k)\eta_q \end{cases} \quad (A15)$$

解这两个方程

$$\begin{cases} \dfrac{D\bar{\eta}_n}{1-k} = (1-k\sigma_{nq})\eta_n - \dfrac{k(1-k_n)\bar{\sigma}_n}{k_n}\eta_q \\ \dfrac{D\bar{\eta}_q}{1-k} = (1-k\sigma_{nq})\eta_q - \dfrac{k(1-k_q)\bar{\sigma}_q}{k_q}\eta_n \\ D \equiv (1-k\sigma_{nq})^2 - \dfrac{k^2(1-k_n)(1-k_q)\bar{\sigma}_n\bar{\sigma}_q}{k_n k_q} \end{cases} \quad (A16)$$

其中，根据二阶条件，$D$ 和$(1-k\sigma_{nq})$必须为正。

对于收入效应，我们利用更简单的预算约束(2)而非(10)，因此，假设 $k_n=k_\alpha=k$；当 $k_n=k_\alpha=k$；(7)式和(8)式就是(A16)式。当预算约束为(10)时，唯一需要认证的命题就是，$\bar{\eta}_q-\bar{\eta}_n$ 与 $\eta_q-\eta_n$ 符号相同，除非 $\sigma_{qy}$ 远大于 $\sigma_{ny}$。在(A16)式中，令 $\sigma_{ny}=\sigma_{qy}=\sigma_{nq}=\sigma$。因此有

$$\frac{D(\bar{\eta}_q-\bar{\eta}_n)}{1-k} = (1-2k\sigma)(\eta_q-\eta_n) + \frac{k\sigma}{k_n k_q}(k_q\eta_q - k_n\eta_n) \quad (A17)$$

其中，二阶条件要求$(1-2k\sigma)$必须为正。在价格效应部分中，假设 $k_n-k_q=$

$n\pi_n - q\pi_q/R$ 为正。但是当 $\eta_q/\eta_n$ 足够小于 $k_n/k_\alpha$ 时，$\bar{\eta}_\alpha - \bar{\eta}_n$ 与 $\eta_q - \eta_n$ 的符号相反。我们已经认证并注释该命题(参见注释 4)。

再来分析对 $\pi$ 的质量和数量的补偿收入弹性，与收入弹性的推导方式类似。首先考虑对 $\pi_n$ 和 $\pi_q$ 的弹性：

$$\begin{cases} D\bar{\eta}_{i\pi_i}^{(8)} = -\dfrac{(k_i - k)(1-k_i)\bar{\sigma}_i}{k_i},\ i = n,\ q, \\ D\bar{\eta}_{i\pi_j}^{(8)} = (k_j - k)\left[\sigma_{nq}(1-k\sigma_{nq}) + \dfrac{k(1-k_i)(1-k_j)\bar{\sigma}_i\bar{\sigma}_j}{k_ik_j}\right],\ i \neq j = n,\ q \end{cases} \tag{A18}$$

当 $\sigma_{ny} = \sigma_{qy} = \sigma_{nq} = \sigma$ 时，以上各式可简化为：

$$\begin{cases} D\bar{\eta}_{i\pi_i}^{(8)} = -\dfrac{(k_i - k)(1-k_i)\sigma}{k_i},\ i = n,\ q, \\ D\bar{\eta}_{i\pi_i}^{(8)} = \dfrac{(k_j - k)^\sigma}{k_ik_j}(k_ik_j + kk_y\sigma),\ i \neq j = n,\ q, \\ D = (1-2k\sigma) - \dfrac{k_y(k\sigma)^2}{k_nk_q} \end{cases} \tag{A19}$$

观察到的“自身价格”弹性 $\bar{\eta}_{n\pi_n}^{(8)}$ 和 $\bar{\eta}_{q\pi_q}^{(8)}$ 是负的，即使假设 $\sigma_{ny} = \sigma_{qy} = \sigma_{nq} = \sigma$ 及 $k_n - k_q > 0$，$|\bar{\eta}_{n\pi_n}^{(8)}| - |\bar{\eta}_{q\pi_q}^{(8)}|$ 的符号也是不明确的。但是，当 $\pi_q$ 小于 $p_q$ 时，$|\bar{\eta}_{q\pi_n}^{(8)}|$ 将超过 $|\bar{\eta}_{q\pi_q}^{(8)}|$。当 $\sigma_{nq} > 0$ 时，观察到的交叉弹性 $\bar{\eta}_{n\pi_q}^{(8)}$ 和 $\bar{\eta}_{q\pi_n}^{(8)}$ 为正，且当 $k_n > k_q$ 时，$\bar{\eta}_{q\pi_n}^{(8)}$ 将超过 $\bar{\eta}_{q\pi_q}^{(8)}$。交叉偏微分等于：

$$\frac{\partial n}{\partial \pi_q} = \frac{\partial q}{\partial \pi_n} = \frac{nq}{R}\left[\sigma_{nq}(1-k\sigma_{nq}) + \frac{k(1-k_n)(1-k_q)\bar{\sigma}_n\bar{\sigma}_q}{k_nk_q}\right] \tag{A20}$$

其中微分项就是补偿收入。

观察到的 $\pi_y = p_y$ 时的弹性为

$$\frac{D\bar{\eta}_{i\pi_y}}{k_y} = \sigma_{iy}(1-k\sigma_{nq}) - \sigma_{jy}k(k_j\sigma_{nq} + k_y\sigma_{iy})/k_i,\ i \neq j = n,\ q \tag{A21}$$

由此可得

$$\begin{cases}\dfrac{D}{k_y}(\bar{\eta}^{(8)}_{n\pi_y}-\bar{\eta}^{(8)}_{q\pi_y})=(\sigma_{ny}-\sigma_{qy})(1-k\sigma_{nq}) \\ \qquad\qquad +\dfrac{k\sigma_{nq}}{k_nk_q}(k_n^2\sigma_{ny}-k_q^2\sigma_{qy})+\dfrac{kk_y\sigma_{ny}\sigma_{qy}}{k_nk_q}(k_n-k_q)\end{cases} \tag{A22}$$

因此，当$\sigma$，$s$相等，且$k_n>k_q$时，质量弹性($\bar{\eta}^{(8)}_{n\pi_y}$)超过数量弹性($\bar{\eta}^{(8)}_{q\pi_y}$)；当$\sigma_{ny}>\sigma_{qy}$时，两者的差距会增大。

观察到的$\pi_n$，$\pi_q$和$\pi$的等幅变动的弹性就是$\pi_y$的弹性，只是符号发生变化。因此，$n$和$q$的需求函数是$I$和$\pi$，$s$的零次齐次函数，它们正是影子收入($R$)和影子价格($p$，$s$)的函数。

## 注 释

① 这一价格效应确实为Becker(1960)提出的观点提供了修正，其他有些人认为，富裕家庭和贫穷家庭的子女价格是一样的(不考虑时间成本的讨论)，但富裕家庭仍选择价格更贵的子女，正是如此，与数量相关的子女价格对富裕家庭来说会更高。类似的，相关的汽车、住房及其他商品的价格对富裕家庭来说也会更高，因为其选择了更贵的品种。

② 参见数学附录。

③ 参见Willis(1973)对此的讨论和扩展。

④ 来源于预算约束(2)式的收入弹性的结论，在更一般的预算约束(10)式下有一点调整，因为质量的影子价格对任意给定百分比的价格变化的敏感程度不及质量的价格对数量变化的敏感程度。可以想象，$\bar{\eta}_n$要大于$\bar{\eta}_q$，同时$\eta_n<\eta_q$，但我们觉得这不大可能，因为$\eta_q$比$\eta_n$大得多。

# 11

# 婚姻理论*

## 一

### 引论

近些年来，经济学家运用经济理论很有魄力地解释货币和市场领域以外的人类行为，非经济学家纷纷效法这种做法，由此，种族歧视、生育力、政治、犯罪、教育、统计决策、对立情境、劳动参与、“闲暇”时间的使用以及其他许多方面的行为得到了出色的说明，实际上，经济分析正在为所有人类行为的解释提供一种统一的框架，这些行为包括涉及稀缺资源的行为、市场行为与非市场行为、货币行为与非货币行为、群聚现象与竞争行为等等。

然而，虽然涉及稀缺资源，虽然在每个有文字记载的社会中几乎所有成年人都在以某种形式进行着实践，但是有一类行为尚未纳入经济学家的分析范畴[①]，这就是婚姻。婚姻类

---

* 重印自 *Economics of the Family: Marriage, Children, and Human Capital*, edited by Theodore W. Schultz (University of Chicago Press, 1975). © 1975 by The University of Chicago。早期的版本发表在 the *Journal of Political Economy* 81, no.4 (July/August 1973), and 82, no.2 (March/April 1974), pt.2。

型的意义重大，如对于生育胎次、人口增长、妇女的劳动参与、收入不均及其他家庭因素影响深远，对于从时期上看不同特征的自然遗传选择以及闲暇和其他家庭资源的分配举足轻重，因此，经济学家对婚姻问题的忽略或者属于严重的失察，或者表明传统经济分析的局限。

本文认为，在现代经济学提供的框架内，各种人类行为都可以得到满意的说明，婚姻也不例外，如果能够成功地解释婚姻行为，那么，这种成功就可以确凿无疑地表明，经济分析是最有说服力的分析工具。

本章分析的核心由两个简单原理构成。第一个原理是，鉴于婚姻几乎总是出自意愿，或者由婚姻当事人决策，或者由他们的父母决定，所以，偏好理论完全可以适用于此，可以假定婚姻当事人（或者他们的家长）试图提高他们的效用水平，使结婚的效用高于独身时的效用；第二个原理是，鉴于男性与女性在寻找配偶的过程中存在竞争，所以，可以假定婚姻市场的存在。在市场环境的限制下，每个人都试图寻找最佳的配偶。

运用这两个原理可以轻易地解释绝大多数成年人的婚姻，解释为什么在显然不同的环境中人们却相似地注重财富、教育程度及其他一些特征以选择配偶。然而，各个社会中的婚姻形式各不相同，而且随时期而出现种种变化，这使任何一个单一的理论受到挑战。在某些社会，离婚比较普遍，在另一些社会，从道德上说离婚是不能接受的。最近 50 年来，西方国家的离婚率显著上升。为了应付法律上离婚的困难，某些社会出现了推迟结婚的现象，另外一些社会则发展起比较灵活的“意合婚”、“习惯结婚”或“试婚制”。在许多地方，新娘要陪带嫁妆，在另一些地方，新郎则要为新娘支付巨额款项，还有一些地方，有情人为了“爱情”彼此结合，他们鄙视任何金钱交易；在一些地方，新婚夫妇通常另居一处，而在另一些地方，他们则与父母共同生活。

虽然当今的理论界尚未建立一套能够充分说明各种文化和各个时期婚姻类型上的相似与差异的理论，但是，经济分析最适于承担这项任务，这种分析具有明显的优势。② 希望本文的研究能够起到抛砖引玉的作用，从而把经济分析推广到未曾涉足的研究领域。

这一部分第二节的内容用于考察与恪守独身比较，男女结合的婚姻收益的决定因素。婚姻收益被认为同他们的时间、产品以及家庭生产中使用的其他投入要素的“兼容性”或“互补性”有关。

这一部分的第三节将要考虑一组男女如何根据市场与非市场特征进行组合。积极的分类配对(positive assortive mating)——夫妇两人具有的特征的价值之间存在正相关——一般来说是最优的,而根据男女的谋生能力进行的组合是一种主要的例外,因为在这里,两种能力价值之间存在着负相关。实际上,积极的分类配对极为普遍,这种配对适用于智商、教育程度、身高、魅力、肤色、民族血统及其他特征方面。

这一部分的第 4 节考察家庭的总产出如何在夫妇之间进行分配,这种分配一般不是固定的,比方说,可以是一半对一半,或者按照某种机械的方式予以确定,但这种分配会随不同类型配偶的供给与需求的变化而改变。

第二部分的内容是前一部分所做的相对简单的分析的扩展与改进;它给出了“关心”的定义,分析了“关心”对于最优组合及婚姻收益的影响;考察了产生一夫多妻制婚姻的决定因素。在去掉潜在配偶特征已知这一假设后,分析了“寻找”配偶、推迟结婚、试婚和离婚等情况。离婚、婚姻持续期与婚姻期间做出的以子女、财产以及其他方式的特殊投资有关。此外,本文还简要分析了不同婚姻类型对生育力、遗传的自然选择以及家庭收入和住房环境方面的意义。

### 婚姻收益

这一节考虑两个人——$M$ 与 $F$ 的情况。$M$ 与 $F$ 需要做出决定:是彼此结合还是恪守独身。这里不妨暂且认为,所谓“婚姻”对他们来说仅仅意味着共有一个家庭。我们假定,当,且仅当 $M$ 与 $F$ 的境况都能有所改善——即两者的效用均有所增加时,他们才会彼此结婚。③

鉴于家庭行为理论的最新发展,这里可以假定,效用并不直接取决于购自市场的产品与劳务,而是直接取决于每个家庭“生产”的商品。④这些家庭商品的生产在一定程度上使用市场产品与劳务,在一定程度上使用家庭内部不同成员的自身时间,此时此刻,最重要的是,尽管商品可以在同一家庭内部成员之间进行转移,但不能上市或在不同家庭之间进行转移。

家庭生产的商品的范围很广,包括膳食的质量、一定数量与质量的子女、声望、娱乐、情义、爱情、健康等等,而且,这些商品的生产与消费和普遍商品有所不同：它们涉及更为广泛的人类活动和目标。假定所有这些商品可以进行单一累加，用 $Z$ 表示，判别具有固定权数的累加可行性的充分条件是所有商品的规模收益保持不变，按相同比例使用要素，以同一方式承受教育等生产力增大变量的影响。通过使用固定不变的相对产品的价格作为权数，这些不同商品可以参照任何单一产品转换成它们的等价物。⑤而这些权数与商品的产出规模无关，与产品的价格和家庭不同成员的自身时间无关，与生产力水平无关。

所以，效用最大化等价于每个人使其所得到的 $Z$ 的数量达到极大，此外，对 $Z$ 的产出与分配的突出强调并不预先假定效用可以转移、同一家庭不同成员具有相同的偏好函数，也没有关于偏好的其他特别假定。

每个家庭都有将 $Z$ 的总产出与不同投入联系起来的家庭生产函数：

$$Z = f(x_1, \cdots, x_m; t_1, \cdots, t_k; E) \tag{1}$$

这里，$x_i$ 表示不同的市场产品与劳务，$t_j$ 表示家庭不同成员的时间投入，$E$ 表示"环境"变量。对 $x_i$ 的预算限制可以写作

$$\sum^m p_i x_i = \sum^k W_j l_j + V \tag{2}$$

这里，$W_j$ 表示第 $j$ 个成员的工资率，$l_j$ 表示 $j$ 的市场工作时间，$V$ 表示财产收入，$l_j$ 与 $t_j$ 的关系可以通过下式的基本时间限制表示。

$$l_j + t_j = T\text{，对所有 } j \tag{3}$$

这里，$T$ 表示每一成员的时间总量。将(3)式代入(2)式，可以得到产品与时间的单一的"充分收入"限制

$$\sum^m p_i x_i + \sum^k w_j t_j = \sum^k w_j T + V = S \tag{4}$$

这里，$S$ 表示充分收入，如果 $w_j$ 为常数，那么它就是可以得到的最大货币收入。

假定 $Z$ 的家庭总产出的减少不会使家庭成员的境况改善而是使一些成员的境况恶化⑥，由此，每个成员在其时间与产出的分配中愿意进行合作以利于总产出 $Z$ 达到最大。使 $Z$ 达至最大的必要条件包括

$$\frac{MP_{ti} \equiv (\partial Z/\partial t_i)}{MP_{tj} \equiv (\partial Z/\partial t_j)} = \frac{W_i}{W_j}, \text{对所有 } 0 < t < T \tag{5}$$

如果第 $k$ 个成员的家庭时间等于 $T$，那么

$$\frac{MP_{tk}}{MP_{tj}} = \frac{\mu_k}{W_j} \tag{6}$$

这里，$\mu_k \geqslant W_k$ 是 $k$ 的时间的"影子"价格，而且

$$\frac{MP_{xi}}{MP_{tj}} = \frac{P_i}{W_j}, \text{对所有 } x_i > 0 \text{ 和 } 0 < t_j < T \tag{7}$$

每个成员必定合作，在市场与非市场领域以适当比例分配他的时间。

如果 $M$ 与 $F$ 结婚，那么可以认为，他们的家庭仅包括两项时间投入 $t_m$ 与 $t_f$，为简化起见，生活在同一家庭的子女以及其他成员的时间忽略不计。只要他们的婚姻关系继续维持，每人的时间就是 $T_m = T_f = 24$ 小时，每周的时间为 168 个小时，以此类推；条件(5)式至(7)式决定了 $M$ 与 $F$ 的时间在市场领域和非市场领域之间的分配。如果 $W_m > W_f$，而且，当 $t_f = t_m$ 时，如果 $MP_{tf} > MP_{tm}$，那么，$M$ 分配给市场领域的时间多于 $F$ 分配给市场领域的时间（$M$ 分配给非市场领域的时间少于 $F$ 分配给非市场领域的时间），实际上，如果 $W_m/W_f$ 或 $MP_{tf}/MP_{tm}$ 充分大，那么，$F$ 将完全局限于非市场领域（$l_f = 0$）。

独身家庭的分析完全可以视同已婚家庭的分析，只是当 $M$ 独身时，$T_f = 0$，当 $F$ 独身时，$T_m = 0$。独身家庭只在市场与非市场领域分配自己的时间以满足(7)式。由于独身者没有配偶所提供的时间与产品，所以独身家庭的时间分配一般不同于已婚家庭，这种差异部分地依赖于 $x_i$、$t_f$ 及 $t_m$ 的替代弹性，部分地依赖于市场工资率 $W_m$ 与 $W_f$ 之间的差异。例如，$W_m$ 超出 $W_f$ 的百分比愈大，独身的 $F$ 的工作量愈有可能多于已婚的 $F$ 的工作量，独身的 $M$ 的工作量愈有可能多于已婚的 $M$ 的工作量，事实上，独身妇女的工作量显然多于已婚妇女的工作量，独身男子的工作量显然少于已婚男子的工作量。⑦

如果 $Z_{m0}$ 和 $Z_{0f}$ 代表独身 $M$ 和独身 $F$ 的最大产出，而 $m_{mf}$ 和 $f_{mf}$ 为他们结婚后的收入，$M$ 和 $F$ 结婚的一个必要条件是：

$$m_{mf} \geqslant Z_{m0}$$
$$f_{mf} \geqslant Z_{0f} \tag{8}$$

如果婚姻带来的总收入 $m_{mf}+f_{mf}$ 等同于婚姻产出[⑧]，那么，结婚的一个必要条件是

$$m_{mf}+f_{mf} \equiv Z_{mf} \geqslant Z_{m0}+Z_{0f} \tag{9}$$

由于在所有社会中，绝大多数男女在 20 岁之后都结婚，因此一定存在着一些独立于时间和地点的基本原因使(9)式永远成立。这里有一个揭示这些原因的有用的分析框架。

男女彼此结合的原因显然可以解释为生儿育女的意愿及两性之间肉体与情感方面的相互吸引，子女的存在使已婚家庭区别于独身家庭或同性成员构成的家庭，即使是间接的存在也罢。除了自己的子女以外，性的满足和衣食住行等方面的其他劳务都可以花钱买到[⑨]：男人和女人必须自己生育自己的子女，或许还必须抚养他们。肉体与情感方面的称为“爱情”的情结也是婚姻的决定因素，而且，通过共有一个家庭，有情人还可以减少进行经常接触与资源转移[⑩]的成本。

共有家庭可以获得规模经济，但是，由于几个男性(或女性)通过同吃同住同样可以获得规模经济，所以，男女结婚的原因要在规模经济之外才能找到。

爱情和自有子女的重要性表明，即使在规模收益保持不变的情况下，$M$(此时表示男性)与 $F$(此时表示女性)依然能够取得婚姻收益，这是因为，$t_m$ 与 $t_f$ 彼此不能完全替代，也不能完全代替市场厂商或家庭提供的产品与劳务。当替代不充分时，独身者不能以较小规模生产已婚伴侣获得的投入的最优组合的等价物。

所以，独身的 $M$——小时 $t_f$ 的“影子”价格——这是 $M$ 愿意支付给 $t_f$ 的价格——会大于 $W_f$，独身的 $F$ 的 $t_m$ 之“影子”价格——这是 $F$ 愿意支付给 $t_m$ 的价格——会大于 $W_m$，实际上，由于 $M$ 能以 $W_f$ 购买 1 小时 $t_f$，$F$ 能以 $W_m$ 购买 1 小时 $t_m$，这两种价格是双方愿意支付的较低价格，所以，两人均能获得婚姻收益，当然，这也是已婚家庭使用的 $t_f$ 与 $t_m$ 大于 0 的原因。

对于婚姻收益的解释本文侧重 $M$ 与 $F$ 的互补性，互补收益可以通过假

定将 $Z$ 与 $t_m$、$t_f$ 及 $x$ 联系起来的生产函数具有柯布—道格拉斯形式而得到相当夸张的说明：

$$Z = kx^a t_m^b t_f^c \tag{10}$$

显然，$Z_{m0}=Z_{0f}=0$，这是因为，$t_m$ 与 $t_f$ 均为 $Z$ 的生产所需要（如果 $t_m=0$ 或 $t_f=0$，那么 $Z=0$），而 $Z_{mf}$ 可取任意值。其他函数不具备极端的“互补性”，并在某些要素不存在的时候容许低效率的正的产出。

某些社会学文献也提到，男女之间的互补性是婚姻收益的重要来源（Winch，1958，1967；Goode，1963），但“互补性”的含义相当模糊，缺乏明确的限定。根据那些分析生产中的互补性与替代性的内容充实的经济学文献，本文阐明了“互补性”如何决定婚姻收益。

一夫一妻是典型的婚姻形式，一夫多妻、一妻多夫或多夫多妻则不是典型的婚姻形式，以上分析是否也能对此做出解释？几个男性同娶一个女性会造成辨认生身父亲的困难，所以，仅仅自有子女的重要性便足以说明一妻多夫或多夫多妻的婚姻形式之所以不会普遍存在，由于一夫多妻的婚姻没有辨认生身父亲的困难，而生身母亲永远是确定的，所以，事实上，这种婚姻相对地普遍一些。然而，如果性别比大致为 1，那么势必出现一方是一夫多妻制的家庭，另一方是一定数量的独身家庭的情况。为了简化分析，假定所有男性之间不存在差异，所有女性之间也不存在差异，而且，根据合乎情理的假定，一夫一妻制的家庭从新增成员获得的“收益递减”，那么，从譬如两个男性的独身家庭和一个一夫三妻的家庭获得的总产出将低于三个一夫一妻的家庭的总产出。[⑪] 由于一夫一妻制是最有效率的婚姻形式，所以它获得了婚姻形式中的支配地位。当性别比出现很大差异时，当男性（或女性）在财富、能力或其他特征方面出现显著差异时，一夫多妻制的婚姻形式也会得到鼓励。[⑫]

本文的婚姻定义根据男女是否共有一个家庭，它有别于法律上的规定，在本文的分析中，婚姻包括“同居”和临时的结合，而并不包括法律意义上的分居。然而，需要指出，本文的分析不仅对于婚姻延续、离婚、依法再婚、“同居”或再婚、恪守独身等重大决策具有实际意义，而且对于合法的结合与其他形式的结合（Kogut，1972）之间的抉择也有实际意义（见第二部分）。

决定婚姻是否可取要考虑一定的成本,这包括法律手续上的费用、寻找配偶的成本等等,这些成本会减少婚姻收益。相对于成本的收益愈大,婚姻的净收益也就愈大,因而,结婚的人数就愈多。下面考察婚姻净收益的决定因素。

投入的互补性愈大,婚姻的收益就愈大。投入即为配偶的时间和市场产品。因为,在我看来,这些投入之所以具有互补性,在很大程度上是由于生养自己的儿女的愿望使然,所以,婚姻的重要性与子女的重要性呈现正相关,因此,不太看重子女或不大看重子女质量的人要么推迟结婚,要么提前中止婚姻,要么兼而有之。⑬

婚姻收益也取决于市场机会。通过使任一家庭的最大产出等于它的由生产单位产出的平均成本压小的充分收入,可以轻易地分析机会的变化效应。例如,在规模收益保持不变的情况下,两人均参与劳动的已婚家庭的产出可以写作

$$Z_{mf}=\frac{\text{充分收入}}{\text{平均生产成本}}\equiv\frac{S_{mf}}{C_{mf}(W_m,\ W_f,\ P)}=\frac{S_m+S_f}{C_{mf}} \tag{11}$$

这里,$C_{mf}$依赖于$t_m$与$t_f$的工资率及$x$的价格。⑭除了只有一种时间价格进入平均成本函数$C_m$与$C_f$外,独身者的家庭产出可以写成同样的形式。⑮

收入的增加对于结婚动机有何影响呢?结果$M$与$F$只有财产收入$V_m$与$V_f$外在地提高同一百分比,如果$V_m/S_m=V_f/S_f$,那么$S_m$、$S_f$及$S_{mf}$都会上升同一百分比。在规模收益保持不变的情况下,$Z_{m0}$、$Z_{0f}$及$Z_{mf}$从而婚姻的绝对收益也会像充分收入一样上升同一百分比,这是因为,只要$M$与$F$继续他们的劳动参与⑯,并假定财产收入不受时间分配的影响,那么,无论$C_{mf}$、$C_m$还是$C_f$都不受财产收入增加的影响。⑰由于财产收入的提高不会明显影响结婚的成本,所以,结婚动机也会增强。

仅仅工资率的提高对结婚动机的影响⑱是不甚明显的。$M$的工资率与$F$的工资率的同一百分比的提高将使产出增加的百分比低于充分收入提高的百分比,即使在规模收益保持不变的情况下,结果也是如此,其原因在于,生产成本也会上升。⑲此外,由于婚姻成本提高到一定程度时,$M$的自身时间与$F$的自身时间均会计入寻找及其他婚姻成本,所以,对于婚姻净收益的

影响不得而知，这种影响取决于婚姻成本中的自身时间的相对重要性及其在独身家庭和已婚家庭的生产中的相对重要性。

所以，根据本文的分析，财产收入的提高必定会增强结婚动机，工资率的提高则有可能增强结婚动机。这种观点与流行的看法背道而驰，但却同观察得到的经验数据相符，而流行的看法认为，与富人比较，穷人倾向于早婚且离婚率较低。从获得的资料至少可以看出，美国人的分居与离婚可能性与收入负相关(U. S., Bureau of the Census 1971)。凯利(Keeley, 1974)也发现，当在校学习时间和其他少数几个变量保持不变时，高工资者似乎比其他人更早结婚。

本文的分析表明，如果非市场领域的时间生产力保持不变，如果 $W_f$ 低于 $W_m$，那么，相对于 $M$ 工资率的 $F$ 的工资率的上升将减少婚姻收益：如果相对于 $W_m$ 的 $W_f$ 愈低，则以 $M$ 的市场时间替代 $F$ 的时间(以及 $F$ 的家庭时间替代 $M$ 的时间)的收益就愈大。为了证明这一点，考虑 $W_m$ 的充分减少所"补偿"的 $W_f$ 的增加以使两个独身者的家庭的联合产出保持不变。如果已婚 $F$ 的市场工作时间充分少于独身的 $F$ 的市场工作时间，如果已婚 $M$ 的工作时间不低于独身的 $M$ 的工作时间，那么，$W_f$ 的增加不会使婚姻产出的增加足以弥补 $W_m$ 的减少造成的婚姻产出的下降。由于已婚妇女的工作量比独身的妇女的工作量少得多，由于已婚男性的工作量大于独身的男性，所以，相对于男性工资率的妇女工资率的提高会削弱结婚动机。[20]有支持力的证据是，在妇女工资率较高的美国各州，男女结婚率较低(Santos, 1970; Freiden 1972)。

也许，除了市场机会以外，婚姻收益也取决于美貌、智力及教育程度等特征，它们可以影响非市场生产力。根据第 3 节的组合分析，在市场生产力保持不变的情况下，对非市场生产力具有积极影响的特征价值的增加一般来说会提高婚姻收益，或许这有助于解释某些现象。例如，缺少魅力的人或智力较弱的人结婚的可能性低于富有魅力的人或智力较高的人结婚的可能性。[21]

## 婚姻市场与配偶组合

### 最优组合

现在的问题不是考虑一个 $M$ 与一个 $F$ 是否需要决定结婚，而是考

虑一组 $M$ 与一组 $F$，在面临大量“候选人”的情况下，他们需要决定是否结婚，同谁结婚。如果存在 $n$ 个和 $n$ 个 $F$（关于 $M$ 与 $F$ 数目不等的分析见第 4 节），则假定每个成员都知道 $(n+1)\times(n+1)$ 支付矩阵中所有相关[22]的表值，这些表值表示 $M$ 与 $F$ 的任一组合可以得到的家庭产品的最大产出：

$$\begin{array}{c|cccc}
 & F_1 & \cdots & F_n & \\
\hline
M_1 & Z_{11} & \cdots & Z_{1n} & Z_{10} \\
\vdots & \vdots & Z_{ij} & \vdots & \vdots \\
M_n & Z_{n1} & \cdots & Z_{nn} & Z_{n0} \\
 & Z_{01} & \cdots & Z_{on} &
\end{array} \tag{12}$$

最后一行及最后一列表示独身 $M$ 和独身 $F$ 的产出，每个成员都有 $n+1$ 种选择的可能性，$2n$ 个成员共有 $n^2+2n$ 种选择可能性。假定每个成员都能获得婚姻收益，因而指标矩阵中表示独身者产出的行与列可以忽略。

有 $n!$种不同的组合，这些组合允许每一个 $M$ 与每一个 $F$ 组合，反过来也是一样；就是说，可以从已婚者的每一行及每一列选择一个表值，共有 $n!$ 种选择方式。任一组合的全部婚姻总产出可以写作

$$Z^k = \sum_{i\in M,\ j\in F} Z_{ij}, \quad k = 1, \cdots, n! \tag{13}$$

可以举出一种使全部婚姻总产出最大的组合，它的表值在支付矩阵的对角线上，写作

$$Z^* = \sum_{i=4}^{n} Z_{ii} = \max_k Z^k \geqslant Z^k, \text{对所有 } k \tag{14}$$

如果任一婚姻的总产出在配偶之间进行分配，则有

$$m_{ij} + f_{ij} = Z_{ij} \tag{15}$$

这里，$m_{ij}$表示第 $i$ 个 $m$ 从与第 $j$ 个 $F$ 的婚姻中得到的收入，$f_{ij}$ 的含义与此类似。如果每个成员选择使其“收入”达至最大的配偶，那么，最优组合必定具有这样一种性质，即没有彼此结婚者不能结婚并在不使一方境况恶化的情况下使另一方的境况有所改善，用对策论的语言来说，最优组合位于“柱

心”，这是因为，在“柱心”以外，不存在使某一成员境况改善而不致使其他成员境况恶化的“联合”。

进入非柱心婚姻的人的生产加起来也不会超过他们进入柱心时的收入之和，因为，如果能够超过，如果配偶之间的任何产出分配是可行的，那么，他们就能找到一种能够改善每一成员境况的他们的产出分配，这与柱心的定义矛盾。如果沿对角线的组合位于柱心，那么，这种状态可以表述为

$$m_{ii}+f_{jj}\geqslant Z_{ij}\text{，对所有 } i \text{ 与 } j \tag{16}$$

(15)式和(16)式的条件随即排除了不能使所有婚姻的商品总产出达到最大的任一组合，这是因为，此时至少存在一个 $M$ 与一个 $F$，他们彼此结合的结果优于他们同各自配偶的组合。[23]此外，与成员的婚姻组合具有同样的数学结构的最优分配理论（Theory of optimal assignments）表明，存在一组收入能满足最大化产出的组合所要求的条件(15)和(16)。[24]

试以下列 2×2 指标矩阵说明：

$$\begin{array}{cc} & \begin{array}{cc} F_1 & F_2 \end{array} \\ \begin{array}{c} M_1 \\ M_2 \end{array} & \begin{bmatrix} 8 & 4 \\ 9 & 7 \end{bmatrix} \end{array} \tag{17}$$

虽然产出最大的婚姻是 $M_2$ 与 $F_1$ 的结合，但是，最优组合为 $M_1$ 与 $F_1$ 以及 $M_2$ 与 $F_2$。因为，如果 $m_{11}=3$，$f_{11}=5$，$m_{22}=5$ 及 $f_{22}=2$，那么，由于 $m_{22}+f_{11}=10>9$，所以，$M_2$ 与 $F_1$ 没有结婚动机，由于 $m_{11}+f_{22}=5>4$，$M_1$ 与 $F_2$ 也没有结婚动机。换句话说，正如竞争的产品市场使所有厂商的产出之和达至最大，婚姻市场也不是选择某一婚姻的家庭生产的商品的产出最大，而是所有婚姻的产出之和达到最大。这里需要再三强调的是，家庭最大化的商品产出不能等同于一般意义上的国民产出（national output），而是包括对话、一定数量和质量的子女及其他从不计入或从不完全计入一般计量的产出。再换句话说，婚姻市场最大化的看来不是与继续恪守独身比较的某一特定婚姻的婚姻收益，而是所有婚姻的平均收益。[25]

每桩婚姻可以视为两人企业，双方作为“业主”以“工资”$m_{ij}$ 或 $f_{ij}$“雇佣”对方，获得 $Z_{ij}-m_{ij}$ 或 $Z_{ij}-f_{ij}$ 数额的“利润”。由此，对于最优组合的另一种

解释是，因为只有最优组合能够满足(16)式的条件，所以，只有这种组合能使每个"业主"在配偶"工资"一定的条件下使"利润"达至最大，而对所有其他组合来说，某些"业主"通过"雇佣"有别于分配给他们的配偶可以改善"境况"。

分类配对

考虑当 $M$ 与 $F$ 在一种特征或一组特征方面呈现差异时的最优组合，这些特征诸如智力、种族、宗教、教育程度、工资率、身高、进取心、美食倾向及年龄等等。心理学家和社会学家经常分析的是相近配对或相异配对，遗传学家不时考虑的是积极的分类配对或消极的分类配对，但他们都不曾考察随机配对。但是尚未建立系统的理论对不同类型的特征做出预言：何时相近特征或相异特征成为配对的动机。[26]本文的分析表明，当相近特征或相异特征能使所有婚姻的家庭商品总产出[27]达至最大时，便会出现这种配对，而不管特征是金钱方面的(如工资率和财产收入)、遗传方面的(如身高或智力)还是心理方面的(如进取心或悲观主义)。

假定 $M$ 只在数量特征 $A_m$ 上存在差异，$F$ 只在 $A_f$ 上存在差异，假定每一特征对任一婚姻产出具有单调的影响，而且价值愈高，影响愈大：

$$\frac{\partial Z_{ij}(A_m, A_f)}{\partial A} > 0, \frac{\partial Z_{ij}}{\partial A}(A_m, A_f) > 0 \tag{18}$$

如果 $A_m$ 与 $A_f$ 的增加使产出的增加数量等于两者分别增加时的增加数量之和，那么，$M$ 与 $F$ 的所有组合会得到相同的总产出；另一方面，如果 $A_m$ 与 $A_f$ 的一同增加所提高的产出大于两者分别增加所提高的产出，那么，由于 $A_m$ 的增加加强了 $A_f$ 增加的影响，所以，数值大的 $A_m$ 与数值大的 $A_f$ 的组合以及数值小的 $A_m$ 与数值小的 $A_f$ 的组合将获得最大的总产出。如果 $A_m$ 与 $A_f$ 一同增加所获得的产出低于分别增加所获得的产出之和，那么，相反的结论便可以成立。从数学角度看，这说明，积极的分类配对或消极的分类配对——相近配对或相异配对——为最优的条件是

$$\frac{\partial^2 Z(A_m, A_f)}{\partial A_m \partial A_f} \gtrless 0 \tag{19}$$

举例来说，考虑 $n=2$ 时的产出矩阵：

$$\begin{array}{cc} & \begin{array}{cc} A_1 & A_2 \end{array} \\ \begin{array}{c} A_1 \\ A_2 \end{array} & \begin{bmatrix} Z_{11} & Z_{12} \\ Z_{21} & Z_{22} \end{bmatrix} \end{array}，且\ A_2 > A_1 \tag{20}$$

如果 $Z_{22}-Z_{12}>Z_{21}-Z_{11}$，如果(19)式为正，那么，显然，$Z_{11}+Z_{22}>Z_{12}+Z_{21}$ *，正如(19)式所料，$A_m$与 $A_f$之间的正相关将使总产出最大。

生产理论的一项惯例是，通过相对于生产函数的不同投入的交差偏导的符号使替代性区别于互补性。虽然(19)式的条件没有按照家庭生产函数定义，但是，根据对偶理论，当 $A_m$与 $A_f$被视为家庭生产函数的投入[28]时，同样的条件是成立的，因而，根据(19)式的条件，当特征具有互补性时，相近特征的结合是最优的，当特征具有替代性时，相异特征的结合是最优的。这是一种合理的结论，其原因在于，当特征具有互补性时，不同特征的高价值彼此加强，当特征具有替代性时，不同特征的高价值相互抵消。

经济学家一般考虑的是不同特征的不同数值的组合。例如，一定数量的劳动与一定数量的资本的组合，而不是同一特征的不同质量。从理论上说，虽然根据数量的组合与根据质量的组合是相关的，但是，根据质量的组合的许多应用也可以从经济学中直接获得，这些质量组合包括：有能力的工人与有实力的厂商的最优组合[29]，较为“现代”的农场与较为能干的农场主的最优组合，比较灵通的顾客与比较诚实的店员的最优组合，等等。如前所述，某些社会学家虽然认识到特性的互补是婚姻组合的重要决定因素，但对于互补效应没有进行严格意义上的分析，没有把他们的研究推进到对婚姻市场的行为或变化进行函数描述的水平。

虽然相异特征有时也可以配对，例如，根据相互关心或彼此帮助、支配或顺从的特征进行配对，但是，无论是根据智力、身高、肤色、年龄、教育程度、家庭背景衡量，还是根据宗教衡量，相近配对——积极的分类配对——都是极其普遍的，由此表明，特征的互补是经常的、典型的，但也并不总是如此。

通过明确地着手分析家庭生产函数和极大化过程，可以揭示互补性与替代性的决定因素。假定所有家庭具有同样的生产函数，就是说，如果时间、

---

* 原文误为 $z_{22}$。——译者注

产品及所有特性完全相同，那么，商品产出也会完全相同。当然，如果不同家庭在教育、能力等方面存在差异，那么，它们的相同的产品与时间投入就会有不同的产出。

现在依次考察诸多的决定因素。首先，如果 $M$ 与 $F$ 只是在市场工资率方面存在差异——每个 $M$ 与每个 $F$ 在所有其他市场及非市场特性方面均相同，那么，根据(11)式，同时参与劳动的 $M$ 与 $F$ 的最优产出可以写作

$$Z=\frac{S}{C(w_m,\ w_f,\ p)} \tag{21}$$

这里忽略了 $Z$、$S$ 及 $C$ 的下标，并假定规模收益保持不变，那么，通过求导并利用(4)式，

$$\left.\begin{aligned} Z^m &= \frac{T}{C}-\frac{S}{C^2}C^m \\ Z^m &= \frac{\partial Z}{\partial w_m}\ \text{和}\ C^m \equiv \frac{\partial C}{\partial w_m} \end{aligned}\right\} \tag{22}$$

这里，

由于

$$C^m = t_m Z^{-1} \tag{23}$$

这里，$t_m$表示 $M$ 用于家庭的时间支出。如果工作时间支出 $l_m$大于 0，那么，

$$Z^m = l_m C^{-1} > 0 \tag{24}$$

类似地，

$$Z^f=\frac{T}{C}-\frac{S}{C^2}C^f = l_f C^{-1} > 0 \tag{25}$$

当

$$\frac{\partial^2 Z}{\partial w_m \partial w_f} \equiv Z^{mf} \equiv Z^{fm} \gtrless 0 \tag{26}$$

由工资率决定的积极的分类配对或消极的分类配对是最优的。求 $Z^f$相对于 $w_m$的微分，有

$$Z^{fm} = -C^{-2}C^m l_f + C^{-1}\frac{\partial l_f}{\partial w_m} \tag{27}$$

右边第一项显然为负，所以，如果第二项不大于 0，就是说，根据这些项的一般定义，如果 $t_m$与 $t_f$不是全互补(gross complement)，则 $Z^{mf}$小于 0。[30]所以，

如果 $M$ 的时间与 $F$ 的时间不是这样一种互补以便淹没(27)式中第一项，那么，$w_m$与 $w_f$之间的完全等级负相关将使商品总产出达至最大。不少经验数据证实了 $t_m$与 $t_f$不是全互补这一结论(Ofek 1972; Smith, 1972a)。

由于分工收益得以最大，所以，$w_m$与 $w_f$之间的负相关使总产出最大。由于低工资的 $F$ 放弃的时间价值较低，所以，低工资的 $F$ 应比高工资的 $F$ 将更多的时间用于家庭生产；类似地，低工资的 $M$ 应比高工资的 $M$ 将更多的时间用于家庭生产。通过低工资的 $F$ 与高工资的 $M$ 的配对以及低工资的 $M$ 与高工资的 $F$ 配对，$M$ 与 $F$ 的价值较低的时间更广泛地用于家庭生产，$M$ 与 $F$ 的价值较高的时间则更广泛地用于市场生产。

虽然已经假定所有人都是劳动力中的一员，但是，在任何一个年份，美国绝大多数的已婚妇女并不跻身劳动力的行列，而且，相当数量的妇女在婚后从不真正介入，因为，她们的低工资以及她们高工资的丈夫抑制了这些妇女的劳动介入，所以，根据本文的分析，许多妇女与劳动力队伍只有微弱的联系。[31]

然而，如果有些妇女不加入劳动力的行列，那么，男女的工资率没必要为了最优化总产出而完全负相关。由于在男女工资率完全负相关的情况下，已经假定低于某一既定工资率时所有妇女均不参与劳动。对这些妇女来说，$\partial Z/\partial w_f=0$[32]，因而 $Z^{fm}=0$，故此，在上升的某一点，在不致降低总产出的情况下，她们可以转换配偶，所以，那些具有微弱的负相关、甚至具有正相关假象的其他组合也会使总产出达至最大，就是说，许多组合同样良好，工资率不是最优组合的一个决定性因素。

如果 $M$ 与 $F$ 只在他们的非人力资本储备 $k_m$与 $k_f$方面存在差异，如果每个人都介入劳动力行列，那么，由于时间价值通过市场工资率衡量，故 $\partial C/\partial k_m=\partial C/\partial k_f=0$ 。如果以 $r$ 表示的 $k$ 的收益率正向依赖于分配给“资产组合管理”的时间，那么，$r$ 与 $k$ 存在正相关[33]，于是有

和
$$\left.\begin{aligned}\frac{\partial Z}{\partial k_m}=\frac{\partial Z}{\partial k_f}&=rC^{-1}>0\\ \frac{\partial^2 Z}{\partial k_m\partial k_f}&=\frac{\mathrm{d}r}{\mathrm{d}k}C^{-1}>0\end{aligned}\right\}^{㉞}\tag{28}$$

$M$ 的非人力资本与 $F$ 的非人力资本之间的完全正相关是最优的。这项含义

同根据父母的财富等特征进行组合的证据是一致的。

如果有些 $F$ 不介入劳动力行列，那么，她们的时间价值将用超出她们工资率的“影子”价格来衡量，这一价值不是常数，而是同她们的非人力资本之和正相关。[35]不仅如此，在 $F$ 的时间给定的条件下，由于 $M$ 的时间增加的收益以及产品增加的收益递减，所以，这种资本的完全正相关不再必然最优。

根据假定和定义，所有和工资率的差异或非人力资本的差异无关的商品产出的差异都和非市场生产力有关。[36]男女在非市场生产力方面广泛存在的差异是由智力、教育程度、健康、体力、身高、个性、宗教及其他特征造成的。现在考虑影响非市场生产力的特征的最优组合，同时假定所有 $M$ 与所有 $F$ 的工资率和非人力资本相同。

为了说明家庭商品的产出方面非市场特征的互补倾向，将(21)式给出的最优产出关系式写作

$$Z=\frac{S}{C(w_m,\ w_f,\ p,\ A_m,\ A_f)} \tag{29}$$

这里，$A_m$与 $A_f$分别表示 $M$ 与 $F$ 的特征。于是，利用 $w_m$、$w_f$及非人力资本收益率同 $A_m$与 $A_f$无关的假定，

$$\left.\begin{aligned}\frac{\partial C}{\partial A_m}\equiv C_{am}\\ \frac{\partial C}{\partial A_f}\equiv C_{af}\end{aligned}\right\}<0 \quad 和 \quad \frac{\partial S}{\partial A_f}=\frac{\partial S}{\partial A_m}=0 \tag{30}$$

于是，

$$\left.\begin{aligned}\frac{\partial Z}{\partial A_m}=-SC^{-2}C_{am}\\ \frac{\partial Z}{\partial A_f}=-SC^{-2}C_{af}\end{aligned}\right\}>0 \tag{31}$$

和

$$\frac{\partial^2 Z}{\partial A_m\partial A_f}>0，若\ 2C^{-1}C_{am}C_{af}>C_{am,\ af} \tag{32}$$

由于左边大于 0，所以，如果 $A_m$ 与 $A_f$ 对生产力有独立或相互加强的影响——因为此时 $C_{am,af} \leqslant 0$，故(32)式必然成立；而且，即使这些特征具有抵消效应，(32)式也可以成立。所以，如果特征具有增大效应，那么，完全的积极分类配对无疑是最优的，然而，一个不大明显但却入木三分的结论是，由于 $C$ 逆导入 $Z$ 的关系式，如果这些特征具有独立的效应，或者，如果抵消效应低于直接效应的一倍，那么，即使这些特征具有抵消效应，积极的分类配对也是最优的。[37]

通过考察一组特例，可以揭示能够提高非市场生产力的特征之间的互补性之所以盛行的原因。如果一种特征对产出百分比的影响同产品与时间的数量无关，那么，最优产出关系式可以写作

$$Z = \frac{S}{b(A_m, A_f)k(w_m, w_f, p)} \tag{33}$$

这里，$\partial b/\partial A_m \equiv b_{am} < 0$，而且，$\partial b/\partial A_f \equiv b_{af} < 0$，因此，

$$\frac{\partial^2 Z}{\partial A_m \partial A_f} > 0 \quad 当\ 2b^{-1} b_{am} b_{af} > b_{am,af}, \tag{34}$$

如果 $b_{am,af} \leqslant 0$，上式必定成立，即使 $b_{am,af} > 0$，上式也不难成立。即使当这些生产力的影响无关时，由于生产力的成倍提高，积极的分类配对依然是最优的：当与取值较高的 $A_f$(或 $A_m$)结合时，较高的 $A_m$(或 $A_f$)具有更大的绝对影响。从逻辑上讲，当影响增大时，这种倍增关系可以鼓励相近配对，即使当这些影响存在抵消关系时也还是如此。[38]

绝大多数特征对非市场产出的影响并非同产品与时间无关，而一般通过提供给家庭的时间发生作用。例如，如果所提供的时间为 0，那么影响也就不存在。考虑这种相互作用的一种简单方法是，假定每一特征只有通过增加自身的家庭时间的有效数量来影响产出。不难证明，只要 $M$ 的家庭时间与 $F$ 的家庭时间之间的替代弹性不是很高，那么，积极的分类配对仍然是最优的。[39]只有当增大的是 $M$ 与 $F$ 之间可以轻易发生替代的维度时，自身时间的增大特征才可以预期消极的分类配对。因而支配者与顺从者倾向于彼此结合(Winch, 1958)也许是因为，当家庭需要支配时，可以使用支配者的时间，当家庭需要顺从时，可以使用顺从者的时间。

第 2 节的分析，说明了即使当 $M$ 的时间与 $F$ 的时间之间的替代比较困难时，婚姻收益也可以较大，所以，当结婚更富于吸引力时，相近配对将更为普遍，这是本文分析的一层重要而微妙的含义。

一个人的非市场特征如何同异性的市场特征结合，特别是，人们普遍认为，美貌、迷人或具有天赋的女性倾向于嫁给富有而成功的男子，本文的分析能否予以说明呢？不难证明，非市场特征与非人类财富的积极组合总是使所有婚姻的商品产出达至最大，非市场特征与谋生能力的积极组合通常[40]会使所有婚姻的商品产出达至最大。经济意义上的解释基本上是说，当与较高收入组合时，非市场生产力和货币收入趋于倍加的结合，因而，价值较高的特征具有更大的绝对影响。

关于组合的经验证据可以见诸一些零散的文献，现在略为全面地考察一下这种证据。配偶之间在智力、教育程度、年龄、种族、非人类财富、宗教、民族血统、身高及地理接近等方面的简单相关是实实在在的。[41]少量证据表明，支配倾向、养育倾向或敌视倾向等一些心理特征之间的相关为负值。[42]智力方面的相关非常有趣，这是因为，虽然智力具有高度遗传性，但是，配偶的智力之间的相关程度几乎接近同胞的智力之间的相关程度（Alstrom，1961），显然，用同校学习、入学考试等形式筛选的婚姻市场要比人们想象的更有效率。

关于大量特征的简单正相关的证据以及某些特征的负相关的证据显然与本文的组合理论一致，然而，对于这一理论的更有力的验证还需要当各种其他特征保持不变时的有关偏相关的证据。例如，当上学年限与家庭背景保持不变时，智力方面的相关程度如何？目前尚未得到智力方面偏相关的结果，但是，白人家庭和黑人家庭的样本包含了某些上学年限、工资率及年龄等方面的数据。[43]甚至当年龄和工资率保持不变时，上学年限之间的相关程度也具有较高数值，白人是＋0.53，黑人实质上也没什么两样（＋0.56），虽然工资率之间的偏相关很低，但取值也是正数，白人是＋0.32，黑人的略低一点，为＋0.24。

根据本文阐述的理论，上学年限之间的关系存在显著的正相关，但是，工资率之间的正相关有些麻烦，因为根据本文的分析，当非市场生产力保持不变时，工资率之间出现负相关。然而，需要指出，由于限于特殊年份的介入劳动力的妇女，所以样本存在偏差。由于丈夫的工资率愈高，促使其妻子参与市场劳动的工资率必定也就愈高，所以，配偶的负相关同那些有妻子参与市场劳动的人的正相关是一致的。[44]事实上，G.刘易斯已经揭示[45]，在已婚妇女劳动参与率相对较低的情况下，对那些参与劳动的配偶的大约+0.3的相关几乎毋庸置疑地表明对所有配偶存在负相关(约为-0.25)，如果他的计算无误，那么，这一结论与本文阐述的理论不谋而合，这有悖于常理，而且是消极分类配对为数不多(和可预见)的例子之一。

或许较少受到非市场生产力中未观察到的差异的影响，一些其他数据确实显示，当男女之间的工资率的差异愈大时，婚姻收益也就愈大。例如，在那些男性工资率较高而女性工资率较低的州的结婚百分比高于其他的州，即使当年龄、上学年限、性别比、天主教人数及其他变量保持不变时，情况也是如此(Santos, 1970; Freiden, 1972)，另外，在黑人妇女的报酬高于黑人男子的大都市区，更大比例的黑人家庭由女性当家作主(Reischauer, 1970)。

把影响非市场生产力的特征同报酬及其他收入联系起来的数量方面的证据比较少见，笔者整理并较早提出的证据表明，即使当丈夫的教育程度及妻子的工资率保持不变时，丈夫的工资率与妻子的教育程度呈明显的正相关。[46]本哈姆对此所强调的一种解释是，如同母亲的教育程度据说有益于子女的报酬，妻子的教育程度也有益于丈夫的报酬(Leibowitz, 1972)。本文阐述的组合理论提出了另一种解释：妻子的教育程度代表着影响其非市场生产力的特征，特别是当她的工资率保持不变[47]以及当非市场生产力较高的女子嫁给谋生能力较强的男性时，这种代表性就益发显著。虽然这些解释的相对价值尚待确定，但本哈姆发现，丈夫的工作时间与妻子的教育程度正相关，这正是积极的组合的充分条件。

笔者对于配对与组合的分析曾经假定家庭商品生产具有完全的确定性。在许多商品的生产中存在不确定性，但由于子女是婚姻收益的重要来源，所以，本文的注意焦点只是自有子女的质量的不确定性。根据人口遗传学的分析，种族、智力或身高等可遗传特征的积极的分类配对增进了同胞中的这些特征的关联，特征愈是具有可遗传性，分类配对的程度愈高，这种增进也就愈大(Cavalli-Sforza and Bodmer, 1971, chap.9, sec.7)。所以，不妨认为，$M$与$F$的可遗传特征可以削弱子女的不确定性，如果渴望子女在“质量”方面具有更多的确定性——这也许是因为不确定性将增加同胞之间的矛盾或增加抚养成本，那么，可遗传特征的积极的分类配对将增加总产出的效用。

本文的组合分析基于几个简化了的假定，这些假定需要在进一步的分析中加以改进。例如，第二部分得出了婚姻收益与偏好无关的结论，而这一结论假定，除了其他条件以外，不存在联合的生产以及家庭的规模收益保持不变。在联合生产[48]有利或收益增加的条件下，偏好相近者的配对是最优的，而在不利的生产或收益递减的条件下，得出的结论则相反；类似地，第二节认为，一夫一妻的组合总是最优的，这在组合的分析中被视为是理所当然的，但是，为了分析一夫多妻制(第二部分进行这项分析)以及为了分析恪守独身(见第二部分关于寻找的分析)，这一结论应予修正。在每项分析中只考虑一种特征而假定其他特征保持不变，但是，由于当事人在许多相互依存的特征上存在差异，所以，应根据一组特征决定最优组合，或许可以运用典型相关系数或相关统计衡量这种关联。

最有疑问的可能是配偶之间产出的任意可分性的假定。某些产出可能根本不可分割，或者构成“公共”商品，确切地说，构成“家庭”商品，根据第二部分的分析，子女可以说是主要的家庭商品，“关心”可以将全部产出转化成家庭商品，此外，由于不能强制施行，因而某些分配是不现实的。例如，即使婚姻市场分配给某一丈夫 2/5 的份额，但是，由于他的妻子不能完全“监察”这种分配，所以他可能能够得到 3/5。

显然家庭商品的严格性和强制问题(通过嫁妆及其他资本转移)能够经常加以克服，但是，考虑一个能够以极端形式包含这种严格性的组合模型不无裨益。当产出分配的充分严格性取代充分可转让性假设时，如何健全有关最优组合的结论呢?

假定 $M_i$ 在所有婚姻中获得产出的固定份额 $e_i$，$F_j$ 获得 $d_j$，从而导入严格性。需要指出的是，$e_i$ 与 $e_k(k \neq i)$ 或 $d_j$ 与 $d_k(k \neq j)$ 不必相等，而且

$$e_i + d_j \gtrless 1 \qquad (35)$$

这是因为家庭商品或执行成本的明显存在。表示 $F$ 与 $M$ 所有组合的收入矩阵则为

$$\begin{array}{c|ccc|}
 & F_1 & F_j & F_n \\
\hline
M_1 & e_1 Z_{11},\ d_1 Z_{11} & \cdots & e_1 Z_{1n},\ d_n Z_{nn} \\
M_i & & e_i Z_{ij},\ d_j Z_{ij} & \\
M_n & e_n Z_{nj},\ d_1 Z_{n1} & \cdots & e_n Z_{nn},\ d_n Z_{nn} \\
\hline
\end{array} \tag{36}$$

如果

$$\hat{Z}_1 \equiv Z_{st} > Z_{ij},\quad 对所有\ i \neq s, 所以\ j \neq t \tag{37}$$

为所有可能婚姻的最大产出，而且，如果每个人都试图使其商品收入达至最大，那么，由于不能在任何其他婚姻中获得更多，所以，$M_s$将与 $F_t$结婚。[49]现在从考虑中排除 $M_s$与 $F_t$；如果

$$\hat{Z}_2 = Z_{uv} > Z_{ij}, 对所有\ i \neq u\ 或\ s, 所有\ j \neq v\ 或\ t \tag{38}$$

表示所有其他婚姻的最大产出，那么，$M_u$将与 $F_v$结婚，这个过程可以不断进行，从 $\hat{Z}_3$到 $\hat{Z}_n$，直到所有 $M$ 与所有 $F$ 都各有归属。

这种结合了各个极大值的组合同前面得出的使总产出最大的组合具有怎样的关系呢？正如(17)式的例子所表明的，它们未必相同，在那个例子中，结合最大值的组合是 $M_2$与 $F_1$以及 $M_1$与 $F_2$，而使总产出最大的组合是 $M_1$与 $F_1$以及 $M_2$与 $F_2$。然而，或许在绝大多数实际的场合，它们是相同的，这意味着各个极大值之和等于各个和的极大值。

假定特征 $A_m$或 $A_f$的增加总会提高产出，而且，假定根据所具有的特征的取值将 $M$ 与 $F$ 由小到大排列，那么，$\hat{Z}_1$表示 $M_n$与 $F_n$的产出，$\hat{Z}_2$表示 $M_{n-1}$与 $F_{n-1}$的产出，$\hat{Z}_n$表示 $M_1$与 $F_1$的产出，由此，按照最普遍的情形，当特征对产出具有单调的影响时，结合各个极大值表示完全的积极分类配对。

前面已经指出，在极为普遍的情形中，也就是在特征具有“互补性”的情形中，使总产出最大也意味着完全的积极分类配对，在这些场合，允许市场决定产出的分配和对分配预先作出安排正好给出完全相同的组合。因此，关于积极的分类配对重要性的理论含义没有被削弱，反而通过关于产出分配之决定因素的假定的根本性变化得到了加强。

当使总产出最大表示消极的分类配对时，正如(在非市场生产力保持不变的条件下)工资率之间以及具有高度替代性的自身时间增大的特征之间

所出现的那样,关于产出分配的这些假定具有不同的含义。然而,由于积极的组合的普遍存在,组合方面的经验证据还不能清楚地在这些假定中进行抉择:也许观察到的工资率之间的正相关是分配严格性的证据,但是,这种相关的其他几种解释表明,它同"实际"的负相关一致,而且,某些心理特征显然负相关,此外,嫁妆和其他资本转移提供了比走马观花的观察者所看到的更为实际的流动性。

### 配偶之间的产出分配

在具备充分可转让性的情况下,产出的分配由(15)式与(16)式的条件给定。如果 $Z_{ki}>Z_{kk}$,必然有 $f_{ii}>f_{kk}$,对于 $m_{ii}$ 情况类似,在这种意义上,$m_{ii}$ 与 $f_{ii}$ 取决于它们的边际生产力[50],而且,如果 $f_{ii}>f_{kk}$,必然有 $Z_{ii}>Z_{kk}$。[51]不难得到下列限制:

$$\left.\begin{aligned} Z_{ii}-\max k(Z_{ki}-Z_{kk}) \geqslant m_{ii} \geqslant \max k(Z_{ik}-Z_{kk}) \\ Z_{ii}-\max k(Z_{ik}-Z_{kk}) \geqslant f_{ii} \geqslant \max k(Z_{ki}-Z_{kk}) \end{aligned}\right\}^{[52]} \quad (39)$$

然而,由(15)与(16)式的条件得到的产出分配不是唯一的,这是因为,如果一组 $m_{ii}$ 与 $f_{ii}$ 满足这些条件且所有 $0<m_{ii}<Z_{ii}$,那么,存在一个正值 $\lambda$,而 $m_{ii}+\lambda$ 和 $f_{ii}+\lambda$ 也满足这些条件。当 $\max k(Z_{ik}-Z_{kk})$ 与 $\max k(Z_{ki}-Z_{kk})$ 之和更为接近于 $Z_{ii}$ 时,产出分配的不确定范围将会缩小。

显然,如果 $Z_{ik}$ 的分布变成连续的,那么,不确定性就会消失。在另一种场合,不确定性也会消失。假定 $v_i$ 等同于 $M_i$,$u_i$ 等同于 $F_i$,所谓等同意味着同某人结婚或是恪守独身都会得到相同的产出,因而,在市场均衡位置,他们可以获得相同的收入。对于一个竞争性均衡,如果 $v_i$ 的数量充分大,那么,存在一条 $M_i$ 对婚姻市场的供给曲线:在独身收入 $Z_{i0}$ 处,该曲线是水平的,直至所有 $v_i^0$ 进入婚姻,尔后,该曲线垂直上升(见图 1 中的 $S_0$);类似地,如果 $u_i$ 的数量充分大,那么,存在一条 $F_i$ 的市场供给曲线,该曲线在 $Z_{0i}$ 处是水平的,直至所有 $u_i^0$ 进入婚配,尔后,该曲线垂直上升。为简化起见,如果开始时假定,$M_i$ 与 $F_i$ 要么彼此结婚,要么恪守独身,那么,$F_i$ 的供给曲线也将是 $M_i$ 的派生的需求曲线,该曲线

在 $Z_{ii}-Z_{0i}$处是水平的，直至所有 $u_i^0$进入婚姻，尔后，该曲线垂直下降（图 1 的 $D_0$），而且，$M_i$对市场的供给曲线将是它对 $F_i$的供给曲线。

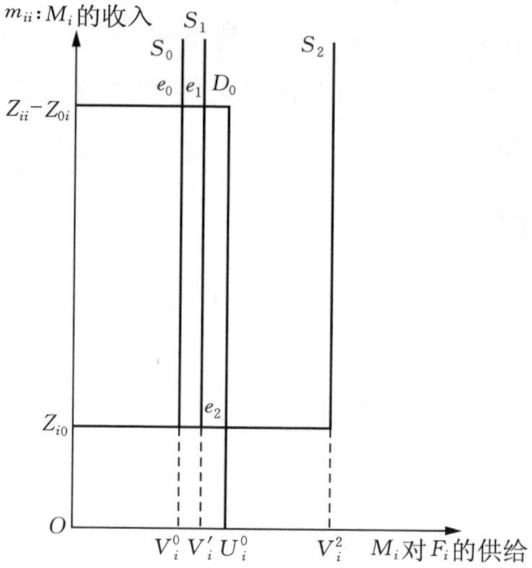


**图 1**

每个 $M_i$的均衡收入由 $S_0$与 $D_0$的交点 $e_0$决定。如果性别比（$v_i^0/u_i^0$）小于 1，那么，均衡位置必然位于派生的需求曲线的水平部分，有如 $e_0$；所有 $M_i$都将进入婚姻，并且获得他们的已婚产出与 $F_i$的独身者产出之间的全部差额。虽然市场力量鼓励 $F_i$中的 $v_i^0$进入婚姻，但是，所有 $F_i$都将获得她们的独身者产出，因而在结婚与恪守独身之间无差异存在。

$M_i$的数量增加导致的性别比的提高会延长供给曲线的水平部分，并使均衡位置右移至譬如 $e_1$点，所有 $M_i$依旧结婚，更多的 $F_i$也将结婚。如果性别比大于 1，那么，均衡位置则因而位于供给曲线的水平部分而不是派生的需求曲线的水平部分（见 $e_2$），现在，所有 $F_i$将进入婚配并获得她们的已婚产出和 $M_i$的独身者产出之间的全部差额，市场力量将引导 $M_i$中的 $u_i^0$进入婚配，而 $v_i^0-u_i^0$依旧独身。

性别比在决定结婚的男子与女子的比例中的重要性已为无数的事实及许多的研究所证实。毁灭性战争的后果是，许多未婚的年轻女性只好寻找为数不多的男子。在那些大量年轻女性涌入城市的乡村地区，男性通常结婚较晚，有的甚至结不了婚。统计研究表明，不同年龄组当前已婚妇女的比例同“正常”的性别比正相关。[53]

笔者只是大致了解有关性别比或诸如此类的任何其他变量对于配偶之间产出分配的影响的证据。人们通常并不认为这种分配是对市场力量做出的反应，所以没有努力收集有关的证据。公认的意见是，把产品与时间支出分成有益于妻子、丈夫或双方的支出是困难的，除非有充分的理由才这样做，例如，为了获得某些有用的东西。举例来说，在某些消费者调查中区分夫妇衣物方面支出的数据或在某些时间预算研究中区分夫妇“闲暇”时间的支出的数据可以同性别比、工资率、教育程度以及产出分配的其他有关的决定因素联系起来。

前面假定，所有 $M_i$ 与 $F_i$ 要么彼此结婚，要么继续独身。现在去掉这一假定。由于同其他人的婚姻将取代同 $F_i$ 的婚姻，所以，$M_i$ 对 $F_u$ 的供给曲线不同于它的市场供给曲线；类似地，$F_i$ 对 $M_i$ 的供给曲线也不同于它的市场供给曲线。为了予以说明，我们假定，在图 1 中的 $e_0$ 点，$M_i$ 与 $F_i$ 的婚配优于与其他任何人的婚配，就是说，(16)式的条件对 $M_i$ 是严格不等式。如果 $M_i$ 从与 $F_i$ 的婚姻中获得的收入低于 $e_0$ 点，那么，$M_i$ 的收入及其他 $F_j \neq F_i$ 的收入之和同他们共同创造的收入之间的差异将减少，在某种收入水平上，这种差异可能被某个 $F$ 譬如 $F_k$ 消除：这时，$M_i$ 与 $F_i$ 的婚配同 $M_i$ 与 $F_k$ 的婚配之间不存在差异。

在 $M_i$ 从与 $F_i$ 婚配获得的收入的较低数值上，某些 $M_i$ 试图与 $F_k$ 婚配，对 $F_k$ 的配偶供给的增加会提高 $M_i$ 的收入并减少 $M_i$ 的配偶的收入。在均衡位置，刚好有足够的 $M_i$ 与 $F_k$ 婚配，使得 $M_i$ 从与 $F_i$ 婚配获得的收入同 $M_i$ 与 $F_k$ 婚配获得的收入相同，这里的关键在于，如果某些 $M_i$ 与 $F_k$ 婚配，那么，与 $F_i$ 婚配的数量会低于向婚姻市场提供的数量($v_i$)。而且，与 $F_i$ 的婚配人数可能随对 $F_j$ 的 $M_j$ 之收入的进一步下降而继续下降，这是因为，如果某些人与某个人譬如 $F_p$ 的婚姻与同 $F_i$ 的婚姻一样理想，那么这些人就会同 $F_p$ 结婚。

这些转向其他 $F$ 的替代的净效应是一条上升的 $M_j$ 对 $F_i$ 的供给曲线，在图 2 中用 $S_0$ 表示。它的弹性既取决于替代者 $F$ 的分布，又取决于可与这些 $F$ 婚配的 $M_i$ 数量的一定增加对这些 $F$ 的收入的影响。由于 $F_i$ 也会产生转向其他 $M$ 的替代，所以，它对 $M_i$ 的派生的需求曲线也会下降，如图 2 的 $D_0$

所示。均衡位置 $e_0$ 既决定了 $M_i$ 与 $F_i$ 之间的产出分配，又决定了彼此结婚的数量。$M_i$ 的总数 $v_i^0$ 与同 $F_i$ 婚配的数量之间的差异因在 $e_0$ 点所有 $M_i$ 均进入婚配故不再衡量恪守独身的 $M_i$ 的数量，而是衡量同其他 $F$ 婚配并获得同 $M_i$ 与 $F_i$ 婚配的相同收入的 $M_i$ 的数量；对 $F_i$ 的情况与此类似。

$M_i$ 从 $v_i^0$ 至 $v_1'$ 的数量上的增加将使他们对 $F_i$ 的供给曲线向右下方移动，低于图 2 中的均衡位置而至 $e_1$ 点，$M_i$ 收入的减少（等于 $F_i$ 收入的增加）同需求与供给曲线的弹性负相关，这取决于替代者 $M$ 与 $F$ 的可获得性。增加的 $M_i$ 均进入婚配，某些与 $F_i$，某些与其他 $F$。由于 $F_i$ 的收入的提高，更大比例的 $F_i$ 进入与 $M_i$ 的婚配。

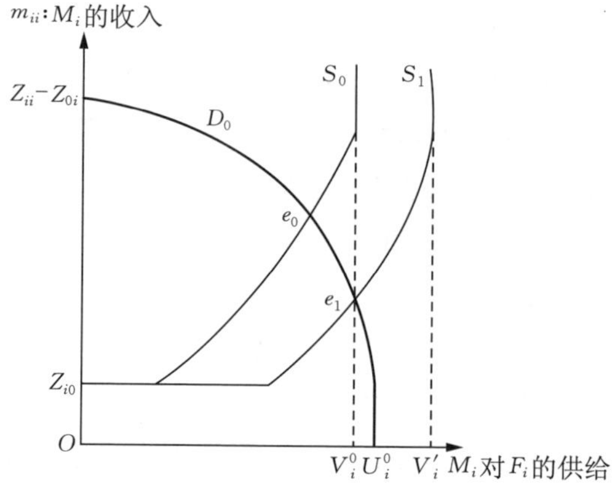


**图 2**

$M_i$ 与 $F_i$ 之间的性别比的上升并不必然提高进入婚配的 $F_i$ 的份额或减少进入婚配的 $M_i$ 的份额，其原因在于，如果某些人与其他 $F$ 或 $M$ 婚配，那么所有人均能够进入婚配。然而，如果所有 $F_i$ 与所有 $M_i$ 均已婚配，那么，在其他 $M$ 与其他 $F$ 的数量一定的条件下，$F_i$ 与 $M_i$ 的性别比的上升倾向于减少进入婚配的其他 $M$ 的数量或增加进入婚配的其他 $F$ 的数量。因为，$M_i$ 对 $F_i$ 的比率的上升不仅降低 $M_i$ 的收入并提高 $F_i$ 的收入，而且还降低替代者 $M$ 的收入并提高替代者 $F$ 的收入，这些 $M$ 中的一些人因婚姻收益将会消失而无意进入婚配，一些 $F$ 因婚姻收益得以产生而有意进入婚配，所以，如果除 $M_i$ 与 $F_i$ 外考虑到替代者 $M$ 与 $F$，那么，$M_i$ 对 $F_i$ 的比率的上升仍然会减少

$M$ 婚配的人数，增加进入婚配的 $F$ 的人数。

为了说明这些效应，虽然绝大多数女子在 22 岁结婚，但是，假定一组相同的男子的数目（或许由于选择性移民）在规模上能够自动地增加，他们的年龄为 24 岁，初始时他们对于 22 岁及 22 岁左右的女子是无差异的。他们的数量的增加会降低他们的收入，降低与 22 岁女子进行婚配的比例。因为，如果与 22 岁的女子进行婚配的数量上升的百分比同与其他女子进行婚配的数量的上升比率相同，那么，与 22 岁女子结婚的男子的收入的降低高于其他人的收入的降低，其原因在于，在所有与 22 岁的女子结婚的男子中 24 岁的男子所占的比例高于在所有与其他年龄的女子结婚的男子中 24 岁的男子所占的比例，而且，22 岁的女子的收入将增加，她们中更多的人将同 24 岁的男子结婚，与 22 岁的女子结婚的 24 岁以上或以下的男子的收入将减少，他们被促使同其他年龄的女子结婚；22 岁以上或以下的某种年龄限度内的女子的收入也会增加，如此等等。[54]

## 总结

在本文的第一部分，笔者提出了一个简化的婚姻模型，该模型基于两个基本假定：(1)每个人试图寻找使其福利达至最大的配偶，福利用家庭生产的商品的消费量衡量；(2)婚姻市场处于均衡状态，没有人能够通过改变配偶而使境况改善。在我看来，对任何两个人来说，和恪守独身比较的婚姻收益同他们的收入、同他们工资率的相对差异正相关，同教育程度或美貌等非市场生产力增大变量的水平正相关。例如，和恪守独身比较的男女结合的婚姻收益显然取决于他们的收入、人力资本以及工资率的相对差异。

理论方面的分析还揭示，在物力资本、教育程度或智力（撇开它们对工资率的影响不谈）、身高、种族及其他许多特征方面存在差异的男子倾向于同特征价值相近的女子结婚，而配偶之间在工资率方面或在家庭生产中具有高度替代性的男女特征方面的关系倾向于负相关。

本文的分析不是把配偶之间的产出分配当作已知，而是从婚姻市场的均衡的性质中导出，正如在其他市场发生的那样，这里的分配取决于边际生产力，这种生产力受到不同当事人的人力资本及物力资本的影响，受到性别比即男子与女子的相对数量及某些其他变量的影响。

## 二

### 引论

以下的分析将从几个方面扩展前一部分的简化分析，其目的在于，既要充实第一部分的分析，又要展示经济分析这种方法在研究各种不同的婚姻行为中的卓越效能。

考察配偶之间的“爱情”和关心对于婚姻市场均衡性质的影响，考察一夫多妻制，特别是考察它的发生率与男性之间不平等及男女之间不平等的程度之间的关系，考察不同组合类型对于家庭资源方面的不平等以及对于遗传的自然选择的意义；去掉关于所有潜在配偶的信息完备这一假定，考察约会、共校、“试婚”及其他形式的信息搜索方式，将这种搜索纳入生命周期中加以考察。生命周期中包括婚配、生儿育女、时有发生的分居、离婚及再婚等等。

### 爱情、关心及婚姻

“爱情”繁荣了美国文学，但是本文第一部分没有考虑婚姻的成因。在抽象意义上，爱情及其他情结譬如性活动或与某人频繁接近，可以视为特殊的非市场的家庭商品，这样，第一部分的商品需求分析无须添加许多新的东西，就是说，如果“爱情”可以带来家庭生产的一组重要商品，那么，使所有婚姻商品总产出达至最大的配偶的组合在一定程度上取决于使这些重要商品的产出达至最大的组合，因而第一部分的整个分析依然有效。

大量的文献都已论及个性、外貌、教育程度或智力等变量对不同男女彼此相爱的可能性的影响，由于没有必要画蛇添足地解释人们是否相爱或为何相爱，所以，下文的分析集中于爱情对婚姻的影响。考虑到爱情通常涉及对对方境况的关心[55]，所以，笔者着重描述婚姻中的“关心”的一些意义。

“境况”可以概括地用商品的消费水平衡量。对经济学家来说，一种自然的衡量“关心”的方法是借助效用函数。[56]就是说，如果 $M$ 关心 $F$，那么，

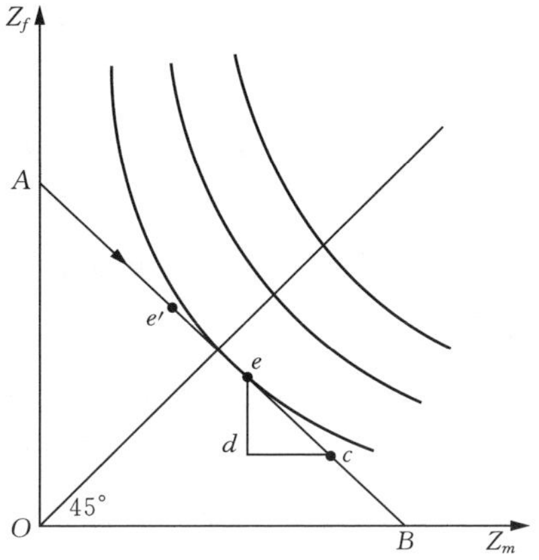


**图 3**

$M$ 的效用既依赖于他自己的商品消费又依赖于 $F$ 的商品消费。从图形上讲，图 3 中相对于 $Z_m$ 与 $Z_f$ 的 $M$ 的无差异曲线倾斜下降，$Z_m$ 与 $Z_f$ 分别表示 $M$ 与 $F$ 消费的商品。[57]如果 $M$ 像关心自己一样关心 $F$（笔者称之为“充分”关心），那么，在 45°线上，所有无差异曲线的斜率（绝对值）等于 1。[58]如果 $M$ 更多地关心自己，那么该曲线的斜率将大于 1，这种情况同 $M$ 更多地关心 $F$ 的情况相反。

图 3 中的 $C$ 点表示由婚姻市场的均衡决定的对于 $M$ 与 $F$ 的商品分配。由于家庭商品只能在家庭内部转移而不能在家庭之间转移，所以 $M$ 只有与 $F$ 婚配他才能将商品转移给 $F$。如果转移条件用直线 $AB$ 衡量，那么，$M$ 将沿 $AB$ 移至 $e$ 点；$M$ 转移 $cd$，$F$ 获得 $de$。假定商品在家庭内部的转移不发生损失，因而 $AB$ 的斜率的绝对值为 1，这时，转移后的均衡位置位于充分关心的 45°线上。如果 $M$ 更喜欢自身消费而非 $F$ 的消费，那么，均衡位置将在该线的右方。

绝大多数人当然认为，对于相爱的配偶的市场商品分配概念荒诞不经。如前所述，关心可以显著修正已婚者之间的市场分配。例如，从 $M$ 到 $F$ 的转移之后的最终分配（$e$ 点）的份额比市场分配（$c$ 点）的份额更为平等，[59]而且，如果 $F$ 也关心 $M$，她通过从线段 $Ae'$ 上的任意一点将资源转移给 $M$ 直至她达到 $e'$ 点[60]，这一点通常在 $e$ 的左侧，$F$ 可以修正市场分配。市场可以完全决定只在线段 $e'e$ 上的产出分配：$Be$ 上的位置修正到 $e$ 点，$Ae'$ 上的位置修正到 $e'$ 点，而且，如果每一方充分关心对方，那么，不管市场决定的分配如何，$e$ 点和 $e'$ 点是相同的并且均在 45°线上，$M$ 与 $F$ 将平等共享他们的生产总量，所以，已婚者之间的关心这一概念实际表示共享——当存在充分关心与相互关心的情况下表示平等共享，这与相信爱情是“共享”的普遍信念是一致的。

共享表明，第一部分第 4 节中性别比或其他变量的变化不会改变已婚的

$M$ 与 $F$ 之间实际产出分配(除非市场决定的分配在线段 $ee'$ 上)。这是关心可以用于决定其重要性的又一实际含义。

如前所述,如果资源用于“监察”市场决定的产出分配,那么,一桩婚姻的总收入将低于总产出,如果某些产出是“家庭”商品,即由配偶双方消费的商品,那么,总收入将高于总产出。通过减少监察费用以及通过提高家庭商品的重要性,关心可以增加相对于总产出的总收入。

首先考虑关心对监察费用的影响。“监察”可以降低配偶逃避责任或运用高于婚姻市场的均衡决定的生产产出的可能性。[61]关心减少了监察的必要:如果 $M$ 关心 $F$,那么,$M$ 从其配偶“偷窃”的动机则进一步减低,这是因为,$F$ 消费的减少会降低 $M$ 的效用。实际上,关心常常完全打消了“偷窃”动机从而减低了“监察”的意义,所以,在图中的 $e$ 点,因为沿 $AB$ 向右的移动会降低 $M$ 的效用,所以 $M$ 没有从 $F$“偷窃”的动机。[62]因此,如果 $M$ 对 $F$ 的关心足以使其将商品转移给 $F$,那么,$F$ 就不必监察 $M$ 的消费。[63]所以,包含关心的婚姻很少像其他婚姻那样(通过限额供给或分立支票账户)将资源用于“监察”。

基于 $M$ 从 $F$ 的消费中获得效用,所以 $M$ 在 $e$ 点的收入高于他的自身消费。实际上,$M$ 的收入是他的消费与 $F$ 的消费之和,等于由 $M$ 与 $F$ 生产的产出 $OB$(或 $OA$);类似地,如果 $F$ 从 $M$ 的消费中获得收益,那么,$F$ 的收入会高于她的自身消费。[64]由于某些产出是共同消费的,所以,关心使家庭收入大于家庭产出。在 $e$ 点,所有 $F$ 的消费及部分 $M$ 的消费将共同使用。由于 $e$ 与 $e'$ 均在具有相互关心和充分关心性质的 45°线上,所以,$M$ 与 $F$ 的共同收入会两倍于他们的共同产出:所有 $M$ 与所有 $F$ 的消费将共同使用。

两人之间的爱情与关心可以增加在最优组合中彼此婚配的机会。即使他们并不彼此相爱与关心,但通过假定他们会在最优组合中彼此成亲就可以看到相爱与关心不会减少这种机会。那么,如果他们彼此相爱与关心,在最优组合中他们也必定彼此结婚,这是因为,通过使他们的一部分产出成为“家庭”商品,相爱提高了商品产出,关心增进了他们的收入,所以,在存在爱情与关心情况下他们的总收入高于不存在这种爱情与关心情况下的总收入。考虑下面的产出矩阵:

$$
\begin{array}{c|cc|}
 & F_1 & F_2 \\
M_1 & 8 & 4 \\
 & (3,\ 5) & \\
M_2 & 9 & 7 \\
 & & (5,\ 2)
\end{array}
\qquad (1)
$$

在不存在关心的情况下，上述矩阵又是总收入矩阵。[65] 如果收入是充分可分的，以便获得譬如说圆括号中给定的分配，那么，$M_1F_1$ 和 $M_2F_2$ 将是最优组合。在 $M_1$ 与 $F_1$ 存在相互的与充分的关心的情况下，$M_1$ 的收入 $m'_{11}$ 等于 $8>3$，$F_1$ 的收入 $f'_{11}$ 等于 $8>5$[66]，显然，在最优组合中，$M_1$ 仍然同 $F_1$ 结婚。

相爱与关心可以将有情人带入最优组合，这种情况用下面的产出矩阵说明：

$$
\begin{array}{c|ccc|}
 & F_1 & F_2 & F_3 \\
M_1 & 10 & 6 & 5 \\
 & (4,\ 6) & & \\
M_2 & 9 & 10 & 4 \\
 & & (6,\ 4) & \\
M_3 & 2 & 3 & 10 \\
 & & & (5,\ 5)
\end{array}
\qquad (2)
$$

在不存在相爱与关心的情况下，最优组合为 $M_1F_1$，$M_2F_2$ 以及 $M_3F_3$，并有一组圆括号中给定的最优收入。然而，如果 $M_1$ 与 $F_2$ 相爱并存在相互的和充分的关心，那么，最优组合将是 $M_1F_2$、$M_2F_1$ 以及 $M_3F_3$，其原因在于，这种组合的收入是：$m_{12}=f_{21}=k>6$[67]，又假设，$m_{21}=f_{21}=4\frac{1}{2}$，以及 $m_{33}=f_{33}=5$，这些收入能够妨碍沿对角线的组合。

关心本身——即，有别于爱情的关心是否鼓励结婚：举例来说，虽然 $M_1$ 从 $F_2$ 的消费中获得效用，而且，即使他想把资源转移给 $F_2$ 时 $M_1$ 也不能与 $F_1$ 结婚吗？把婚姻同关心联系在一起的一个动机是，在家庭内部资源可以十分便宜地转移。根据假定，商品不能在家庭之间转移，而且，产品与时间在家庭内部转移起来可能也更为容易。此外，关心在一定程度上是共同生活所致[68]，某些有情人的结合在一定程度上是预见到了共同生活对双方的关心的影响。

因此，由于关心推动着婚姻（或者被婚姻所推动），所以，经济学家关于甚至多人家庭也可以具有单一的良序偏好函数的通常假定是有充分根据的。因为，如果家庭的一员——“户主”充分关心所有其他成员，那么，即使其他成员的偏好存在迥然差异，该家庭也似乎是在使“户主”的偏好函数极大化。[69]

由于关心使某些产出成为家庭商品，而家庭商品无法在配偶之间分配[70]，所以，包含关心的婚姻中配偶之间的产出的可分性低于其他婚姻中配偶之间的产出的可分性，它的意义在于，包含关心的婚姻成为最优组合的组成部分的可能性小于那些不具有关心但具有相同总收入（因而具有更大的总产出）的婚姻的可能性。[71]

另外一层意义是，即使关心的程度同特征的价值无关，但是，不同特征的最优组合深受关心的影响。第一部分揭示，当产出的分配受到严格限制以致婚姻中的一方只能获得他或她的婚姻产出的一定份额时，在最优组合中，有利的特征总是显著地正相关。另一方面，当产出充分可分时，特征的负相关有时是最优的，由于强加于产出分配上的限制，关心可以使原本会是最优负相关的组合变为最优正相关的组合。

举例来说，假定一组男女只在工资率上存在差异，每桩潜在的婚姻存在相互的和充分的关心，因而在此情况下，关心程度与工资率的水平无关。虽然第一部分指出，在不存在关心时工资率之间出现最优负相关，但此时工资率之间将是最优正相关。[72]所以，人们提出的（少量的）显示工资率负相关的证据表明，关心不能完全决定婚姻配偶的选择。

### 一夫多妻制

虽然一夫一妻制的婚姻是当今世界的主流，但是，某些社会依然实行一夫多妻制，并且盛极一时。那么，在容许一夫多妻制的社会中，其发生率的决定因素是什么呢？为什么这种婚姻的重要性江河日下呢？

第一部分已经指出，由于一妻多夫制婚姻中父亲身份的不确定性，一妻多夫制——一个女子同时有几个男子——比一夫多妻制——一个男子同时有几个女子的婚姻少见得多。印度的托达斯(Todas)曾经实行一妻多夫制，但那里的男子人数远远超过女子人数，这种情况主要是由于杀害女婴的缘故。[73]那里的人通过使兄弟(或其他近亲)同娶一个女子来减轻父亲身份的不确定性的影响。

第一部分已经表明，如果所有男子相同、所有女子相同，如果任一家庭从新增的配偶获得的收益递减，那么，一夫一妻制的组合是最优的，它可以使所有婚姻的商品总产出达至最大。[74]如果收益递减的合理假定依然保留，那么，男子中的不同特征或男女人数上的差异应当用来解释一大多妻制。

女子人数超过男子人数经常促成一夫多妻制的扩散。战争时期男子的大量死亡显然可以造成这种情况。19世纪在同阿根廷、巴西、乌拉圭的战争中，几乎所有巴拉圭男子惨遭杀戮[75]，一夫多妻制随后在巴拉圭蔓延开来。

然而，即使在女子人数不超过男子的情况下，一夫多妻制的婚姻仍有可能发生。事实上，摩门教实行的多妻制已有相当的规模，而男性人口在全部人口中占居多数。[76]因此，男子中的不平等是重要因素。

即使在规模收益保持不变以及在男子与女子人数相等的情况下，如果男子在“生产力”方面存在差异，那么，一夫多妻制的组合可以成为最优组合。如果作为一个能人的第二个妻子增加的产出多于作为一个弱者的第一个妻子增加的产出，那么，所有婚姻的总产出将会更大。每一家庭内部的男子或女子的边际产出递减并不排除下述情况，即，一个女子作为某一生产力较高的家庭的第二个妻子可能比她作为一个生产力较低家庭的唯一妻子有更高的边际产出。

举例来说，有两名相同的女子，在独身时均能生产5个单位的产出；有两名不同的男子，在独身时分别生产8个单位和15个单位的产出；假定每个男子有一名妻子时，婚姻的产出分别为14和27，有二名妻子时，婚姻的产出分别为18和35。[77]显然，如果其中的能人娶两名妻子而另一名男子恪守独身，那么，这时的总产出大于每名男子各娶一房妻室时的产出：35＋8＝43＞14＋27＝41。如果能人获得譬如21个单位，每个妻子获得譬如7个单位，那么，不会有人产生交换配偶的任何动机。

本文的分析从一般意义上揭示，在具有较高生产力的男子中，一夫多妻制的婚姻更为常见，这些人包括大农场主、社会名流、实力人物。一夫多妻制的实例有力佐证了这层意义。举例来说，只有大约10%—20%的摩门教徒拥有一名以上的妻子[78]，这些男性都是成功者或杰出人士。在巴西的埃色望印第安人(Xavante Indian)的样本中，虽然40%的已婚男子是多妻的，但是"只有部落的头领才能享有最高级别的妻妾数目"(Salgano, Neel, and Maybury-Lewis, 1967, p.473)，在撒布撒哈拉非洲，约有35%的已婚男子是多妻的(Dorjahn, 1959, pp.98—105)，他们一般都是富有者；在阿拉伯国家，不到10%的已婚男子是多妻的，他们是成功者，他们在农业方面尤为成功(Goode, 1963, pp.101—104)。

在世界上一些地方曾经盛极一时的一夫多妻制婚姻为什么会走向衰落，笔者对此没有找到令人满意的解释。[79]收入不平等和农业重要性的减弱在一定程度上与此有关。也许性别比的变化不利于一夫多妻制，但是，除了战争时期的大规模破坏以外，似乎并非真正的原因所在。也许一夫一妻制的社会具有优越的遗传的自然选择甚至文化的自然选择(见下一节内容)，但是，由于成功的男子更有可能拥有较多的妻子，所以他们可能拥有相对较多的子女。[80]如果造就成功的因素可以"遗传"，那么，一夫多妻制对于"能人"的选择要比一夫一妻制更有把握。有人曾说，美国的摩门教徒今天的非凡成功要归功于他们的前辈实行的一夫多妻制。然而，如果实行一夫多妻制的男性的妻子们总体说来在能力方面不如具有同等能力的实行一夫一妻制的男性的妻子，那么，选择将不利于一夫多妻制。

一夫多妻制的衰落通常"归因"于"宗教"及反对多妻制的法律上的限制。但是，正如南非对黑人工人与白人工人的比例进行限制不利于黑人一样，对男子多娶妻室的法律限制对女子是不利的。确实，反对多妻制的立法减少了对女子的"需求"，因而减少了她们在家庭总产出中的份额，并且增加了男子的份额。[81]

### 分类配对、不平等及自然选择

第一部分已经指出，不同特征的积极的分类配对减少了同一家庭中子女之间在这些特征方面的差异程度(而且这是这种配对的长处)。然而，积极的分类配对也会加深家庭之间遗传特征方面的差异，因而会增加商品收入上的不平等。需要指出的是，这种配对对于商品收入方面的不平等的影响与对于货币收入方面的不平等的影响可能迥然不同。实际上,与绝大多数其他特征不同,如果工资率构成消极的组合(见第一部分的分析),那么,分类配对会减少货币收入上的不平等,增加商品收入上的不平等。

智力、种族或身高等可遗传特征的积极的组合也会增加不同家庭的子女之间在这些特征方面的不平等,增加父母与子女的特征之间的相关程度(Cavalli-Sforza and Bodmer, 1971, chap.9),而且,甚至教育等非遗传特征的积极的组合也常常产生同样的影响,因为,例如,受过教育的父母是他们子女的"学前教育"的有效生产者,其结果,造成父母与子女的商品收入之间的相关程度增加,从而扩大延续几代的家庭在商品收入上的不平等。就是说,积极的分类配对是造就非竞争群体的基本原因,也是在经济与社会地位形成过程中决定家庭一般重要性的基本原因,而经济与社会地位与人力资本投资和职业选择的分析密切相关。

由于积极的分类配对可以增加所有家庭的总和的商品收入,所以,商品收入的水平与不平等受到不同方式的影响。也许非法的多妻的婚姻能以减少总和的商品收入为代价缩小男子间的商品收入上的不平等,也许其他的减少不平等的配对类型的限制能为众人采纳,但目前看来做不到。

由于积极的分类配对增加了家庭之间的差异程度,根据著名的人口遗传学原理,这种分类配对会增加遗传的自然选择的潜力。[82]选择的实际数量也依赖于特征的遗传性,依赖于配偶的特征的水平同他们的子女存活数量之间的关系(遗传学家称之为"适应性")。举例来说,如果已知智力的遗传程度以及子女数量与父母平均智力之间的正相关(或负相关),那么,人口中每一代人平均智力的增加(或降低)率同根据智力进行的积极的分类配对程度直接相关。

此外,分类配对的程度同遗传性或同子女数量与父母特征之间的关系不无关联。例如,"高档"子女的"成本"对智力较高的父母来说可能相对较低,这会影响所希望的子女的(质量和)数量。[83]希望利用以后的文章更为全面地分析分类配对程度同遗传选择的方向与比率的其他决定因素之间的相互作用。

### 生命周期的婚姻类型

对于整个生命过程的婚姻决策——例如,结婚时间与婚姻持续期的选择，离婚或丧偶情况下再婚时间与再婚持续期的选择——迄今为止，我还很少注意。这是一个引人入胜而又错综复杂的研究领域，这里只能作粗线条的勾勒。笔者将在不太遥远的将来的文章中建立更为详尽的理论的和实证的分析。

有一种方便实用但有些人为的方法是将婚姻决策概念化，一个人首先决定何时进入婚姻市场，然后才去寻找适当的配偶。[84]希望拥有的子女愈多、预期的生活收入愈高、教育程度愈低，则进入年龄就愈早。[85]

一旦进入婚姻市场，求偶者将循着在现有的相当广泛的搜寻文献中的线索寻找配偶。[86]就是说，他要寻找下去，直到他所发现的配偶的任何预期的改进对他来说在价值上不超过他的时间及其他投入用于另外的寻找的价值。婚姻市场上的某些收益与成本的决定因素是十分有趣的。

从另外的寻找中的预期收益愈大，寻找的时间就愈长。由于预期的婚姻持续期愈长，婚姻收益就愈大，所以，人们希望的婚姻持续期愈长，例如，当离婚比较困难或成人死亡率较低时，求偶者的寻找就愈仔细，结婚的时间就愈迟。寻找可以采取试婚、同居的形式，甚至可以采取推迟婚期的形式，所以，当离婚变得比较容易时，由于婚龄的关系，合法结婚者的比例实际上会有所提高。从事实上看，在拉丁美洲，由于离婚通常是不可能的，同居因而变得十分重要，所以，成人中合法结婚者的比例很小（Kogut，1972）。在美国的一些州，离婚在法律上比较困难，在那里，妇女中的已婚者的比例较小（Freiden，1972）。[87]

各种潜在配偶愈多，从另外的“样本”获得的预期收益因而就愈大，寻找的过程也就愈长，所以，在其他决定因素不变的情况下，动态的、流动的、变幻的社会中的婚配迟于静态的、匀质的社会中的婚配。

寻找过程的幸运者结婚相对较早，然而，当一些人对他们吸引更好的潜在配偶的前景感到非常悲观（或对已经相识的情侣感到非常满意）时，这些人也会较早地结婚，所以，早婚既包括幸运者又包括悲观主义者，而晚婚则既包括不幸者又包括乐观主义者。

不同特征的寻找成本存在很大差异：教育、收入、智力、家庭背景，甚至健康状态确定起来都比较容易，而志向、精神恢复力、发展潜力的确定则困难得多。[88]关于寻找的支出的最优分配表明，婚姻决策更多地基于容易发现的特征的信息,而不是不易发现的特征的信息,所以,大体说来,根据(有如第一部分)信息完备情况下的组合分析对于根据教育等容易发现的特征进行的组合的预测比根据精神恢复力等不易发现的特征进行的组合的预测效果更好。[89]

已婚者也必须做出婚姻决策:是否应该分居或离婚。如果出现这种决策,或如果丧失了配偶,那么,何时应于再婚?某桩婚姻的"特殊"投资愈重要,分居的动机就愈小。[90]虽然对于配偶的习性的了解比较重要,但是,子女是婚姻特殊投资的最显著的例子。由于在婚姻持续期内,至少在相当一段时间里,婚姻的特殊投资会不断增加,所以,随着婚姻持续期的延续,分居的动机不断减弱。

另一方面,一个人愈是坚信结婚是个"失误",分居的动机就愈强烈,这种信念是配偶或其他潜在配偶的另外的信息造成的。(即使某人已经结婚,某种"寻找",也许是无意识的寻找还会继续下去)。如果"失误"被认为足以超过婚姻特殊投资的丧失,那么,分居或离婚就在所难免了。

第一部分的分析预测了在信息完备条件下的组合类型,一般说来,如果是由于在寻找中并不走运而偏离了这些类型,那么,这种婚配会比其他人更有可能坚信结婚是个"失误",随着婚姻持续期内另外信息的积累最终会决定分手。如果这些人再度进入婚姻市场,那么,他们应该比他们的前一次婚姻更少地偏离这些组合类型。例如,在教育程度、智力、种族或宗教方面存在较大差异的配偶,如果他们是不幸的求偶者,那么,他们就很有可能分道扬镳[91],当他们再度结婚时,他们在这些方面的差异应该有所减小。有鉴于此,笔者打算更为系统地展开有关分居、离婚及再婚分析的含义,并用一些实际数据验证这一分析。

**总结**

第二部分分析的意义在于:

(1) 解释彼此关心的人为什么比其他情况相近但不具备彼此关心的人更有可能结婚;这反过来为每个家庭似乎是在使单一的效用函数极大化的假设提供了充分的依据。

(2) 解释了当环境允许时为什么一夫多妻制在成功者中更为普遍,更一般地说，在决定一夫多妻制的婚姻的发生率时为什么男子中的不平等以及男女数量上的差异是主要的因素。

（3）分析了时间上的自然选择同分类配对之间的关系，它们对于理解不同家庭之间收入上的差异的几代人的持续是至关重要的。

（4）分析了哪种婚姻更有可能终止于分居和离婚，分析了这些人的再婚怎样有别于他们前一次婚姻的分类组合。

本章的分析只能说是正在进行中的更为广泛的研究的一系列初步的报告，更为充实的研究将使读者更为精确地估价经济分析这一方法在理解婚姻类型中的价值。

## 数学附录

### I

1. 最优配对[92]

给定一个函数 $f(x, y)$，首先证明，若 $\partial^2 f/\partial x\partial y < 0$，有

$$\frac{\partial[f(x_2, y) - f(x_1, y)]}{\partial y} \equiv \frac{\partial Q[x_2, x_1, y]}{\partial y} < 0, \text{对于 } x_1 < x_2 \tag{A1}$$

因为$\partial Q/\partial y = (\partial f/\partial y)(x_2, y) - \partial f/\partial y(x_1, y)$，当 $x_2 = x_1$ 时，有 $\partial Q/\partial y = 0$。根据假设，有 $(\partial/\partial x_2)(\partial Q/\partial y) = (\partial^2 f/\partial x\partial y)(x_2, y) < 0$。因为当 $x_2 = x_1$ 时有 $\partial Q/\partial y = 0$，且在 $x_2$ 处$\partial Q/\partial y$ 下降；因此，式（A1）得证。当 $y_2 > y_1$，从（A1）式直接可得

$$f(x_2, y_1) - f(x_1, y_1) > f(x_2, y_2) - f(x_1, y_2) \tag{A2}$$

当 $\partial^2 f/\partial x\partial y > 0$，类似的有

$$f(x_2, y_1) - f(x_1, y_1) < f(x_2, y_2) - f(x_1, y_2) \tag{A3}$$

现在准备证明以下定理：设满足 $\partial^2 f/\partial x\partial y > 0$ 的 $f(x, y)$。假设 $x_1 < x_2 < \cdots < x_n$ 和 $y_1 < y_2 < \cdots < y_n$。因此有

对所有数列 $$\left.\begin{array}{l}\sum_{i=1}^{n} f(x_j,\ y_{ij}) < \sum_{i=1}^{n} f(x_i,\ y_i) \\ (i_1,\ i_2,\ \cdots i_n) \neq (1,\ 2,\ \cdots n)\end{array}\right\} \quad \text{(A4)}$$

假设符号相反；最大化之和就是针对某一个数列 $i_1 \cdots i_n$ 的，且不满足 $i_1 < i_2 < \cdots < i_n$。因此，（至少）存在一个 $j_0$ 使得 $i_{j_0} > i_{j_0+1}$。因此，由于 $y_{ij_0+1} < y_{ij_0}$，根据（A3）式，有

$$f(x_{j_0},\ y_{ij_0}) + f(x_{y_0+1},\ y_{ij_0+1}) < f(x_{j_0},\ y_{ij_0+1}) + f(x_{j_0+1},\ y_{ij_0}) \quad \text{(A5)}$$

类似的证明，当 $\partial^2 f/\partial x \partial y < 0$，有

对所有数列 $$\left.\begin{array}{l}\sum_{j=1}^{n} f(x_j,\ y_{ij}) < \sum_{i=1}^{n} f(x_i,\ y_{n+1-i}) \\ (i_1,\ i_2,\ \cdots i_n) \neq (n,\ n-1,\ \cdots,\ 1)\end{array}\right\} \quad \text{(A6)}$$

2. 不参与劳动的妇女

若 $F$ 不参与劳动，有

$$S = Tw_m + T\hat{w}_f + r(l_{pm},\ l_{pf})(K_m + K_f) - l_{pm}w_m - l_{pf}\hat{w}_f, \quad \text{(A7)}$$

其中，$F$ 的"影子价格"$\hat{w}_f$，大于她的市场工资率 $w_f$，除非 $F$ 位于进入劳动市场的边际[93]，且 $l_{pm}$ 和 $l_{pf}$ 是 $M$ 和 $F$ 分配给组合管理的时间。若 $Z$ 的生产函数与时间和商品是一次齐次的，有 $Z = S/C(P,\ w_m,\ \hat{w}_f,\ A_f,\ A_m)$。

因此有

$$\begin{aligned}\frac{\partial Z}{\partial K_i} = {} & C^{-1}\left[r + k\left(\frac{\partial r}{\partial l_{pm}}\frac{\partial l_{pm}}{\partial K_i} + \frac{\partial r}{\partial l_{pf}}\frac{\partial l_{pf}}{\partial K_i}\right) - \frac{\partial l_{pm}}{\partial K_i}w_m - \frac{\partial l_{pf}}{\partial K_i}\hat{w}_f\right] \\ & + TC^{-1}\frac{\mathrm{d}\hat{w}_f}{\mathrm{d}K_i} - SC^{-2}C^f\frac{\mathrm{d}\hat{w}_f}{\mathrm{d}K_i} - C^{-1}l_{pf}\frac{\partial \hat{w}_f}{\partial K_i} \quad \text{(A8)} \\ = {} & rC^{-1} > 0,\ i = m \text{ 或 } f \quad \text{(A9)}\end{aligned}$$

因为 $C^f = t_f Z^{-1} = (T - l_{nf})Z^{-1}$，$K_m + K_f = K$，以及在最优时间配置下有 $\hat{w}_f = (\partial r/\partial l_{pf})K$ 和 $w_m = (\partial r/\partial l_{pm})K$。类似的，有

$$\frac{\partial Z}{\partial w_m} = TC^{-1} + \frac{TC^{-1}\mathrm{d}\hat{w}_f}{\mathrm{d}w_m} + C^{-1}\left(\frac{\partial r}{\partial l_{pm}}\frac{\partial l_{pm}}{\partial w_m}K + \right.$$

$$\frac{\partial r}{\partial l_{pf}}\frac{\partial l_{pf}}{\partial w_m}K - l_{pm} - \frac{\partial l_{pm}w_m}{\partial w_m} - l_{pf}\frac{d\hat{w}_f}{\partial w_m} - \frac{\partial l_{pf}}{\partial w_m}\hat{w}_f\Big)$$

$$- SC^{-2}C^m - SC^{-2}C^f\frac{\partial \hat{w}_f}{\partial w_m} = l_m C^{-1} > 0 \tag{A10}$$

以及

$$\frac{\partial Z}{\partial A_i} = -SC^{-2}C_{a_i} + TC^{-1}\frac{\partial \hat{w}_f}{\partial A_i} - SC^{-2}C^{\hat{f}}\frac{\partial w_f}{\partial A_i} - l_{pf}\frac{\partial \hat{w}_f}{\partial A_i}$$

$$+\text{加总为 0 的各项}$$

$$= -SC^{-2}C_{a_i} > 0,\ i = m \text{ 或 } f \tag{A11}$$

前提是 $A_i$ 不直接影响 $r$ 的。注意到(A9)—(A11)式与 $F$ 参与劳动时的(24)、(28)和(31)式是一样的。

因此有

$$\frac{\partial^2 Z}{\partial K_f \partial K_m} = C^{-1}\left|\frac{\partial r}{\partial l_{pm}}\frac{\partial l_{pm}}{\partial K_m} + \frac{\partial r}{\partial l_{pf}}\frac{\partial l_{pf}}{\partial K_m}\right| - rC^{-2}C^f\frac{\partial \hat{w}_f}{\partial K_m} \tag{A12}$$

上式第一项是正的,第二项是负的,那是因为

$$\frac{\partial w_f}{\partial K_m} > 0,\ \frac{\partial \hat{w}_f}{\partial K_f} > 0,\ \left(\text{且}\frac{\partial \hat{w}_f}{\partial w_m} > 0\right) \tag{A13}$$

(A13)式的证明源自需求方程对 $t_f$ 的微分。当然,

$$\frac{\partial^2 Z}{\partial w_m \partial w_f} = 0 \tag{A14}$$

更有

$$\frac{\partial^2 Z}{\partial K_m \partial A_f} = -rC^{-2}C_{a_f} - C^{-2}C^f\frac{\partial \hat{w}_f}{\partial A_f} \tag{A15}$$

上式第一项肯定是负的,若 $\partial \hat{w}_f/\partial A_f \leqslant 0$ 第二项有可能非负。若 $A_f$ 对产出有要素-中性效应,那么 $\partial \hat{w}_f/\partial A_f = 0$;若 $A_f$ 有自时间扩大效应,$\partial \hat{w}_f/\partial A_f < 0$。结果是,有如下推论

$$\frac{\partial^2 Z}{\partial K_m \partial A_f} > 0 \tag{A16}$$

可以通过对式(A11)微分得到 $Z$ 对 $A_m$ 和 $A_f$ 交叉偏导的一般公式。我在此只考虑存在要素-中性效应的情形，得到

$$Z = g(A_m, A_f)f(x, t_m, t_f) \tag{A17}$$

或最优的 $Z$ 就是 $Z = gS/[K(p, w_m, \hat{w}_f)]$，且有

$$g_i = \frac{\partial g}{\partial A_i} > 0 \text{ 和 } g_{mf} = \frac{\partial^2 g}{\partial A_m \partial A_f} > 0, \qquad i = m, f \tag{A18}$$

代入(A11)式，有

$$\frac{\partial Z}{\partial A_i} = Z\frac{g_i}{g} > 0 \tag{A19}$$

因此，得到

$$\frac{\partial^2 Z}{\partial A_m \partial A_f} = \frac{g_m}{g^2}g_f Z + \frac{g_{mf}Z}{g} - \frac{g_m g_f Z}{g^2} = \frac{g_{mf}Z}{g} > 0 \tag{A20}$$

3. 自有时间增加效应

自有时间增加意味着家庭生产函数可以为写成 $Z = f(x, t'_f, t'_m)$，其中，$t'_f = g_f(A_f)t_f$，和 $t'_m = g_m(A_m)t_m$ 是“效率”单位衡量的 $F$ 和 $M$ 的时间投入，且

$$\frac{\mathrm{d}g_f}{\mathrm{d}A_f} = g'_f > 0, \text{ 和} \frac{\mathrm{d}g_m}{\mathrm{d}A_m} = g'_m > 0 \tag{A21}$$

暗示数量特征值增加时，会带来效率单位的增加。最优的 $Z$ 可以被写为 $Z = S/C(p, w'_m, w'_f)$，其中，$w'_m = w_m/g_m$ 和 $w'_f = w_f/g_f$ 是生产效率单位的工资率。因为 $\partial w'_m/\partial A_m < 0$，所以

$$\frac{\partial Z}{\partial A_m} = -t'_m C^{-1}\frac{\partial w'_m}{\partial A_m} > 0 \tag{A22}$$

因此，

$$\frac{\partial^2 Z}{\partial A_m \partial A_f} = -\frac{\partial w'_m}{\partial A_m}C^{-1}\left(\frac{\partial t'_m}{\partial A_f} - \frac{\partial w'_f}{\partial A_f}t'_m t'_f S^{-1}\right) \tag{A23}$$

(A23)式的括号外的项和括号内第二项为正。括号内第一项可能为负[94]，但

是 Gregg Lewis 在一个未发表的备忘录中证明，若 $M$ 和 $F$ 的时间替代弹性小于 2，$\partial^2 Z/\partial A_m \partial A_f$ 必定为负。

4. 根据收入和非市场生产率配对

若 $M$ 只有在 $K_m$ 上有区别，$F$ 在 $A_f$ 上有区别，且对所有参与劳动的 $M$ 和 $F$ 而言，有 $\partial Z/\partial K_m = rC^{-1} > 0$，以及

$$\frac{\partial^2 Z}{\partial K_m \partial A_f} = -rC^{-2}C_{a_f} > 0，因为 C_{a_f} < 0 \tag{A24}$$

若 $M$ 只有在 $w_m$ 上有区别，有 $\partial Z/\partial w_m = C^{-1}l_m > 0$，及

$$\frac{\partial^2 Z}{\partial w_m \partial A_f} = -C^{-2}C_{a_f}l_m + C^{-1}\frac{\partial l_m}{\partial A_f} \tag{A25}$$

当 $\partial l_m/\partial A_f \geqslant 0$，即 $A_f$ 的增加并不会减少 $M$ 花在市场部门的时间，公式右边第一项为正，第二项也有可能为正。若确实如此，则第一项占主导，交叉微分仍然为正。特别是，当 $A_f$ 的效应与商品和时间的投入是独立的，(A25)式必定为正。若 $A_f$ 是独立的，则 $C = b(A_f)K(p, w_m, w_f)$。由于 $l_m = (\partial C/\partial w_m)Z = (\partial K/\partial w_m)SK^{-1}$，因此有

$$\frac{\partial l_m}{\partial A_f} = 0 \tag{A26}$$

## II

1. 正式的，$M$(或 $F$)最大化其效用函数

$$U_m = U_m(Z_m, Z_f) \tag{A1}$$

相应约束条件是

$$\left.\begin{aligned} Z_m^0 - C_m &= Z_m \\ Z_f^0 + C_m &= Z_f \\ C_m &\geqslant 0 \end{aligned}\right\} \tag{A2}$$

其中，$Z_m^0$ 和 $Z_f^0$ 是分给 $M$ 和 $F$ 的产出的市场配置，且 $C_m$ 是 $M$ 转移给 $F$ 的数量。若 $C_m > 0$，这些约束可以通过在 $Z_m$ 方程中代入 $Z_f$ 来简化成单一的

收入约束：

$$m_{mf} = Z_{mf} = Z_f^0 + Z_m^0 = Z_m + Z_f \tag{A3}$$

其中，$Z_{mf}$是 $M$ 和 $F$ 的产出，$m_{mf}$是 $M$ 的收入。最大化效用 $U_m$ 面对下面的单一收入约束

$$\frac{\partial U_m}{\partial Z_m} = \frac{\partial U_m}{\partial Z_f} \tag{A4}$$

若 $C_m = 0$，$U_m$ 是受两个约束 $Z_m^0 = Z_m$ 和 $Z_f^0 = Z_f$ 的最大值。均衡条件为 $\partial U_m/\partial Z_m = \lambda_m$，$\partial U_m/\partial Z_f = \mu_m$，其中，$\lambda_m$ 和 $\mu_m$ 是增加的 $Z_m^0$ 和 $Z_f^0$ 的边际效用。$M$ 的收入可能为

$$m_{mf} = Z_m^0 + (\mu_m/\lambda_m)Z_f^0 \tag{A5}$$

其中，$\mu_m/\lambda_m$ 是用 $Z_m$ 表示的转移给 $M$ 的 $Z_f$ 的“影子价格”。

因为 $\mu_m/\lambda_m < 1$（否则 $C_m > 0$），所以

$$Z_m^0 + \frac{\mu_m}{\lambda_m}Z_f^0 < Z_{mf} = Z_m^0 + Z_f^0 \tag{A6}$$

若 $C_m > 0$，由 $M$ 和 $F$ 组成的“家庭”的行动就像在单一家庭预算约束（A3）下最大化单一“家庭”效用函数 $U_m$，甚至当 $F$ 的效用函数与 $U_m$ 截然不同时也是如此。事实上，成员间的转移可以消除他们效用函数的冲突。

2. $M$ 和 $F$ 的婚姻的总收入为

$$m_{mf} + f_{mf} = I_{mf} = Z_{mf} + p_m Z_{mf}^f + p_f Z_{mf}^m$$

其中，$I_{mf}$是婚姻总收入，$Z_{mf}^m$和 $Z_{mf}^f$是分配给 $M$ 和 $F$ 的产品，$Z_{mf}(= Z_{mf}^f + Z_{mf}^m)$ 为总收入，$p_m$ 是转移给 $M$ 一单位 $Z_m^f$ 的影子价格，$p_f$ 是转移给 $F$ 一单位 $Z_{mf}^m$的影子价格。他们的收入必须在区间

$$\begin{aligned} Z_{mf}^m + p_m Z_{mf}^f &= m_{mf} \leqslant Z_{mf} \\ Z_{mf}^f + p_f Z_{mf}^m &= f_{mf} \leqslant Z_{mf} \end{aligned} \tag{A7}$$

若 $p_m = p_f = 0$——不关心相互转移——$m_{mf}$和 $f_{mf}$总是位于 0 和 $Z_{mf}$之间。更一般的，当 $p_m$ 和 $p_f > 0$，有

$$Z_{mf}^{m} < m_{mf} \leqslant Z_{mf} < I_{mf}$$
$$Z_{mf}^{m} < f_{mf} \leqslant Z_{mf} < I_{mf} \tag{A8}$$

考虑如下总收入矩阵

$$\begin{array}{cc} & \begin{array}{cc} F_1 & \quad F_2 \end{array} \\ \begin{array}{c} M_1 \\ \\ M_2 \\ \\ \end{array} & \begin{bmatrix} 8 & 8 \\ & (4,\ 4) \\ 7 & 7 \\ (3,\ 4) & \end{bmatrix} \end{array} \tag{A9}$$

表面上看，两种配对都是同等最优的，但是若只有 $M_1$ 和 $F_2$ 的婚姻中两者存在充分的互相关心，这个结论就不成立，因此 $m_{12} = f_{12} = 4$。[95] $M_1F_2$ 和 $M_2F_1$ 似乎没有 $M_1F_1$ 和 $M_2F_2$ 可行，因为较 $M_1$ 和 $F_2$ 的收入，$M_1$ 和 $F_1$ 婚姻收入更加可分。[96] 当 $m_{11} = 4\frac{1}{2}$，$f_{11} = 3\frac{1}{2}$，$m_{22} = 4\frac{1}{2}$，和 $f_{22} = 2\frac{1}{2}$，没有交换配偶再互组家庭的激励因素。[97] 另一方面，由于 $m_{12} = f_{12} = 4$，除非 $m_{21} = 3$ 和 $f_{21} = 4$，$M_1$ 和 $F_1$ 或 $M_2$ 和 $F_2$ 通过结婚可以改善福利。若 $m_{21} = 3$ 和 $f_{21} = 4$，$M_1$ 和 $F_1$ 或 $M_2$ 和 $F_2$ 通过结婚刚好维持福利。因此，这种婚姻并没有那种具有相互关心的婚姻可行。

3. 假设特定个体 $M$ 从婚姻中获取的正收益是与其配偶的两个特征的预期值成正相关的，相当于 $m = g(A_1, A_2)$，且 $\partial g / \partial A_i = g_i > 0$，$i = 1, 2$。若 $A_1$ 和 $A_2$ 的边际搜寻成本为 $c_1$ 和 $c_2$，均衡要求

$$\frac{g_1}{g_2} = \frac{c_1}{c_2} \tag{A10}$$

$c_1$ 相对小于 $c_2$，$A_1$ 相对大于 $A_2$ 的均衡值，因为等收益曲线的凸性是存在内点最大值的必要条件。

当搜寻成本对所有参与婚姻市场的人发生变动时，若 $g_1$ 和 $g_2$ 保持不变，那么，在所有人都拥有完美信息时，$A_1^{\max}$ 和 $A_2^{\max}$ 就是转移给 $M$ 的 $A_1$ 和 $A_2$ 的均衡值。搜寻 $A_1$ 的成本下降时，转移给 $M$ 的 $A_1$ 的均衡值会更靠近完美信息的均衡点 $A_1^{\max}$。

## 注 释

① 据我所知,唯一在我之前的是 Gronau(1970a)的一篇未发表的文章。他的文章激励我开始关注婚姻问题。

② Goode(1963)做了很好的分析,但其文章中并未有系统的理论。

③ 更确切地说,他们希望增加其效用,因为之后发生的事情有不确定性。第二部分将讨论某些不确定性,尤其是寻找合适的伴侣所花的时间、离婚的几率以及其他夫妻分离的情形。

④ Michael 和 Becker(1973)阐述了这一方法。

⑤ 这个假设的严重限制是,将商品产出排除致其无法进入其他商品的生产函数。在这样的"联合生产"下,一种商品的价格部分取决于其他商品的产出(Grossman, 1971)。联合生产会带来互补的消费,进而影响婚姻的收益以及伴侣的排序。参见第三节的简单讨论。

⑥ 这一假定在下一节及第二部分将加以改进。

⑦ 参见 *Employment Status and Work Experience* (U.S., Bureau of the Census 1963c), tables 4 and 12。

⑧ 收入和产出也可以不相等,因为一部分产出是联合生产的。参见下面及第二部分的讨论。

⑨ 收养的市场一般主要由无法生育子女的夫妻以及接受付费来抚养他人子女的夫妻组成。

⑩ 爱情和此类转移之间关系的讨论参见第二部分。

⑪ 例如,假定独身家庭的产出占 $Z$ 的 5 个单位,一夫一妻的家庭占 13 个单位,一夫两妻的家庭占 20 个单位,一夫三妻的家庭占 26 个单位,那么,三个一夫一妻的家庭能生产 39 个单位,而两个独身男性家庭与一个一夫三妻的家庭共生产 36 个单位。

⑫ 参见第二部分对一夫多妻的深入探讨。

⑬ 更深入的讨论参见 Keeley(1974)。

⑭ 对偶性理论说明,$C$ 是生产函数的对偶。

⑮ 或者,$F$ 对 $M$ 的影子价格进入 $C_m$,$M$ 对 $F$ 的影子价格进入 $C_f$。

⑯ 即使已婚的 $F$ 不参与劳动市场,$Z_{mf}$ 提高的百分比依然等于财产收入占总收入的比例。

⑰ 若非人力资本的收入(如财产收入)与配置于"组合管理"的时间成正比,婚姻的收益更加会增长(参见下面的讨论)。

⑱ "仅仅"特别意味着,家庭生产中时间的生产率或婚姻组合是不变的。

⑲ 产出的上涨百分比等于工资率乘以总收益占总收入比率的上涨百分比。已

婚的 $F$ 是否参与劳动这个关系都成立，总收益占总收入比率则取决于——正向或负向——她的劳动参与。

⑳ 更有，若已婚妇女不参与劳动，由于其工资率的增长并不能影响婚姻的产出，因此，对其工资率的补偿性增长会降低结婚的激励，但男方工资率的下降会影响婚姻的产出。可以认为，$W_f$ 和 $W_m$ 的补偿性变化并不会明显影响婚姻成本。

㉑ 高知人群的结婚率的证据可参见 Higgins，Reed 和 Reed(1962)以及 Bajema (1963)。有魅力人群的结婚率的描述并未基于任何统计学证据。

㉒ 意指所有与他们决策有关的表值。在第二部分配偶“寻找”的分析中，信息完备这一严格假定将予以放宽。

㉓ 如果存在一个不能使总产出最大的最优组合，$M_i$ 与 $F_j$ 结合，$F_i$ 与 $M_p$ 结合，那么，对所有 $ij$，$pj$，(16)式的条件要求 $M_{ij}+f_{pj}\geqslant Z_{ii}$，或通过加总，

$$Z_p = \sum_{ij,\ pi}^{n} m_{ij} + f_{pi} \geqslant \sum_i Z_{ii} = Z^*$$

因为 $Z^*$ 为最大总产出，它必定大于 $Z_p$，根据假定，它小于最大值，故，矛盾。由此，最优组合的生产不能低于最大总产出，得证。

㉔ 证明详见 Koopmans 和 Beckman(1957)。

㉕ 显然要使

$$\left[\sum_i^n Z_{ii} - \sum_{j=1}^n (z_{0j}+z_{j0})\right]\Big/ n = \left\{\sum_i [z_{ii}-(z_{0j}+z_{j0})]\right\}\Big/ n$$

极大，只要使

$$\sum z_{ii}$$

极大，这是因为，$Z_{0j}$ 与 $Z_{j0}$ 已知，且与婚姻组合无关。

㉖ Winch(1958)特别强调，每个人都会努力去最大化其效用(“在挑选配偶上，每个人都会在符合条件的领域内搜寻那个他或她，他或她能最大限度地保证满足其最大需求”(pp.88—89))并强加互补性需求作为组合的先决条件(尤其是第 4 章)，但是他只考虑了心理特征，即将“符合条件”的人看作扭转局面的人，但并未说明如何通过互补性需求来组合家庭进而带来婚姻市场的均衡。

㉗ 我再强调一次，商品产出与我们日常衡量的国民生产并不相同，它包含了子女、伴侣、健康以及其他一系列商品。

㉘ 然而，工资率或其他货币变量不能视为生产性投入。

㉙ Kuratani(1972)讨论了日本公司的此类组合。Hicks(1948，chap.2，sec.3)

断定，更多有能力的工人会为有实力的企业工作，但缺乏证明。Black (1926)用一小组数据来说明工人与企业的组合问题。

㉚ 这一定义不同于早些时候根据利润或生产函数的交叉导数的符号给出的定义，从至少可以作为对于投入之价格变化的反应预见者这一角度来看，(28)式的定义更胜一筹；用全互补而非纯互补意味着，既包括替代效应又包括收入效应。即使 $t_m$ 与 $t_f$ 是纯互补的，但由于 $w_m$ 的增加引起的收入效应倾向于使 $t_f$ 增加，所以，$t_m$ 与 $t_f$ 仍然可以是全替代。

㉛ 丈夫低工资可能会促使他更不积极参与劳动，因为一方面他的工资太低，另一方面显出他妻子的工资相对较高。但他们也不会离开劳动力大军，部分是因为其平均工资比妻子的平均工资高很多，部分是因为妻子的非市场生产力要比丈夫的高。

㉜ 只要她们在市场领域的劳动在边际上不是无差异的。

㉝ 关于此结论以及更完整的时间在组合管理中的分配的分析参见 Ben-Zion 和 Ehrlich(1972)。

㉞ 如果时间分配于资产组合管理，则 $S=wT+Kr(l_p)-wl_p$，这里，$l_p$ 表示据此分配的时间。所以，

$$\begin{aligned}\partial S/\partial k &= r+(k\mathrm{d}r/+\mathrm{d}l_p)(\mathrm{d}l_p/\mathrm{d}k)-w(\mathrm{d}l_p/\mathrm{d}k)\\ &= r+\mathrm{d}l_p/\mathrm{d}k[(k\mathrm{d}r/\mathrm{d}l_p)-w]\end{aligned}$$

然而，由于 $k\mathrm{d}r/\mathrm{d}l_p=w$ 为一个阶最大化条件，于是 $\partial S/\partial k=r$。

㉟ 参见第二节，及第一部分附录。

㊱ 假定子女的谋生能力方面的差异是由他们父母的非市场生产力或收入所致，并且不予分别考虑。

㊲ (32)式可以写作

$$2\mid \varepsilon C_{am}\mid > \varepsilon C_{am,\,af}$$

这里，$\varepsilon C_{am}=(C_{am}\cdot A_m)/C<0$，而且 $\varepsilon C_{am,\,af}=C_{af,\,am}\cdot A_m/C_{af}>0$，如果效应抵消的话。交叉弹性必小于直接弹性绝对值的 2 倍。

㊳ 附录部分显示，$A_m$ 和 $A_f$ 的积极组合在 $F$ 不参与劳动时，仍然是最优的。

㊴ Ofek(1972)和 Smith(1972a)的弹性估计都是适中大小。

㊵ 所谓“通常”意味着，当一种特征的增加不致减少配偶的市场领域的工作时间时，与报酬的积极组合总是使总产出达至最大，即使当特征的增加减少配偶的市场领域的工作时间时，与报酬的积极组合也能使产出达至最大。

㊶ 很多相关研究参见 Winch(1958，chap.1)。

㊷ 参见 Winch(1958，chap.5)。顺从被视为支配的负值，求助是养育的负值，

屈尊是敌视的负值。

㊸ 1967年经济机会的调查从18 000名已婚者中随机抽取了20%的样本，这里的家庭包括夫妇的年龄不超过65岁且夫妇二人均有工作的家庭，妻子在一个调查周内的工作时间不低于20个小时。

㊹ 同时，即便受教育年限和年龄固定不变，非市场生产力也会发生变动。若投资可带来非市场生产力的上升，它也会使市场收入力量上升（Heckman(1974)发现，对女性的教育既能提升其非市场生产力，也能提升其市场收入力量），夫妻工资率之间的正相关可能有助于引出预期的丈夫的工资率和妻子的非市场生产力之间的正相关关系。

㊺ 参考一篇未发表的对Gronau(1972)的扩展研究。

㊻ 在其书中，Benham通过更细致的分析发现类似的结果，他另设一些变量也固定不变。但是，比起与其妻子的教育水平，丈夫的工资率与其自身的教育水平的相关性更强。

㊼ 我之前说过，当她的教育水平固定时，她的工资率也是这些特征的代表。

㊽ Grossman(1971)通过一种商品产出的增加对其他商品的生产成本的影响，区分了有益的生产和有害的生产。

㊾ 明显的，在条件(37)下，有 $e_sZ_{st} > e_sZ_{sj}$，所有 $j \neq t$，及 $d_tZ_{st} > d_tZ_{it}$，所有 $i \neq s$。

㊿ 由假定，因为对所有 $k$，$f_{kk}+m_{kk}=Z_{kk}$，且对所有 $i$ 与 $k$，$f_{ii}+m_{kk} \geqslant Z_{ki}$，所以 $f_{ii}-f_{kk} \geqslant Z_{ki}-Z_{kk} > 0$。

51 即，若 $f_{ii}>f_{kk}$，则 $Z_{ii}=m_{ii}+f_{ii}>m_{ii}+f_{kk}\geqslant m_{ik}$。

52 给定条件(15)和(16)，对所有 $k$，有 $m_{ii}-m_{kk} \geqslant Z_{ik}-Z_{kk}$，或者，由于 $m_{kk} \geqslant 0$，对所有 $k$，有 $m_{ii} \geqslant Z_{ik}-Z_{kk}$。(39)式的其余条件也可类似证明。

53 有关白人情况的研究参见Santos(1970)及Freiden(1972)。有关黑人的研究见Reischauer(1970)，有关波多黎各的研究见Nerlove和Schultz(1970)，有关爱尔兰的研究见Walsh(1972)。所谓“正常”意味着一组女子必须能与她们愿意嫁给的男子结婚，比方说，受过高等教育的女子同受过高等教育的男子结婚，或者20—24岁的女子同25—29岁的男子结婚。

54 此类效应的持续取决于移民是持续的，还是一次性的。

55 兰登书屋英语词典也有关于爱情的定义，“对其他人的幸福深切的关心”，以及“对异性温柔、深挚”。

56 此公式引自我的文章“A Theory of Social Interactions”(1969)。

57 由于只有一种商品，$M$ 的效用取决于 $F$ 的消费的说法等同于 $M$ 的效用取决于 $F$ 的效用的说法（假设 $F$ 不关心 $M$）。当有一组商品 $Z_1, \cdots, Z_q$ 时，且 $U^m = U^m[Z_{1m}, \cdots, Z_{qm}, g(Z_{1f}, \cdots, Z_{qf})]$，其中，$g$ 为 $F$ 的无差异曲

面，则 $M$ 的效用取决于 $F$ 的效用。因此有 $(\partial U^m/\partial Z_{if})/(\partial U^m/\partial Z_{jf}) = (\partial g/\partial Z_{if})/(\partial g/\partial Z_{jf})$；此比率为 $F$ 的 $Z_i$ 和 $Z_j$ 的边际替代率。

㊽“充分”关心也暗示了无差异曲线为斜率为 1 的直线，$Z_f$ 与 $Z_m$ 可完全替代。

㊾ 如果是在 $Ae$ 线段上，$M$ 则不能修正市场分配。

㊿ 假如 $AB$ 也表示 $F$ 的资源转移，而且 $e'$ 点是直线 $AB$ 与她的无差异曲线的切点。

(61) 在任何合伙关系企业中，或更一般的协作活动中，监管都是必要的（Becker 1971b, pp.122—123; Alchian and Demsetz 1972）。

(62) 更有，沿着任何陡峭的线移动——$AB$ 与这条线的差距衡量的是完全用于“偷窃”的资源——也会降低 $M$ 的效用。

(63) 若能充分地互相关心，任何配偶都无需“监督”对方。另一方面看，若每个人对配偶的关心都大于对自己的关心，假设至少有一个人 $M$ 会转移资源给对方，尽管可能对方并不接受。那时，$F$ 需要“监督”来自 $M$ 的但她并不需要的资源转移。这引出了一个更一般的原则，即，当关心的程度足够高时，配偶的行为与关心不够情形下的类似。

(64) $F$ 的收入是她的消费与一部分由 $e$ 点处 $F$ 的无差异曲线斜率决定的 $M$ 的消费之和。

(65) 我从其他“家庭”类型的产品的分析中借鉴过来，因为关心的分析与它们的分析类似。

(66) 爱情的产出更使他们的收入增长。

(67) $k$ 与 6 之间的差异衡量 $M_1$ 与 $F_2$ 的爱情的产出。

(68) 消极的关心或“憎恨”也是如此。大部分谋杀和袭击都是针对家庭内部人（Ehrlich, 1970）。

(69) 可参见第一节，第二部分附录，以及 Becker(1969)。

(70) 参见第二节证明。

(71) 参见第二节的例子，第二部分的附录。

(72) 举例来说，令不同工资率组合的产出矩阵为

$$
\begin{array}{c} \\ M_{w_1} \\ \\ M_{w_2} \\ \\ \end{array}
\begin{array}{cc} F_{w_1} & F_{w_2} \end{array}
$$

| | $F_{w_1}$ | $F_{w_2}$ |
|---|---|---|
| $M_{w_1}$ | 5<br>(5, 5) | 10<br>(10, 10) |
| $M_{w_2}$ | 12<br>(12, 12) | 15<br>(15, 15) |

如果产出充分可分，那么，由于可使所有婚姻组合的联合产出达至最大，所以最优组合是 $M_{w_1}F_{w_2}$ 和 $M_{w_2}F_{w_1}$；由于所有婚姻具有相互的和充分的关心，

婚姻中每一方的收入等于他或她的婚姻产出，这些收入在圆括号中给出。显然，此时的最优组合是$M_{w_2}F_{w_2}$和$M_{w_1}F_{w_1}$。

⑬ 参见Rivers(1906)。是由于杀害女婴才导致了一夫多妻，还是反过来，我们不得而知。

⑭ 一个最优的配对组合是这样的，没结婚的人无法通过结婚在不影响其他人的状况的前提下使自己的状况变得更好。我在第一部分(1973)说明，一个最优的配对可以最大化商品的总产出。

⑮ 战后，巴拉圭男子占人口比重仅为13%(*Encyclopaedia Britannica*, 1973 ed., s.v. "Paraguay")。文献来自T.W. Shultz。

⑯ 参见Young(1954, p.124)。假设女子结婚比男子早且寡妇也再婚，女子的实际人口数量超过男子的数量，至少在每个年龄段两者相等。任何时间，结婚的女子数量都大于结婚的男子数量，因为女子可以再婚姻(嫁给不同的男人——他们可以不停地一夫多妻)。这在撒布撒哈拉非洲尤为重要，在那里一夫多妻也很盛行(Dorjahn, 1959)。

⑰ 这些数字表示边际产出递减，18－14＝4＜6，35－27＝8＜12。

⑱ Young(1954, p.441)说道，"在一些社会中，男性族长的比例高达20%—25%"，但是Arrington(1958, p.238)指出大约10%的摩门教徒家庭是一夫多妻的。

⑲ 比起西方和亚洲社会，伊斯兰和非洲社会中一夫多妻更加普遍，尽管在中国和日本，妾也有妻的部分权利和义务(Goode, 1963, chap.5)。

⑳ Salzano, Neel和Maybury-Lewis(1967, p.486)在埃色望印第安人中找到"均值类似但存活的男性后代数量的方差显著比类似女性的大"的证据。这说明有多个妻子的男性(比较成功的人士)比其他男性有更多的子嗣。

㉑ 另一个关于反对一夫多妻的宗教和立法限制的解释是，这是一个古老的但又很重要的关于妇女歧视的实例，比如某些职位(如神职)对妇女的限制，以及限制妇女成为其财产的所有者，都是类似的实例。萧伯纳很好地阐释了这个假设："摩门教徒在现代民主条件下尝试一夫多妻制，遭到了很多因此制度而单身的低等男性的反对；出于女性本能，一个女人宁愿与十个人分享一个一流的男性，也不想自己独占一个三流男性"(Shaw, 1930, p.220)。萧伯纳专注于单身的主题，他还有其他三个关于独身的箴言，其中一个是这样说的"一个让大部分人都单身的婚姻制度必将因其道德暴行而遭到强烈的反对"(1930, p.220)。

㉒ 这一理论被Fisher(1958, pp.37—38)证明，且被称为"自然选择的基础理论"。更近期的深入讨论，可参见Cavalli-Sforza和Bodmer(1971, sec.6.7)。

㉓ 关于子女数量和质量的关系，参见本书中Becker和Lewis的文献。

⑭ 这个概念化的提出是基于 Coale 和 McNeil 的一个重要文献，即“The Distribution by Age of the Frequency of First Marriage in a Female Cohort”(1972)。初次结婚的频率分布可通过一个正态分布和两或三个指数分布的卷积的各种环境近似拟合。正态分布代表进入婚姻市场的年龄分布，指数分布代表寻找合适伴侣的时间。

⑮ 关于这些变量和其他变量的理论和实证研究，参见 Keeley(1974)。

⑯ 开创性的论文是 Stigler(1961)。最近的进展参见 McCall(1970)和 Mortensen(1970)。

⑰ 这些是扣除了收入对工资和性别比率差分的结果。

⑱ 在 Nelson(1970)的术语中，教育、收入和智力是“寻找”特征，而精神恢复力、发展潜力是“经验”特征。

⑲ 参见第三节讨论，及第二部分附录。

⑳ 一般和特殊投资的区别是明显的，可参见 Becker(1964, chap, 11)。例如，当一位家长(永远)与其子女分离时，他所获得的快乐比之前的更少，那么，此时子女就是一项特殊的投资。

㉑ 如果他们是效率低下的求偶者进而存在较大的差距，他们可能不易于分开。

㉒ 此部分的证明来自 William Brock。

㉓ 此部分早期初稿利用 $F$ 的影子价格扩展了分析，但是也有若干错误。公式来自 H.Gregg Lewis。

㉔ 有一些经验证据，即有高学历妻子的丈夫劳动时间更长(参见本书中 Benham 的文章)。

㉕ $M_1$ 和 $F_2$ 婚姻的产出也等于 4，是 $M_1$ 和 $F_1$ 婚姻的一半。

㉖ 或者，从不同的角度讲，$M_1$ 和 $F_1$ 的婚姻产出超过了 $M_1$ 和 $F_2$ 的婚姻产出。

㉗ $F_2$ 更愿意嫁给 $M_1$，但是并不能激励 $M_1$ 这么做，因为 $M_1$ 和 $F_2$ 的产出 $m_{12}$ 无法超过 4，低于 $m_{11} = 4\frac{1}{2}$。

# 第 7 篇

# 社会相互作用

本篇的两章内容从社会成员彼此间的态度这一角度考察社会成员之间的相互作用。首先建立这种“社会相互作用”的一般分析，然后考虑几个方面的应用，特别是同一家庭不同成员之间的相互作用，从中可以揭示，即使自私的家庭成员有时对其他成员似乎也会采取利他主义行为。

仿效利他主义的动机称为“腐化”原理，在后一章中这一原理用于解释从时间上看利他主义行为为什么能够在生物学意义上获得选择。利他主义行为能够实际增加自身消费而非减少这种消费，而且利他主义行为能够增加自我生存的机会。当利他主义行为直接施予家庭成员时，由于这种行为很有可能增加自身消费和自我生存的机会，所以，利他主义——真正的或仿效的利他主义在家庭内部比在家庭之间在生物学意义上更能获得有利的选择。

# 12

# 社会相互作用理论*

人非孤岛。

——约翰·唐纳

人是社会的动物。

——西尼卡

本文运用经济学的基本理论来分析一些人同另外一些具有不同特征的人之间的相互作用。虽然现代的社会学家和人类学家强调这种作用，19 世纪几位杰出的经济学家把这些作用视为行为的基石，但是当代的经济学家却严重忽视这种作用。本文分析的中心概念是"社会收入"，它是个人的自身收入（个人的报酬，等等）同其他人的有关特征（笔者称做"社会环境"）对他的货币价值之和。借助社会收入，本文才得以分析不同收入来源与包括社会环境"价格"在内的不同价格变化对支出的影响。同一家庭的成员之间的相互作用通常最为令人关注，这里，一家之主即户主的定义不是根据性别或年龄，而是把由于关心其他家庭成员的福利而将一般购买力转

* 重印自 the *Journal of Political Economy* 82，no.6(1974)：1063—1091.© 1974 by The University of Chicago。

移给所有其他成员的人称为“户主”，如果存在这样一个人的话。包含“户主”的家庭是一个具有高度相互作用的组织，它有以下性质：由于成员间的收入再分配只是导致抵消户主的转移的变化，所以这种再分配不会影响任何成员的消费或福利。不仅户主爱护所有成员，即使其他成员实际是自私的，他们的行为也“似乎”“爱护”所有成员，因为他们是使家庭收入最大化而不仅仅是他们的自身收入最大化。

父母提供的入学学习、礼赠或遗赠等形式的转移同不存在这种转移情况下的子女的收入同他们父母收入的比例倾向于负相关，所以，具有这些转移的子女的相对收入同这些转移无关甚至负相关。因此，仅仅了解父母地位与转移数量之间的关系不能推知事隔几代以后的经济或社会地位的稳定性。

## 引论

在杰文斯、瓦尔拉斯、马歇尔、门格尔等人开始形成消费者需求理论之前，经济学家经常讨论什么是决定欲望的基本因素。例如，边沁(1789 年)分析了 15 种基本的快乐与痛苦——所有其他的快乐与痛苦都被认为是这些基础集的组合；马歇尔(1962 年)在开始表述他的著名的边际效用理论之前简要分析了需求的几种基本决定因素。于本文至关重要的是这些思想家对人与人之间的相互作用的突出强调。

边沁提到：“与他或他人存在良好交往……的快乐”、“声誉的快乐”、“当善举的对象享有快乐时的快乐”。纳骚·西尼耳指出：“追求特色的欲望……考虑到它的普遍性和永久性，就是：它在一切时间影响一切的人，从我们呱呱坠地它就随之而来，直到我们进入坟墓它才会离人而去，则这种情感可以说是人类情感中最有力的了”(Marshall, 1962 p.87)。马歇尔也曾强调追求特色的欲望，通过分析食物、衣饰、住房和生产性活动来说明它的影响。[①]

由于异乎寻常的精确化充斥了消费者需求理论，特色、声誉或善举等变量愈来愈失去存在。每个家庭通常被认为具有一个效用函数，该函数直接依赖于它所消费的产品与劳务。然而，这并不等于说个人之间的相互作用被完全排除在外，庇古（Pigou，1903）、费雪（Fisher，1926）、帕提里奥尼（Panteleoni，1898）②将其他因素的作用纳入了效用函数（但并未对它们展开分析），近年来的有关文献分析了“示范和相对收入”对储蓄与消费的影响③，分析了“时髦现象”与“势利顾客”*对普通消费理论的影响④以及慈善事业经济学⑤，但是，这些努力尚未联系起来、统一起来，更重要的是，这些努力尚未使先贤曾经倡导的社会相互作用赢得应有的瞩目。

当然，长久以来，社会学家强调了相互作用的重要性。凡勃伦的炫耀消费和炫耀闲暇（就此而言，他被归入社会学家之列）已进入一般的课堂讲义，他曾说道：“如果要说明为什么对商品进行消费必然会引起对商品进行积累的动机，那就得撇开其最初的简单含义；只有在相去甚远的另一种意义下才能有所领会。之所以要占有物品，之所以会产生所有权制度，其间的真正动机是好胜心。”而且，“同僚对他的尊重，往往是他产生自尊心的基础。”（Veblen，1934，pp.25，30）除了当代的“社会交换”分析和“行为理论”以外，杜克海姆、西缪尔、弗罗伊德和韦伯均强调了相互作用。

笔者对相互作用的兴趣或许可以追溯到歧视与偏见的研究；通过将雇员、同事、顾客、零售商、邻居等的种族、宗教、性别或其他个人特征纳入效用函数，进而分析了歧视行为。其后，为了给国民经济研究署的博爱问题研究提供理论框架，笔者将“穷人”的生活标准纳入“富人”的效用函数，进一步的反省使我相信，早期经济学家所强调的问题值得严肃认真地予以考虑，这是因为社会相互作用的重要性远远超出了我们这些研究者⑥对具体事例的理解。

本文将相互作用的一般研究纳入当代的消费者需求理论。在第二部分，假定不同人的各种性格可以影响某些人的效用函数，系统探讨行为的意义；第三部分则从前面的分析中引申出进一步的含义，并运用于家庭内部关系、慈善行为、限定产品、多人间相互作用、妒忌和仇恨等方面的研究。这些运用的多样性与重要性既是对社会相互作用的重要意义的有力说明，又是对将相互作用纳入更严格的逻辑分析的可行性的有力佐证。

---

* 指盲目追求高档、稀缺或舶来物品的顾客。——译者注

## 理论框架

### 1. 个人情况下的均衡

根据现代的(也是非常陈旧)家庭行为理论⑦,

$$U_i = U_i(Z_1, \cdots, Z_m) \tag{2.1}$$

表示第 $i$ 个人的效用函数,$Z_1,\cdots,Z_m$表示基本需要或商品。如前所述,边沁提出存在 15 种基本欲望,马歇尔和西尼尔强调的数量则要少得多。每一个人还有一组生产函数,它决定这些商品中哪些能够利用他能够得到的市场产品、时间及其他资源来生产:

$$Z_j = f_j^i(x_j, t_j, E^i, R_j^1, \cdots, R_j^r) \tag{2.2}$$

这里,$x_j$表示不同市场产品与劳务的数量;$t_j$表示他的自身时间的长度,$E^i$表示他的教育程度、经历及"环境"变量,$R_j^1$, …, $R_j^r$表示影响他的商品产出的其他人的特征。例如,如果 $Z_1$衡量 $i$ 在其职业上的特色,则 $R_1^1$, …, $R_1^r$可以是同一职业的其他人对 $i$ 的评价,一般说来,其他人的特征可以影响商品生产的很大部分。

如果 $R_j$完全不在 $i$ 的控制之内——就是说,不受 $i$ 的自身资源使用的影响,那么,$i$ 将在 $R_j$给定的情况下使 $U$ 最大化。这些相互作用被认为不在被研究者的控制之列,因而当我们分析它们对资源与价格的反应时,它们可以被认为是已知的。

本文分析的出发点则是假定相反的情况,即,通过自身的努力,$i$ 能够改变 $R_j$。例如,通过不介入犯罪活动,$i$ 可以避免社会的轻视或排斥,通过本职岗位上的勤奋工作、多行善举或拥有漂亮的住宅而获得特色,也可以通过对邻居的造谣中伤或人身伤害来发泄他的妒忌与仇恨,这些影响可以构成($R_j^1$, …, $R_j^r$)的生产函数,该函数部分地取决于 $i$ 的努力,部分地取决于其他变量。

为了简化分析⑧,依照西尼尔的认识,并且假定只有一种商品(特色?),它可以用单一产品(时间的投入暂且忽略不计)及其他人的单一特征来生

产。那么，使效用达至最大等同于使这种商品产出达至最大，于是有

$$U_i = Z(x, R) \tag{2.3}$$

而且（直到第三部分第3节以前）假定其他变量（包括其他人的努力）对该特征的影响不取决于 $i$ 的自身努力，因此，$R$ 可以写成附加函数

$$R = D_i + h \tag{2.4}$$

这里，$h$ 衡量 $i$ 的努力的影响，$D$ 表示当 $i$ 不付出努力时 $R$ 的水平，就是说，$D_i$ 衡量 $i$ 的"社会环境"。

$i$ 的货币收入的预算限制可以写作

$$p_x x + p_R h = I_i \tag{2.5}$$

这里，$I_i$ 表示 $i$ 的货币收入，$p_R h$ 表示 $i$ 对 $R$ 的支出数量，$p_R$ 表示一单位 $R$ 对 $i$ 的价格，用 $R—D_i$ 代替（2.5）式中的 $h$，得到

$$p_x x + p_R R = I_i + p_R D_i = S_i \tag{2.6}$$

上式右边表示 $i$ 的货币收入及社会环境对他的价值之和，称做 $i$ 的社会收入；左边表示 $i$ 的社会收入如何"支出"：一部分用于他的"自身"产品（$x$），一部分用于其他人的特征（$R$）。[9]

如果 $i$ 使由（2.3）式给定的效用—产出函数极大化，约束条件为（2.6）式给定的对社会收入的限制，那么，均衡条件则是[10]

$$\frac{\partial U_i}{\partial x} \Big/ \frac{\partial U_i}{\partial R} = \frac{p_x}{p_R} \tag{2.7}$$

如果不想购买任何 $R$，那么 $p_R$ 便是"影子"价格，当 $R=D_i$（或当 $h=0$）时，$p_R$ 可以用 $R$ 对 $i$ 的边际效用（等于边际产品）的货币等价物来衡量。

$i$ 的均衡位置可以用图1和图2表示。图1假定，在 $Z$ 的生产中 $R$ 的边际产值（边际效用）为正，$R$ 可以表示譬如对 $i$ 的尊重而非 $i$ 对其他人的妒忌，数量 $OD$ 衡量 $i$ 的社会环境，$O_{x_0}$ 衡量 $i$ 的自身收入（用 $x$ 表示），因此，当 $i$ 对 $R$ 不存在支出时，"施予"点 $E_0$ 表示他的效用。如果 $E_0S_0$ 衡量购买额外 $R$ 可以获得的机会[11]，那么，$i$ 将通过沿 $E_0S_0$ 移至 $e_0$ 点，使其效用达至最大，在这一点上，该机会曲线的斜率等于他的无差异曲线的斜率。$i$ 对 $R$ 的均衡

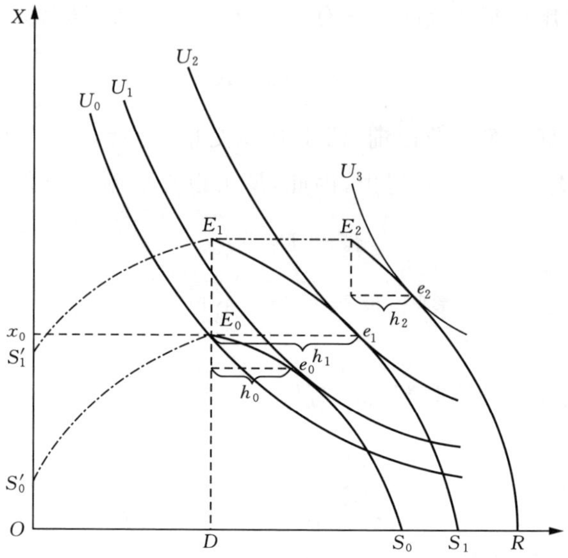


**图 1**

购买用线段 $h_0$ 衡量。

图 2 假定 $R$ 的边际产值(或效用)为负，这是因为，例如，它衡量 $i$ 所妒忌的人的收入或声望，机会曲线在 $E_0$ 点右下方的区域。暂时与问题无关；$i$ 将

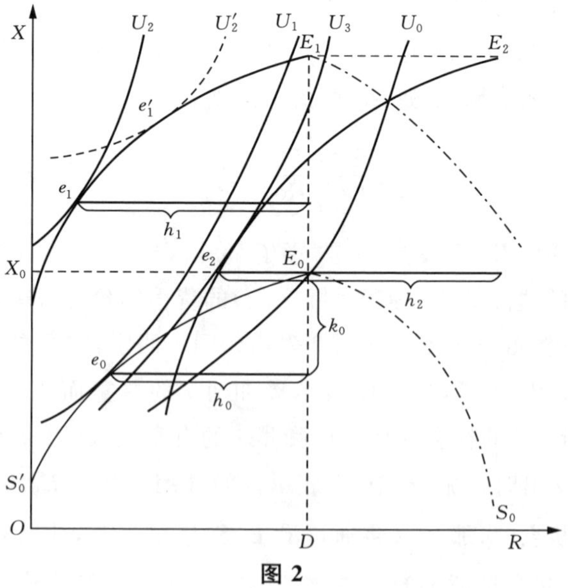


**图 2**

沿左下区域的 $E_0S'_0$ 移至 $e_0$ 点。由于 $i$ 的效用通过 $R$ 的减少而提高，所以，为了减少 $R$，他愿意放弃资源，在 $e_0$ 点，他通过支出足够的资源使 $R$ 减少了 $h_0$。

需要指出，在图 2 中，由于 $R$ 的边际（和平均）价格为负，由于 $i$ 的社会环境的价值要从其自身收入中减掉，所以，$i$ 的社会收入低于他的自身收入，就是说，如果 $i$ 的社会环境受到他不喜欢的其他人的特征的控制，那么，他的境况会因此而恶化；还需指出的是，只要 $R$ 的边际效用在社会施予位置不等于 $O$，那么，即使他不想对 $R$ 做任何支出，他的社会收入也不同于他的自身收入。在施予位置 $E_0$，他用 $D$ 与 $R$ 的边际效用（的货币等价物）的乘积来增加（或减少）他的自身收入，换言之，即使当不存在资源支出用于试图影响他人特征或境况时，传统的收入概念也还是存在缺陷的。

在这些图示和在(2.3)式、(2.6)式及(2.7)式中阐述的对社会相互作用的分析也可适用于一定的自然环境，只要这些环境能够直接加以改变或能使该环境的影响增强或削弱。举例来说，所谓的人力资本是个人接受的遗传同通过投资获得的数量之和，而且，投资的数量在一定程度上取决于遗传。同理，一个房间的温度取决于自然天气与燃料、绝热等方面的支出，这些支出能够增强或削弱自然环境因素的影响。

因此，更为一般的分析将假定，纳入效用函数的每一项既有环境因素又有获得因素（acquired component）。虽然不难形成一般分析，但为了简化起见，非社会环境暂且忽略不计，只要从总体上说社会环境的作用大大超过自然环境的作用，那么，本文的结论同一般分析的结论便是一致的。这种认识似乎能够成立。（笔者受益于吉尔伯特·盖茨特别是罗伯特·巴罗对分析的一般性质的强调。）

## 2. 收入与价格效应

$i$ 的自身收入的单独增加——在价格或社会环境不存在任何变化的情况下——如果 $x$ 与 $R$ 均不是劣质商品，那么，$x$ 与 $R$ 都将增加，$i$ 的自身收入的每 1%的变化引起的 $x$ 与 $R$ 的相应的平均百分比变化并不等于 1，而是比 1 小 $\alpha$，这里的 $\alpha$ 表示 $i$ 的社会收入中社会环境的份额[12]，因此，社会环境愈重要，$i$ 的自身收入的变化对其效用产出的影响就愈小。

换句话说，$i$ 的社会环境对他的收入的影响愈大，他的福利就愈取决于其他人的态度和行为而不是他的自身收入。经济学家的传统选择模型假定，自身努力、财产收入和转移支付的使用能够决定福利，另一方面，那些强调社会环境、社会规范要求、社会对顺从与否的认可以及强调在社会环境面前个人的无能为力的研究者自然认为社会决定了个人的努力，因而看不到个人选择的重要性。

社会环境的重要性以及社会相互作用理论的其他意义可以经验地从这些相互作用所引起的支出方面的数据进行估计，如果当 $i$ 的自身收入改变而 $i$ 的社会环境不变，那么，其他人的特征派生的绝对变化等于 $i$ 对这些特征的施予的变化，然而，由于这些特征部分地取决于社会环境，所以，他的施予的相对变化不同于这些特征的相对变化。

再来考虑图 1 和图 2，在不存在环境变化的情况下，$i$ 的自身收入的增加由施予位置 $E_0$ 到 $E_1$ 点的垂直增加表示。由于 $i$ 的均衡位置由 $e_0$ 到 $e_1$ 点，所以 $R$ 的变化刚好等于 $i$ 对 $R$ 的作用的变化 $h_1-h_0$，图 1 中的 $R$ 的变化百分比显然低于 $h$ 的变化百分比，这是因为，$R$ 是 $h$ 与（固定不变的）$D$ 之和。在图 2 中，由于 $R$ 的变化百分比为负，所以它也低于 $h$ 的变化百分比，这里 $h$ 的变化百分比为正（这是因为 $h$ 小于 0），然而，如果 $R$ 通过 $i$ 的自身收入的提高而增加——如果比方说，新的均衡位置在 $e'_1$ 点，那么，$R$ 的变化百分比则大于 0，而且在代数值上显然超过 $h$ 的负的百分比变化。

施予的需求的自身收入弹性与特征的需求弹性有关，用下式表示[13]

$$n_h \equiv \frac{\mathrm{d}h}{\mathrm{d}I_i}\frac{I_i}{h} = \frac{n_R}{\bar{n}(=1-\alpha)}\left[1+\alpha\left(\frac{1}{\beta}-1\right)\right] \tag{2.8}$$

这里，$0 \leqslant \beta \leqslant 1$ 表示自身收入用于对 $R$ 的施予支出的部分。如果 $\alpha > 0$，如果社会环境可以增加 $i$ 的社会收入，那么，显然，$n_h > n_R$[14]；而且，如果 $n_R \geqslant \bar{n} = 1-\alpha < 1$，那么，即使当 $n_R < 1$ 时也必然有 $n_h > 1$，就是说，即使这些特征本身的弹性“较低”，对其他人的施予的收入弹性也可能“较高”。当然，如果 $n_h > 1$，则自身消费需求的自身收入弹性将小于 1，这就是说，即使没有引入收入的转移变化、变量误差等诸如此类的因素，社会相互作用也意味着自身消费的相对较低的收入弹性。

(2.8)式进一步显示，在相对于平衡弹性的特征需求的自身收入弹性($n_R/\bar{n}$)不存在变化的情况下⑮，社会环境的增加即 $\alpha$ 的增加将提高施予需求的自身收入弹性。⑯换言之，$i$ 的社会收入愈是取决于他的社会环境，那么，随着 $i$ 的自身收入的变化 $i$ 对其他人的特征的施予的百分比变化就愈大。

另一方面，如果 $\alpha<0$——从 $i$ 的社会收入中减去社会环境，那么，(2.8)式表明，当 $n_R>0$ 时，$n_h<n_R$，当 $n_R<0$ 时，$n_h>n_R$(图 2 显示了这些不同情形)。如果这些特征对 $i$ 的边际效用为负，那么，$i$ 对特征的需求可能因 $i$ 的自身收入的增加而减小(即 $n_R<0$)，而且，在 $n_R/\bar{n}$ 保持不变的情况下，$\alpha$ 的提高将增加 $n_h$(注释⑯分析的充分应用)。

由于任何个人的社会环境不易观察，所以，至少，估计符号的间接方法会大有裨益。如果 $n_R/\bar{n}$ 一定，即特征需求的相对收入弹性一定，那么，$\alpha$ 的符号就不难根据有关对环境施予的需求的自身收入弹性的资料做出估计，其数值可以根据有关用于这些施予的自身收入支出份额的另外资料做出估计，(2.8)式表明

$$\alpha = \frac{n_h(\bar{n}/n_R)-1}{1/\beta-1} \tag{2.9}$$

因而当 $n_h(\bar{n}/n_R)\gtreqless 1$ 时，$\alpha\gtreqless 0$，有关 $\bar{n}/n_R$ 和 $\beta$ 的资料足以对 $\alpha$ 做出估计。

如果有关商品的收入弹性为正，那么，提高 $i$ 的社会收入之社会环境的增加将提高 $i$ 对自身产品的需求。如果 $i$ 的自身收入不变，对自身产品增加的支出只能通过减少对其他人的特征的施予来“资助”；类似地，从 $i$ 的社会收入中减除的社会环境的增大将增加 $i$ 对其他人的支出并减少对自身产品的支出。因此，不管环境是否增加或减少 $i$ 的社会收入，环境变化的影响总是(亦即只要自身产品不是劣质产品)在一定程度上被在 $i$ 的施予方面引起的相反方向上的变化所削弱。

从图形上来看，社会环境的变化通过施予位置的水平移动表示。在图 1 中，环境的增大使施予从 $E_1$ 移至 $E_2$ 点，均衡位置从 $e_1$ 移至一条更高的无差异曲线上($e_2$)，$i$ 的施予从 $h_1$ 减至 $h_2$；在图 2 中，均衡位置从 $e_1$ 移至一条更低的无差异曲线上($e_2$)，$i$ 的施予从 $h_1$ 增加到 $h_2$。⑰

如果 $i$ 的自身收入与环境收入均有变化，那么其结果便是两者各自变化的结合。例如，如果这两种收入增加，那么，环境的增大对 $i$ 的施予的影响至少可以在一定程度上削弱其自身收入提高的影响，尤其是，如果两种收入以同一百分比提高，那么，当 $i$ 对特征的需求大于、等于或小于1时，$i$ 的施予变化的百分比会大于、等于或小于这一百分比。

通过假定 $p_R$ 为常数，实际上已经假定了在其他人的特征的生产中支出与环境存在完全的替代关系。然而，如果支出与环境的彼此替代优于与自身消费的替代——如果 $p_R$ 随 $h$ 的提高而增加但并不"十分"迅速，那么也可以得出这种假定的性质方面的含义。例如，环境的增大会使施予减少。如果环境与这些特征方面的支出只是相对接近直接替代的话，那么，自身收入的提高会使施予的百分比增加得相对较大。

改变其他人的特征的成本（$p_R$）的提高通常会引起偏离这些特征的替代（或许还有收入）效应。如果环境一定，那么，施予的绝对变化等于这些特征的绝对变化，而根据(2.8)式变化的百分比则有所不同，见下式：

$$E_h = -\frac{\mathrm{d}h}{\mathrm{d}p_R}\frac{p_R}{h} = E_R\left[\frac{1+\alpha(1/\beta-1)}{1-\alpha}\right] \tag{2.10}$$

（证明见注释⑬）因此，当 $\alpha>0$ 时，$E_h$ 大于 $E_R$，而且，$\alpha$ 愈大、$\beta$ 愈小，两者的差值就愈大；类似地，当 $\alpha<0$ 时，$E_h$ 小于 $E_R$[18]，而且，$\alpha$ 的绝对值愈大、$\beta$ 愈小，两者的差值就愈大。

## 应用

现在考虑社会相互作用的一般分析的三个特殊方面的应用：同一家庭的成员间的相互作用、慈善、妒忌与仇恨。这些应用不仅为前文得出的收入与价格方面的含义提供经验支持，而且还可以引出有关社会相互作用的许多其他含义。

### 1. 家庭

假定 $i$ 关心其配偶 $j$，这意味着 $i$ 的效用函数依赖于 $j$ 的福利。[19]从这一节直至本章的后半部分都假定 $j$ 既不积极也不消极关心 $i$，为了简单起见，将衡量这种依赖性的变量 $R_i$ 加以定义，形如

$$R_i = \frac{I_j + h_{ij}}{p_x} = \frac{S_i}{p_x} = x_j \tag{3.1}$$

这里，$I_j$ 表示 $j$ 的自身收入，$h_{ij}$ 表示 $i$ 对 $j$ 的施予，$S_j$ 表示 $j$ 的社会收入，$x_j$ 表示 $j$ 消费的产品。将(3.1)式代入(2.6)式，得到 $i$ 的社会收入。

$$p_x x_i + p_R R_i = S_i = I_i + \frac{p_R I_j}{p_x} \tag{3.2}$$

这里，$p_x$ 表示转移给 $j$ 的资源对 $i$ 的价格，如果 $i$ 将资源转移给 $j$ 而不存在任何“交易”费用——一般说来，这种费用因共有一同一家庭而减少，如果 $i$ 对 $j$ 的关心足以使 $h_{ij}>0$，那么，$p_R=p_x$，而且

$$S_i = p_x x_i + p_x x_j = I_i + I_j = I_{ij} \tag{3.3}$$

$i$ 的社会收入等于 $i$ 与 $j$ 的联合的自身收入或者说等于家庭的自身收入，而且，由(2.7)式给定的均衡条件表明

$$\frac{\partial U_i}{\partial x_i}\bigg/\frac{\partial U_i}{\partial (R_i = v_j)} = \frac{p_x}{p_R} = 1 \tag{3.4}$$

或者说，$i$ 将从 $j$ 的自身消费与他的自身消费中获得相等的边际效用。

(3.3)式和(3.4)式的条件如图 3 所示。通过从在 $E_0$ 点的施予位置沿 $i$ 的预算线朝右下方移动，资源可以从 $i$ 转移到 $j$，均衡位置位于 $e$ 点，这时 $i$ 的无差异曲线的斜率等于其预算线的斜率(等于－1)，垂直(或水平)截距表示家庭的自身收入——$i$ 的社会收入——已经用 $x$ 的价格折算。

以上分析的一项重要意义在于，只要 $i$ 继续将资源转移给 $j$，那么，$i$ 与 $j$ 之间的家庭收入分配上的变化对任何一个人的消费或福利均毫无影响。如果家庭总收入保持不变，那么分配的变化将在与 $E_0$ 相同的预算线上：从 $E_0$ 到 $E_1$ 的变化名义上更有益于 $j$，而从 $E_0$ 到 $E_2$ 的变化名义上更有益于 $i$。由于 $i$ 的预算线和一条无差异曲线只有一个切点，所以均衡位置必定在 $e$ 点保持不变。有益于 $j$ 的收入的从 $E_0$ 到 $E_1$ 的变动只会导致 $i$ 对 $j$ 的施予的同等程度的减少(图中从 $h_{ij}^0$ 到 $h_{ij}^1$)，而无益于 $j$ 的收入的从 $E_0$ 到 $E_2$ 的变动将会

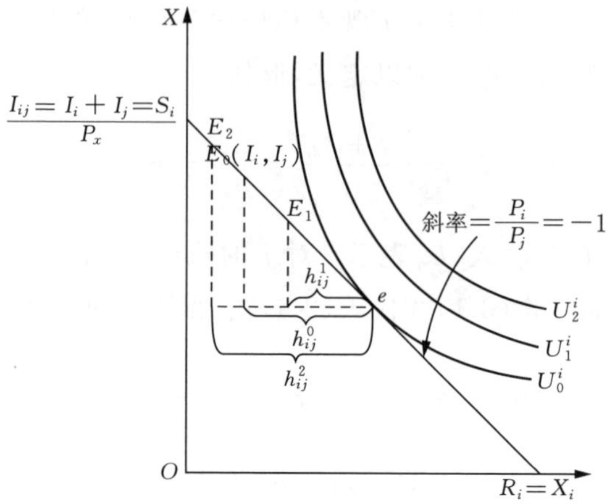


**图 3**

导致 $i$ 的施予的同等程度的增加(从 $h_{ij}^0$ 到 $h_{ij}^2$)。[20]

虽然上面的分析假定了两人家庭,但这种分析同样适用于大家庭,它的成员可以包括祖父母、父母、子女、叔叔舅舅、婶婶嫂嫂或其他亲戚。如果被视为“户主”的人充分关心所有其他家庭成员,向他们转移一般资源[21],那么,只要户主继续施予所有的人,成员间的收入再分配就不会影响任何成员的消费。

户主对其他成员福利的关心可以为包括户主在内的每个人提供某种灾害保险。如果灾害使某一成员譬如 $k$ 的收入减少了 50%,那么户主将提高对 $k$ 的施予,从而在某种程度上抵消 $k$ 的收入的减少。户主通过减少自身消费及减少对其他成员的施予来“融通”对 $k$ 的增加的施予;实际上每个成员通过减少消费分摊了 $k$ 的灾害。如果 $k$ 的家庭收入份额可以忽略不计,那么,即使 $k$ 的收入 50%的减少对家庭的影响也可以忽略不计,而对每个成员的消费的影响也是如此,因此 $k$ 实际上得到了充分保险。由于任一成员的份额与家庭规模负相关,所以,包括在某些社会见到的扩大的亲戚家庭在内的大家庭能够提供自我保险。当无法得到老龄、健康及其他方面的市场保险或这些保险服务的价格十分昂贵时尤为如此。[22]需要指出的是,当资源能够自愿转移时,这种保险是自动提供的,并不需要某一成员对于家庭资源分配具有独断权力。

由资源转移者联系起来的人们之间的收入分配的无关紧要的性质可以

用于理解世代之间的相互作用。[23]考虑当前一代的资源方面的变动造福于(或嫁祸于)子孙后代。例如,增加的政府债务或社会保险支付是要靠子孙后代增缴的税赋来添补的;另一方面,例如在教育等方面增加的公共投资可以增进子孙后代的福祉,但这是当代一代的纳税代支的。如果当前一代与子孙后代之间完全由一系列世代间的被称为"遗赠"的转移联系起来的话,那么,当前一代与子孙后代的相对资源方面的每一种明显变化都倾向于被来自遗赠但方向相反的变化所抵消,特别是,由于对子孙后代的增税将被他们获得的增加的遗赠所弥补,所以,增加的公共债务不会提高当前一代的实际财富或消费或者减少子孙后代的实际财富或消费;类似地,教育方面增加的公共投资将与教育方面私人投资的减少相补充。[24]

户主的预算约束取决于家庭总收入而不仅仅取决于他的自身收入——(3.3)式关于两人家庭的分析可以轻易地扩展到对多人家庭的分析。由于户主使受预算限制的自身效用达至最大,所以,任何提高家庭收入的因素都将增加他的效用,因此,户主将考虑他的不同行为对家庭总收入的影响。如果其他成员的收入增加得更多,那么户主愿意为此丧失自身收入。例如,如果迁移可能会使其配偶或子女的收入的减少程度超过他的自身收入的增加程度,那么他将不会进行这种迁移。此外,虽然子女终将自立门户,并完全支配他们的自身收入,但是,户主将引导和资助他们在教育及其他人力资本方面进行投资,以使这些投资所产生的实际收入的当前价值达至最大。[25]

换句话说,户主自动地将其行为对家庭成员的"外部"影响内部化。[26]实际上,由于户主使家庭收入最大化,所以,当不同成员的收入受到直接影响或者他们的消费——预算约束的另一方面——受到直接影响时,他将充分地把这些外部因素内部化。只有当他的消费的任何增加在价值上高于其他成员消费的减少(对他)的价值或者他的自身消费的任何减少在价值上低于其他人的消费的增加时,他才会采取行动直接影响消费。[27]

举例来说,只有当挑灯夜读的价值超过由此造成的妻子睡眠的损失(对他)的价值时,他才会挑灯夜读;再者,只有当抓吃食物的价值超过他的家人的厌恶(对他)的价值时,他才会抓吃食物。家庭成员之间的言行举止及其他个人行为"规则"的发展很好地说明了显著的"外部"效应如何通过成员间的社会相互作用而达到内部化。

还需指出，即使户主的行为直接减少他的家庭其他成员的消费或增加他们的厌恶与不适，但是，当户主的效用提高时，不仅他的境况有所改善，而且他的家庭的其他成员也能利益均沾，这是因为，如果户主的效用提高，如果家庭其他成员的福利对他的收入弹性为正，那么，他将通过足以补偿他们最初损失的办法增加对他们的施予。例如，如果他从挑灯夜读获益，那么他的妻子也会得益，因为他能够使补偿超过妻子睡眠上的损失。[28]

户主使效用函数极大化，该函数依赖于所有家庭成员的消费，并受到预算限制，而预算限制又取决于家庭收入和家庭消费，所以，产品相对价格的变化或总和的家庭收入(及其分配)的变化对家庭的不同产品消费的影响可以从户主的效用函数及对家庭变量的预算限制中唯一地作出预测。通常的替代理论和需求的收入弹性理论在这里是完全适用的。

在此意义上，包含户主的家庭可以说是使"它的"取决于不同成员消费的一致而又传递的效用函数极大化，该函数的约束条件是由家庭变量定义的预算限制。由于户主关心其他成员的福利，因而可以说，这种关心将所有成员的效用函数纳入一个一致的"家庭"函数，所以，"家庭"效用函数等同于户主一人的效用函数。

这就是说，"家庭"效用函数与家庭的一个成员的效用函数相同，之所以如此，不是因为该成员对其他成员拥有独断权力，而是因为他(或她)能够充分关心所有其他成员，并自愿将资源向他们转移。每一个成员都能有绝对的行动自由，实际上，资源转移者即使使用独断权力也不会改变任何成员的消费。例如，参照图 3，如果 $i$ 拥有独断权力，那么他能将均衡位置 $e$ 移至纵轴(或其他某处)，但是，由于他的效用部分地依赖于 $j$ 的消费，所以他不会选择这种移动。[29]

对于户主以外的成员的偏好的论述尚不多见，一个重大而有些意外的发现是，如果存在户主，那么，即使其他成员的福利只依赖于他们的自身消费，他们也会有使家庭收入与消费达至最大的动机，这就是"腐化"原理(这个名称要归于巴罗一家)，因为，考虑一个自私的成员 $j$，他可以采取行动使其自身收入减少 $b$，但使另一成员 $k$ 的收入增加 $c$，初始时，由于 $k$ 的收益和 $j$ 并不直接相关，因此 $j$ 的境况下降 $b$，然而，如果 $c=b$，那么由于家庭内部收入再分配不会影响任何成员的消费，所以户主将从 $k$ 转移足够的另外资源给

$j$,使他(与 $k$)的境况相同,而且,如果 $c>b$——如果家庭收入因 $j$ 的行为而提高,如果 $j$ 的福利对户主而言是高级"产品",那么他将转移足够的另外资源给 $j$,使 $j$ 的境况有所改善,所以,即使 $j$ 很自私,他也只会采取提高家庭收入或消费的行为,而不会考虑对他的初始影响。

换句话说,当一个成员充分关心其他成员而成为户主时,所有其他成员均有与户主相同的动机使家庭机会达至最大,并使所有家庭范围内的"外部因素"内部化,而不管这些成员如何地自私(或者说,实际上如何地妒忌),甚至一个接受父母资源转移的自私子女也会自动考虑他的行为对父母及同胞的影响;还可以换个说法,那就是,某一个成员的充分爱护为所有成员能够像爱护他们自己一样似乎也爱护其他成员提供了保障,可以说,一个家庭所要求的"爱护"的总量得到节省:受一个成员的爱护通过"看不见的手"导致了所有其他成员似乎也爱护每一个人。

利用这一原理,可以不考虑户主以外的成员的偏好,当然,如果所有成员完全自私便可能不存在户主,同样道理,如果他们都充分利他,那么什么结果可能都不会发生。每个人都想把资源转移给其他人,但没有人愿意接受这些转移。除此之外,福利的相互之间的作用或相互依赖也不会造成任何特殊影响。[30]

图 3 以及(3.1)至(3.4)式的正规分析中假定每个人只消费一种产品,以此消除一般购买力的转移同对另一个成员的特殊产品转移之间的任何区别。如果每一个成员均消费多种产品,那么,只有当户主满足于一般购买力的转移时,这一节关于家庭效用函数、家庭范围内的外部影响内部化等问题的结论才能完全成立。户主依然可以以此方式转移资源,只要他的效用函数依赖于其他成员的效用——就是说,只要他的效用函数可以写成如下形式

$$U_h = U_h[x_{h1}, \cdots, x_{hm}, g_1(x_{21}, \cdots, x_{2m}), \cdots, g_n(x_{n1}, \cdots, x_{nm})] \tag{3.5}$$

这里,$x_{ij}$表示第 $i$ 个人消费的第 $j$ 种产品的数量,而且

$$\mathrm{d}g_i = O\left(= \sum_{j-1}^{m} \frac{\partial g_i}{\partial x_{ij}} \mathrm{d}x_{ij}\right)$$

表示第 $i$ 个人的效用不变。如果户主关心的不是其他成员的效用,而是这些

成员对某一特殊“限定”产品的消费，那么将会得出截然不同的结论。限定产品的全面分析见本章第三部分第3节。

如果父母以礼赠、教育与其他人力资本支出以及遗赠等形式对子女转移资源，那么，父母收入的一定百分比的增加倾向于使对子女的施予提高一个更大的百分比，这一百分比当然超过他们的子女福利增加的百分比(见第二部分的分析)，换句话说，向子女的施予对于父母收入的变化非常敏感，而子女福利的变化就没有这么敏感。

遗赠、礼赠及许多其他对子女的转移方面的经验数据严重匮乏，然而，一般的感觉是，遗赠具有很高的收入弹性，而且，相对于父母收入的对子女教育的支出弹性似乎确实大于1(Schultz, 1967, p.9)，这与本文分析的涵义是一致的。

人们常常注意到子女的教育和其他培训与技能方面的支出对父母收入的敏感性，而且不幸地以此作为稳定和严格的“等级”结构的凭据。然而，本文的分析表明，子女的福利——他们的等级的标识——提高的百分比低于父母对他们的支出提高的百分比，甚至可能低于父母收入提高的百分比，换句话说，在揭示对子女的施予对于父母的收入非常敏感的同时，可以看到后代趋向于平均水平的相当显著的回归——就是说，子女的预期收入或其他社会地位标识比他们父母的同类指标更接近平均水准。[31]

问题的关键在于，如果所有父母对其子女都相同数量的支出，那么，后代向平均水平的显著回归就会出现，这部分地是由于遗传因素和机遇在从中作祟，结果，在偏好相互依存给定的情况下，那么，高收入的父母比低收入的父母在子女身上倾向于更慷慨地支出，然而，这些支出只会减缓回归而不会从根本上消除这种回归。因此，对子女施予的弹性反应使得“等级”地位的稳定性和继承性的图像出现很大偏差。实际上，产生流动性的力量愈强，施予对父母收入的反应就愈灵敏，这是因为，父母试图抵消这种力量，换句话说，施予对父母收入的弹性反应可以证实相当程度的流动性。[32]

## 2. 慈善

如果将时间与产品转移给没有利益关系的人或组织，那么，这种行为就被称为“慈善”或“博爱”。关于家庭内部施予问题的分析表明，慈善行为的动机可以是改善接受者的一般福利的愿望。[33]表面上的慈善行为也可能出于逃避别人的指责或获取社会上的赞许的意愿，然而，仅仅从改善福利的角度进行的分析并不会使我们的分析失去多少普遍意义。[34]

如果将慈善者 $i$ 同其慈善行为的全部接受者构成一个虚拟的“家庭”，* 那么，前面形成的关于家庭行为的许多方面的分析完全可以适用于这样一个虚拟的“家庭”。例如，只要 $i$ 继续对所有“成员”施予善举，那么这些人的福利均不会受到他们之间的收入再分配的影响。$i$ 只是将其施予物进行再分配，直至失去收入的每个人得到充分补偿，获得收益的每个人予以充分“课税”，而且，不只是 $i$，所有成员都试图使“家庭”机会和“家庭”消费达至最大，并不限于使他们的自身收入和自身消费达至最大。此外，虚拟“家庭”的每个成员都可以至少部分地获得灾害保险，这是因为，所有其他成员均会增加对遭遇不幸的成员的施予，直至至少他的部分损失得以弥补，因此，慈善是一种自我保险形式，这种保险可以成为市场保险和政府的资源转移的替代。大致说来，最近 100 年的市场保险和政府的转移支付的迅速增长限制了慈善的增长。

根据第二部分的分析，慈善家的收入的增加将使其慈善施予的增加百分比超出接收者的福利的增加百分比，实际上，只要他对接受者的福利的需求（笔者谓之慈善需求）的弹性不过分低于他的平均的收入弹性，那么，慈善家的施予需求的收入弹性将会大于 1，可能数值相当可观。有关慈善施予的现有数据显然证实这种分析的含义：陶西格（Taussig，1965）对 1962 年不同收入阶层的施予所估计的收入弹性均高于 1，变化范围低至 2 500 美元以下的阶层的＋1.3，高至 100 000—200 000 美元的阶层的＋3.1。[35]

根据施予者与其他人之间的社会相互作用理论，慈善施予的关键意义在于，接收者的收入提高会减少施予，所以，和仅有慈善家的收入有所增加的情况相比，在慈善家和接受者两者的收入都有增长的时候，施予的增加相对较少。舒尔兹对这些意义进行了验证并加以肯定。他分析了美国 1929 年到 1966 年之间收入与慈善施予的总和的时间序列数据，并把他的发现同前

* 西谚：慈善始于家庭，概有此构想。——译者注

面提到的陶西格所做的截面分析的结果加以对照。[36]

通常的消费者选择理论忽视了社会的相互作用，将慈善施予简单地视为同施予者的其他产品一起纳入施予者效用函数的一种产品：

$$U_i = U_i(x_i, h) \tag{3.6}$$

这里，$h$ 衡量由 $i$ 进行施予的数量，$x_i$表示 $i$ 消费的其他产品。“传统”的分析没有表明，$i$ 的收入增加将使他的施予以更大的百分比增加，或者，接受者的收入的提高将减少施予。因此，如果“传统”分析想要解释有关慈善施予上的证据，那么，它就需要某种特殊的考虑，而运用包括了社会相互作用的分析可以轻而易举地解释这些证据。

这些发现可以用于计算在施予者的社会收入中接受者的自身收入所占的份额，计算结果虽不甚精确，但却富有建设性。如果采用陶西格的计算，施予的需求弹性为＋2.0，自身收入用于施予的比例是 0.04（Schwartz, 1970, p.1278），慈善需求的收入弹性等于平均收入弹性（实际上，舒尔兹发现，这个数字可能低于平均值），那么，根据（2.9）式，社会收入中慈善的份额将是（2－1）/（1/0.04－1）≈0.4＊。如果将自身收入的施予弹性视为＋3.0而不是＋2.0，那么，慈善份额将会倍增为 0.08。此外，如果慈善的收入弹性只是平均弹性的 4/5，那么这一份额将进一步增至 0.11（什一税？）。

### 3. 限定产品与多人的相互作用

如果施予者关心的问题只是接受者的一般福利或效用——正如接受者所认为的那样，那么，施予者将满足于将一般购买力转移给接受者，另一方面，如果施予者关切的是接受者的某些特殊的限定产品的消费，那么，施予者将会希望限制或指定其转移的用途。例如，父母可能想向子女转移教育、住房方面的支出，或者，父母所关心的只是其子女的货币收入而非子女的充分收入；再如，对乞丐的施予者可能不想让他们的施予用于酗酒或赌博。

因此，假定由于 $i$ 的效用函数不仅依赖于他的自身产品，而且还依赖于 $j$

---

＊ 原文如此，应为 0.04。——译者注

的某些特殊产品，所以，当 $i$ 将资源转移给 $j$ 的时候指定了 $j$ 能够用以消费的特殊产品。如果暂时假定，允许 $j$ 随心所欲地使用其自身收入，那么，指定转移的结果是，$j$ 将减少在这些商品上的支出。显然，$j$ 的社会收入中用于这些产品的支出比例愈小，$i$ 的资源转移愈多，这些产品的收入弹性愈小，那么，$j$ 的自身支出的下降也就愈大。举例来说，如果这些支出占其社会收入的 20%，收入弹性为 2.0，那么，对于 $i$ 的一美元限定转移，$j$ 将使其自身支出减少 0.60 美元。[37]

只要 $j$ 继续其在限定产品方面的支出，限定转移对 $j$ 来说就会像具有同等货币价值的一般购买力的转移一样具有价值，而且，$i$ 对 $j$ 的这些限定转移所指定的产品之消费的影响不会大于一般性转移的场合。因此，只要 $j$ 继续在这些产品方面的支出，限定转移就等同于一般性转移，这时，从一般性转移的分析中得出的结论对限定转移也完全成立。例如，只要 $i$ 与 $j$ 继续在限定产品方面的支出，或者说，只要 $i$ 与 $j$ 使他们的联合的收入达至最大而不只是他们各自的自身收入达至最大，那么，$i$ 与 $j$ 之间的收入再分配将不会影响双方的消费。

另一方面，如果由于限定转移充分大，$j$ 不想在限定产品方面做任何支出，那么，这种转移对 $j$ 的价值就比不上具有同等货币价值的一般转移对 $j$ 的价值，而这种转移比具有同等货币价值的一般转移对 $i$ 更有意义，而且，从一般转移的分析中获得的结论不再成立。例如，对 $j$ 的收入再分配和 $i$ 的收入的减少将减少 $j$ 的限定产品的消费并增加 $j$ 的其他产品的消费。

如果 $i$ 意识到当转移增加时 $j$ 将减少限定产品方面的支出，那么 $i$ 将限制他的施予，这是因为，$j$ 的反应使限定产品对 $i$ 的私人价格提高到

$$p_m^i = p_m \frac{1}{1-r_j} = p_m \frac{1}{v_m n_m} \quad (3.7)$$
[38]

这里，$p_m$ 表示限定产品的市场价格，其余各项的含义见注释[37]，类似地，如果 $j$ 意识到当 $j$ 增加其用于限定产品的支出时 $i$ 将减少转移，那么 $j$ 将限制这种支出，这是因为，$i$ 的反应提高了对 $j$ 的价格，实际上，最后的结果可能是和 $i$ 不关心此事相比，$j$ 的限定产品的消费现在要少一些。这些派生的反应不只是观念上的假定，也不是无足轻重的，这一情况在最近的有关高等教育的研究中得到了有力的印证。州一级对高等教育的转移主要通过对公共教

育机构的高额补贴进行。在1966—1967年度,相对于一美元公共支出,私人支出明显下降了(至少)0.75美元,1959—1960年度,相对于一美元公共支出,私人支出减少了一美元以上,因此,该年度的高等教育总支出可能因公共支出而减少了。

由于这些反应体现了一种动机,即,掩饰限定产品及其消费中的"搭便车"的偏好,所以 $i$ 与 $j$ 都想限制对方的派生的反应。由于(3.7)式表明,这些反应提高了限定产品对 $i$ 与 $j$ 的价格,所以,实际上两者都想降低这些价格。的确,有关公共产品的理论是广为人知的,一项限定产品只是一种特殊的"公共"产品,对 $i$ 与 $j$ 的实际价格将低于市场价格,事实上,这些实际价格总计会达到限定产品的市场价格。[39]例如,通过 $i$ 与 $j$ 以某一特定比例相互比较彼此的支出或者可以规定每人的支出配额就有可能得到实际价格。

之所以谓之"可能",其原因在于,为了保证每一方实现其承诺,任何协议都需要"监察",由于 $j$ 通常自动地知道 $i$ 对他的支出数额,所以监察对限定产品的消费者 $j$ 来说是相对容易的事,但对 $i$ 来说监察则相当困难,这是由于 $i$ 不能自动地知道 $j$ 的支出比例。[40]父母可能利用子女的在校学习成绩衡量大致和他们的施予"相称"的子女的时间投入与努力[41],或者,父母可以将他们对子女的全部转移的大部分作为遗赠储蓄起来以便为子女至少在他们的父母健在时提供"适当"支出的动机。[42]这或许可以说明对遗赠征收的财产继承税之所以没有引发多大的替代——将财产转为礼物赠送给子女(Shoup, 1966; Adams, 1974)。

关于限定产品、"掩饰"偏好动机、"搭便车"、合作的努力及"监察"的分析适用于所有多人相互作用的场合——就是说,所有受到同一当事人的消费态度或其他行为的影响的两人或多人场合。有关多人相互作用的分析同样适用于其他"公共"产品;公共干预是否值得——譬如,是否应该在个人收入中扣除慈善施予从而免除纳税义务以降低私人的施予价格——没有政府干预的私人均衡是否更近似联合的最大化,即,更接近纳什的非合作对策解,还是与此截然不同?限于篇幅,这里不再深入探讨诸如此类的问题。

### 4. 妒忌与仇恨

如果其他某些人在一些方面境况出现恶化,妒忌者或恶意者就会感到于己有利。他通过"损害"自身(即使用其自身资源)的形式损害别人:在图2中,为了使别人受到 $h_0$ 个单位的损害,他放弃了 $k_0$ 个单位的自身消费。在图2中,$E_0S_0$ 表示这种自身损害与他人损害之间的交换。这种交换部分地取决于"掠夺"行为的技能,部分地取决于在防止犯罪、诽谤、恶意行为、侵犯行为及其他掠夺行为方面的公共与私人支出。由于这些支出的增加可以提高掠夺者侵害他人需要付出的成本,因而可以限制掠夺者的伤害别人的行为。现有的关于防范掠夺行为的支出方面的有限证据印证了上述分析的含义。由于绝大多数斗殴和凶杀一般均出于伤害受害者的目的,所以人身伤害罪方面的资料可以提供掠夺行为的某些证据。[43]行凶与凶杀(包括财产犯罪)的频次同定罪可能性、惩罚及这些犯罪的其他成本呈显著的负相关。

第二部分的分析表明,自身收入的提高倾向于减少掠夺支出,另一方面,除非自身消费是劣质产品,否则,社会环境[44]的增加必然会增加这些支出,因而,社会环境同自身收入的同等百分比的增加将使掠夺支出的减少不会超过自身收入的单方面增加,甚至可能会增加掠夺支出。

此外,分析的含义可以用人身伤害方面的资料加以验证。由于行凶与杀人在低收入阶层的发生率较高[45],所以,如果自身收入差异用某一时间个人收入上的差异衡量(有如第三部分第二节的慈善的分析),那么自身收入的增加看来能够减少人身伤害。从理论上推断,在社会环境增加的情况下自身收入(用其他人的收入衡量)的增加对上述犯罪没有消极影响。的确,行凶与杀人的发生频次在最近40年中没有随总和的收入的相当可观的增加而下降,目前高收入的州的人身伤害发生率不亚于其他州的人身伤害的发生率。[46]

从历史的角度看,即使是思维敏锐的社会观察者对于妒忌与仇恨的重要性的估计也竟然存在天壤之别。举例来说,亚当·斯密认识到这些"情欲"的存在,但却置之一旁:"妒忌、恶意或仇恨只是这样一些情欲,即,它们能促使一个人对另一个人进行伤害,伤害他的肉体或伤害他的名誉,但是更多的人并不经常地为这些不良情欲所左右,最坏的人也只是偶尔做恶。由于这种满足也并不伴随着什么真实或永久的利益,故大多数人通常审慎地考虑问题而限制采用这些行为。虽然没有治安法官保护他们免受这些情欲的伤害，但是他们还是可以在某种能够容忍的安全状态中相处。”(Smith, 1937)[47]另一方面，对凡勃伦来说，很多年以后他写道，这些动机是主宰万物之生命的根本要素：“追求财富的欲望简直是永远不会餍足的。所谓对财富的平均的或一般的满足根本就不存在。社会财富的一般增进，无论分配得怎样普遍、均等或‘公道’，也不能使这方面的欲望获得比较近似的满足；这是因为在积累财富这一点上，每个人的愿望是胜过别人。”(Veblen, 1934, p.32)[48]

从原则上讲，利用(2.9)式通过有关的社会环境对社会收入的施予可以衡量妒忌与仇恨的重要性。第二部分第2节对慈善的分析用一种粗略方式做了这项工作。不幸的是，无论是在需求的自身收入弹性方面，还是在自身收入用于掠夺行为的支出比例方面，由于资料的缺乏，甚至是粗略的估计也无法做到。

然而，指出几项有关妒忌与仇恨的重要性的不同观点的意义不无裨益。例如，凡勃伦认为，一般人的福利主要依赖于相对收入地位，这一信念表明，社会收入实质上等于0：引起妒忌的社会环境的价值恰好抵消自身收入上的价值。[49]因为这时，也只有这时，如果价格保持不变，那么这种社会环境与自身收入的同一百分比的增加不会影响社会收入或福利，就是说，一个社会的所有收入增加同一百分比将不会改变凡勃伦的世界中的任何人的福利。[50]

如果社会收入为负，如果引起妒忌的环境比自身收入更重要，那么环境与自身收入的同一百分比的增加将会减少社会收入和福利，就是说，在更为极端的凡勃伦的世界中，收入的一般增加实际上将会减少福利。[51]

另一方面，斯密相信，妒忌并非福利的重要的决定因素。这一信念表明，社会收入为正：引起妒忌的环境并不比自身收入重要；环境与自身收入的同一百分比的增加将会提高社会收入和福利，就是说，社会收入的凡勃伦式的一般增加会提高普通人的福利。

## 总结

本文运用基本的经济理论分析某些人的行为同其他人的不同特征之间

的相互作用。虽然现代的社会学家和人类学家强调这种作用,19 世纪的几位杰出的经济学家把这种作用视为人类行为的基石,但是当代的经济学家却严重地忽视这种作用。

本文分析的中心概念是“社会收入”,它是个人的自身收入(个人的报酬等)同其他人的有关特征(笔者称为社会环境)对他的货币价值之和。改变这些特征的自身收入的最优支出由通常的边际条件决定。借助社会收入概念,本文得以分析不同收入来源与包括社会环境的价格在内的不同价格的变化对这些支出的影响,也许最重要的含义在于,自身收入的变化倾向于在这些支出上引起相对较大的变化,换句话说,这些支出的需求的收入弹性倾向于较大,显然大于自身收入与社会环境的同等百分比变化引起的弹性。

同一家庭成员间的相互作用得到特别的关注。一家之“户主”不是根据性别或年龄来区分而是把由于关心其他成员的福利而将一般购买力转移给所有其他成员的人称为户主。包含户主的家庭是一个具有高度的相互依赖性的组织,它有以下性质:

由于只是引起抵消性的户主的转移的变化,所以成员间的收入再分配不会影响任何成员的消费和福利,所以,每一成员至少在一定程度上对可能危及自身的灾害获得保险。

不仅户主的行为“爱护”所有成员,而且,即使其他成员实际上是自私的,他们的行为也似乎“爱护”所有成员,就是说,他们是使家庭收入达至最大,而不仅仅是他们的自身收入。可以说,户主的存在从量的方面节省了家庭需要的真正的爱护。

一个家庭的行为似乎是使一个一致的传递的效用函数极大化,该函数受到仅取决于家庭变量的预算的限制。该效用函数与户主的效用函数相同,这不是因为他有独断权力,而是因为他对其他成员的福利的关心将所有家庭成员的效用函数融为一个一致的“家庭”函数。

父母以资助上学、礼赠及遗赠等形式对子女的转移同不存在这些转移情况下的子女的收入与父母收入的比例倾向于负相关,因此,具有这些转移的子女的相对收入同这些转移无关甚至负相关,所以,仅仅知道父母地位与转移数量之间的关系不能推知子孙后代的经济与社会地位的稳定性。

在特别考虑收入的不同类型的变化对慈善施予和减缓妒忌的支出方面

的影响的情况下，本文对慈善与妒忌做了十分简要的分析。例如，根据社会相互作用理论，说明了从个人收入的时点差异估计的对慈善施予的需求弹性远远超出从各个时期的总和的收入变化估计的数值，而传统的选择理论不易做到这一点。

从方法论的角度看，本文的目的是表明，在纳入经济理论的分析框架时，社会学和人类学中相当重要的一种关系如何得到了有益的阐述。经济学家对于社会相互作用的忽视可能既不是由于这一问题难于分析，也不是更为重要的概念上的偏见，而是因为在最近 70 年间过分专注于经济学的规范化的发展，所以，即使为早期的经济学家重视的社会相互作用之类概念也被置之一旁。

## 注　释

① 由于马歇尔认为生产活动、消费者的行为和其基本需求之间有相互作用，他将消费者需求的讨论限于边际理论的主要形式："在我们现有工作阶段上可以对需求所作的探讨，应该主要集中于纯形式的分析"(1962, p.90)。他也没有深入进行更复杂的或非形式化的研究。

② 这文献应该来自 George Stigler。

③ 参见 Brady and Friedman(1947)，Duesenbery(1949)，或 Johnson(1952)。

④ 参见 Leibenstein(1950)。

⑤ 参见 Vickery(1962)，Schwartz(1970)，Alchian 和 Allen(1967，pp. 135—42)，及 Boulding(1973)。

⑥ 其他草稿都可参见 Becker(1968)。

⑦ 扩展分析参见 Michael 和 Becker(1973)。

⑧ 我也扩展了假设有多种商品和特征的分析。

⑨ 有时，社会学家断言，类似社会认可和尊重之类的变量"并没有一个可以定价的物质价值"(Blau, 1968)。但是，价格只衡量稀缺性且本质上与"物质价值"无关；如 $p_R$ 只衡量 $i$ 改变社会认可和尊重等的资源成本。

⑩ 为了简化分析，该式中假定 $p_R$ 既衡量 $R$ 的平均价格又衡量 $R$ 的边际价格。

⑪ 若他也可以通过放弃获得商品来降低 $R$，$E_0S_0$ 曲线会向西南方位延伸(见图 1 中 $E_0S_0'$)。当 $R$ 有正的边际效用时，这部分将不相关了。

⑫ 将(2.6)式相对于 $I_i$ 微分 $\bar{n}\equiv w_x n_x + w_R n_R = 1-\alpha$，这里 $w_x=\dfrac{p_x x}{S_i}$，$w_R=$

$\frac{p_R R}{S_i}=1-w_x$，$n_x=\frac{\mathrm{d}x}{\mathrm{d}I_i}\cdot\frac{I_i}{x}$，$n_R=\frac{\mathrm{d}R}{\mathrm{d}I_i}\cdot\frac{I_i}{R}$，$\alpha=\frac{p_R D_i}{S_i}$而且假定 $p_R$ 已知(不依赖于 $h$，$x$ 等等)。当然，有如通常的分析，相对于 $S_i$ 变化的收入弹性的加权平均数必定等于 1。

⑬ 由于 $\mathrm{d}h/\mathrm{d}I_i=\mathrm{d}R/\mathrm{d}I_i$，

$$n_h=\frac{\mathrm{d}h}{\mathrm{d}I_i}\cdot\frac{I_i}{h}=\frac{\mathrm{d}R}{\mathrm{d}I_i}\cdot\frac{I_i}{R}\cdot\frac{R}{h}=n_R\cdot\frac{R}{h}\qquad(2.8')$$

但是

$$\frac{R}{h}=\frac{p_R R}{p_R h}=1+\frac{p_R D_i}{p_R h}=1+\frac{S_i-I_i}{\beta I_i}=1+\frac{1/(1-\alpha)-1}{\beta}=\frac{(1-\alpha)+\alpha/\beta}{1-\alpha}$$

由于 $1-\alpha=\bar{n}$(见注释 ⑫)，所以 $n_h=(n_R/\bar{u})(\alpha/\beta+1-\alpha)$。

⑭ 由于 $1/\beta>1$，且 $1-\alpha<1$，所以，$[1+\alpha(1/\beta-1)]/(1-\alpha)>1$，故此。

⑮ 由于自身收入对社会收入的相对施予下降，所以，$\alpha$ 的增加降低 $\bar{n}$。

⑯ $\frac{\mathrm{d}n_h}{\mathrm{d}\alpha}\left(\frac{n_R}{\bar{n}}=\text{常数}\right)=\frac{n_R}{\bar{n}}\left(\frac{1}{\beta}-1\right)-\frac{n_R}{\bar{n}}\alpha\beta^{-2}\frac{\mathrm{d}\beta}{\mathrm{d}\alpha}$

由于 $\beta<1$ 且 $\mathrm{d}\beta/\mathrm{d}\alpha<0$(下文将予说明)，上式右边两项均大于 0，所以，$\mathrm{d}n_h/\mathrm{d}\alpha>0$。

⑰ 显而易见，施予需求的施予收入弹性等于

$$N_h=\frac{\mathrm{d}h}{\mathrm{d}D}\cdot\frac{D}{h}=(N_R-1)\left\{\frac{1}{1-\alpha}\left[1+\alpha\left(\frac{1}{\beta}-1\right)\right]\right\}+1$$

显然，当 $\alpha>0$，若 $N_R\leqslant\alpha=\bar{N}$，$\bar{N}$ 即平均的需求的施予弹性，则 $N_h<0$。当 $\alpha<0$，若 $N_R\geqslant\alpha$，则 $N_h\geqslant0$。

⑱ 我假设，$p_R$ 绝对值的增加会降低 $R$ 的需求，因此有 $E_h>0$。

⑲ 关心并不是引出后续结论的一个简单的解围策略，正如我在其他文献中(Becker，1974)提到的，婚姻市场更像是一个人寻找另一个人配对，配偶必须是他关心的那个人，而非他不关心的同等条件的人。

⑳ 若 $i$ 的效用部分取决于他转移给 $j$ 的资源数量，也许由于 $i$ 的“尊重”或“认可”取决于他的转移，因此，重新分配家庭收入会对 $i$ 和 $j$ 的消费产生净效应。

㉑ 一个稍弱的假设是，家庭是通过一系列成员间的转移实现“充分联系”的；例如，a 因关心 b 而转移资源给 b，b 因关心 c 而转移资源给 c，一直持续到 m 转移给最后的成员 n，而 n 已无人可转移(这个假设是 Barro(1974)在代际环境下提出的)。间接地，就是 a(或其他除 n 外的成员)可以向其他所有成

员转移资源，因为他对 b 转移资源导致 b 的资源增加而同时 b 也可以继续向其他成员转移。

㉒ 自我保险与市场保险的互相作用的分析参见 Ehrlich 和 Becker(1972)。

㉓ 这一应用来自 Barro(1974)的详细分析。

㉔ 经验证据表明，大部分国家对高等教育的投资被减少的私人投资抵消了(Pelzman, 1973; McPherson，准备稿)。

㉕ 父母对子女教育投资的激励参见很多文献(De Tray, 1973; Parsons, 1974)。

㉖ 科斯定理证明了，当"讨价还价成本"可忽略时，每一个家庭成员都会通过与其他成员讨价还价及成员间的支付行为以最大化整个家庭的收入。我已经证明，户主(后面会提及，以及其他成员)有这样的激励，实际上无须与其他成员讨价还价就可以支付或者收取"成员间的报酬"。"自动"这个词就是为了与科斯定理区别。

㉗ 尽管这是一个很直接对他最大化整个家庭收入的兴趣的说明，有一个直接的证明会比较好。假设有以下特殊的改变户主的效用的行为

$$\mathrm{d}U_h = mu^h \mathrm{d}x_h + \sum_{j=1,\ \neq h}^{n} mu^j \mathrm{d}x_j \tag{1'}$$

其中，$mu^j = \partial U_h / \partial x_j$，$\mathrm{d}x_j$ 衡量的是第 $j$ 个家庭成员消费的变化。若户主能向其他成员一美元一美元地转移，在均衡时

$$mu^j = \lambda_h p_j\text{，对所有 } j \tag{2'}$$

其中，$\lambda_h$ 是户主收入的边际效用，$p_j$ 是 $x_j$ 的成本。将(2′)式代入(1′)式，有

$$\mathrm{d}U^h = \lambda_h (p_h \mathrm{d}x_h + \sum_{j=1,\ \neq h}^{n} p_j \mathrm{d}x_j) = \lambda_h \sum_{\text{all } j} p_j \mathrm{d}x_j \tag{3'}$$

当且仅当时 $\mathrm{d}U_h > 0$，户主行动，(3′)式暗示(由于 $\lambda_h > 0$)户主行动当且仅当

$$\sum_{\text{all } j} p_j \mathrm{d}x_j > 0 \tag{4'}$$

就此证明。

㉘ 回忆一下，我已经假设只有每个人只消费一种商品，尽管也可以扩展至多种商品。若户主的效用取决于其他任一成员消费的各种商品的函数，及与该成员的效用函数是单调递增的关系，此时，从一种商品扩展至多种商品的分析就很直接了。

㉙ 关于“家庭”效用函数的推导，我所认为的推导与传统推导进行对比似乎比较困难，因为明确的推导是不存在的。最明确的推导形式存在于 Samuelson (1956)的一篇著名的关于社会无差异曲线的文章中。他将个人与家庭效用函数关联起来考虑，但是他的分析比较简单，有些讨论还比较模糊。他草率地将一个连续的“家庭福利函数”嫁接到独立的不同家庭成员的效用函数之上(p.10)。此外，他认为一个家庭成员的“对其所拥有的商品的偏好有特殊的独立于其他成员消费的属性。”但是由于血浓于水，成员间不同的偏好被一种“共识”或“社会福利函数”联接在一起，它们衡量的是每个成员的消费的欲望或道德价值。这些偏好如何被“共识”连在一起，不同成员消费的“欲望”难道不是不同成员偏好价值一部分(在我的分析方法中)？一度(p.9)，Samuelson 相信若家庭效用函数和户主的效用函数一样，他肯定有独断权力，但我认为不是必要的。之后(p.20)，他说道“若家庭内部可实现收入的最优再分配，以让每一个成员的金钱支出具有相等的道德价值，那么，可以推导，整个家庭是一组与其消费相关的组织良好的无差异曲线：家庭按照最大化这个群体偏好函数来行动”。在我的分析中，“最优再分配”是相依偏好和自愿贡献的结果，而“群体偏好函数”就是户主偏好函数。

㉚ 对我而言，它常常是以下交互形式

$$U_i = U_i[x_i,\ g_i(U_j)]$$
$$U_j = U_j[x_j,\ g_j(U_i)]$$

其中，$x_i$和 $x_j$是 $i$ 和 $j$ 各自的消费，$g_i$和 $g_j$是效用$U_i$和$U_j$的单调函数，导致不稳定和无穷大的效用水平。$x_i$增长一个单位直接导致 $i$ 的效用增长，进而通过 $g_j$使 $j$ 的效用增长，最后反过来再带来 $i$ 的效用增长，如此循环，直到 $U_i$和 $U_j$无穷大。数学分析上，就是有一个无穷的回归，替代为

$$U_i = U_i[x_i,\ g_i\{x_j,\ g_j\{x_i,\ g_i\{x_j,\ g_j\{\cdots\}]$$

但是，若对交互级数有一个适当的限制，无穷的回归就会有一个有限影响，且以 $x_i$和 $x_j$表示的$U_i$和$U_j$的“缩减形式”可以被很好地定义。例如，考虑一个柯布—道格拉斯函数

$$U_i = x_i^a i U_j^b i$$
$$U_j = x_j^a j U_i^b j$$

其中，$a_i$和 $a_j$肯定大于 0，$b_i$和 $b_j$可以大于或小于 0。替代为

$$U_i = x_i^{a_i/(1-b_ib_j)} x_j^{a_jb_i/(1-b_ib_j)} = x_i^{\alpha} i x_j^{\beta} i$$
$$U_j = x_i^{a_ib_j/(1-b_ib_j)} x_j^{a_j/(1-b_ib_j)} = x_i^{\alpha} j x_j^{\beta} j$$

其中，$b_ib_j$ 独立于 $U_i$ 和 $U_j$ 的单调转换。一个有限的回归要求 $|b_ib_j|<1$；尤其是，边际效用或边际负效用由于相互依存而小于1。注意到，可能有 $a_i=b_i$ 和 $a_j=b_j$，也可能有其他人的消费和福利同等"重要"，条件 $|b_ib_j|<1$；意味着要么 $|\alpha_i|>|\beta_i|$，要么 $|\beta_j|>|\alpha_j|$，或两者都成立；也就是说，在"简化型"中，至少有一个人，其自身的消费比其他人的消费更加重要。

㉛ 在某个研究中，子女受教育年限对其父母收入的弹性为+1.2，同时，子女收入对父母收入的弹性只有+0.3，或70%趋向于平均水平的回归。在这里，父母不能通过对子女的投资以轻易阻止这种显著的回归。子女的人力资本投资与父母的收入的关系为

$$S_c = a + b\log I_p + u$$

其中 $b$ 是父母反应的弹性，$u$ 表示其他决定 $S_c$ 的因子。根据人力资本投资理论(Mincer, 1974; Becker, 1975)，有

$$\log I_c = \alpha + rS_c + v$$

其中 $r$ 是人力资本回报率，$v$ 是其他决定 $\log I_c$ 的因子。替代为

$$\log I_c = (\alpha + ra) + rb\log I_p + (ru + v)$$

甚至当 $r$ 大至0.2时，$b$ 大至2时，$rb$ 也只有0.4：向平均水平的回归有60%。当 $v = c\log I_p + v'$，其中 $1-c$ 表示"内在的"向平均水平回归的程度，因此，上式可以替代为

$$\log I_c = (\alpha + ra) + (rb + c)\log I_p + (ru + tv')$$

由于文中暗指 $b$ 与 $1-c$ 有正相关关系，即父母试图抵消"内在的"回归，"可观察到的"向平均水平的回归

$$1-\gamma = 1-(c+rb) = (1-c) - rb$$

可能与 $1-c$ 有较弱的正相关关系，且小于"内在的"回归水平 $1-c$。我与Mincer的探讨大略地包含在这个脚注中。

㉜ 众所周知，美国是比欧洲国家等级流动性更"开放"的社会；但是，对美国和一些西欧国家父子的职业流动性的比较来看，似乎没有巨大的差距(Lipset and Bendix, 1959)。由于在本文中讨论的是，父母对子女教育和培训的贡献比父母在"开放"社会中的地位的反应更大，父母贡献的反应越大，对美国社会"开放性"的抵消作用越大。

㉝ 兰登书屋英语词典定义慈善为"仁慈的感觉，尤其是对那些需要帮助和处于不幸中的人"。

㉞ 一个仁慈的、希望提高受助者福利的个人的效用函数可以写成

$$U_i = U_i\left[x_i,\ x_j\left(= \frac{I_j + h}{p_j}\right)\right]$$

其中 $h$ 是他的慈善施予，$x_j$ 衡量了受助者的福利，且 $\partial U_i/\partial I_j = \partial U_i/\partial h > 0$；即受助者自身收入增加一单位对效用的影响与一个慈善者的人多施予一单位对效用的影响相等。做出慈善贡献以获得社会赞许的个人的效用函数可以写成

$$U_i = U_i\left(x_i,\ \frac{I_j}{p_j},\ \frac{h}{p_j}\right)$$

其中仍有 $\partial U_i/\partial h > 0$；——他的贡献会增加其获得的赞许——但此时 $\partial U_i/\partial I_j$ 的符号并不那么明显。但是，慈善贡献和受助者收入更可替代，但慈善贡献与贡献者自身的消费就不那么可替代，这看似合理，因此，这些效用函数有类似的含义。只考虑希望提高受助者的福利水平的慈善动机，并未使该理论失去太多的一般性。

㉟ 这些估计值是扣除税率差异的结果。注意到，慈善施予的估计来自分项扣除个人所得税申报表。由于只有捐献给(某些)机构而非个人的款项才能抵扣税收，又因为很多纳税人尤其是低收入的纳税人无法分项抵扣而另一些人则虚报抵扣，根据申税表估计的慈善施予可能无法准确描述真实的施予行为。

㊱ Schwartz 的研究，与 Taussing 的研究类似，也是基于个人收入纳税表。两个研究都估计了施予的价格弹性，其中价格由(1－边际税率)来衡量。Schwartz 发现了施予行为对价格的显著反应，弹性大致超过－0.5，与社会相互作用理论暗示的结果一致。相反，Taussing 仅发现施予行为对价格的微弱反应；但是 Schwartz 宣称 Taussing 的研究结果是向下有偏的。

㊲ 显而易见，$r_j=1-v_m n_m$，这里，$v_m$ 表示用于限定产品的支出比例，$n_m$ 表示它们的收入弹性，$r_j$ 表示施予的每一单位的增加中 $j$ 的自身支出的减少，故，若 $v_m=0.2$，$n_m=2.0$，则 $r_j=0.6$。

㊳ 例如，若 $i$ 每转移一美元，$j$ 的花费就减少 0.6 美元，对 $i$ 的价格应为 $p_m^i = p_m(1/0.4) = 2.5\ pm$，或大于市场价格的 2 倍。

㊴ 关于这个著名的求和公式的证明参见 Samuelson(1954)。

㊵ 监察“公共”产品的困难可以从近期的 Wizard of ID 报纸卡通栏目上看出来。两个醉汉遇到一起，一个说：“你能给我一块钱买瓶酒吗?”另一个回答：“我怎么知道你不会拿这钱去买食物?”

㊶ 例子来自 Lisa Landes。

㊷ 此处关于由大额遗产带来的激励是一个特例，更一般的随处可得的(参见 Becker and Stigler，1974)结论是大额的养老金会促使雇员按照雇主的兴趣行事(遗产与养老金的功能类似)。

㊸ 从另一方面说，抢劫、入室盗窃和偷盗，可能是受到物质利益的驱动。

㊹ 这是指引发掠夺性支出的那部分社会环境。

㊺ 对他人或他人财产犯罪的人可能生活在低收入区域(Crime Commission 1967a，table 9)。

㊻ 1993—1965 年，美国人身伤害发生率明显上升，而谋杀发生率基本维持不变(Crime Commission 1967b，figs. 3，4)。甚至在定罪、处罚概率和其他变量保持不变的情况下，收入增长并未降低对他人的犯罪行为(Ehrlich，1973，tables 2—5)。注意到 Ehrlich 的研究与 Crime Commission 的证据不同，当他估计收入效应时，将犯罪的“价格”固定(估计价格效应时将收入固定)。

㊼ 不久，边沁得出一个类似的结论：“思考他人所遭受的痛苦以从中为乐，这种快乐根本比不上所遭受的痛苦”(Bentham，1952—54)。

㊽ 类似的，一位社会学家近日声称，无论在原始时期还是近代社会，社会主义还是资本主义社会，妒忌都是一个有力的驱动，且在决定经济发展进程和公共政策中有重要作用。

㊾ 此处，“自身”收入包含社会环境的其他方面的价值。

㊿ 若$U_i = U_i(I_i/\bar{I})$，其中，$\bar{I}$为平均社会收入，因此有$S_i = I_i - p_r\bar{I}$，其中，$S_i$是$i$的社会收入，$p_r$是以$I_i$表示的$\bar{I}$的价格。若$i$未有掠夺性行为，$p_r$大概是其无差异曲线的斜率：斜率 $= \mathrm{d}I_i/\mathrm{d}\bar{I} = I_i/\bar{I} = p_r$。因此有$S_i = I_i - I_i/\bar{I}\cdot\bar{I} = 0$。

51 当妒忌盛行时，就别指望经济发展了，因为它会降低社会福利。参见 Schoeck(1966)关于被其称为“发展中国家的妒忌壁垒”的讨论。

# 13

# 利他主义、利己主义及遗传适应性：经济学和社会生物学*

## 引论

经济学家通常假定偏好“一定”，尔后在偏好不变的条件下描述价格、收入及其他变量的变化结果，万不得已之时，他们要么借助于特殊的理论构造，要么明确地将偏好分析交给社会学家、心理学家或人类学家，然而，不幸的是，这些学科尚未形成更为系统或可资利用的偏好知识。

虽然经济学家不情愿全面分析偏好的结构变化，但是长期以来他们却依赖于偏好的基本而持久的特性的假定。利己据认为支配所有其他动机[1]，对子女（偶尔也对他人）的善举也被置于突出的位置[2]，而且，利己部分地取决于声望和人的社会地位的其他方面。[3] 利己的支配性与某些善举的延续性通常被解释成“人性”，这是回避问题的托词。

19 世纪中期以后的近代生物学的发展以及 20 世纪的人

---

* 重印自 the *Journal of Economic Literature* 14，no.3(September 1976).© 1976 by The American Economic Association。

口遗传学的发展使人们清楚地看到,"人性"只是解决问题的开始而非问题的结束,作为历经几百万年演化而来的生命,人类(和动物)本性的持久特性是在极其不同的自然环境与社会环境中进行遗传选择的结果。利己在不同环境条件下的存活价值是不难理解的④,但是为什么人类中(有时也能见诸动物中)的利他行为能够延续下来呢?

一些遗传学家和生物学家提出了这类问题,最近 20 年尤为如此。他们所从事的工作被爱德华·威尔逊在一部整理和发展了已有认识的重要著作中称为"社会生物学"。按照威尔逊的看法,"社会生物学的中心的理论问题是,根据定义减少个人适应性的利他主义如何能够通过自然选择得以进化?"(Wilson, 1975, p.3)

为了解决上述中心问题,社会生物学家建立了"群体选择"模型,这一模型可以通过它的一个特殊变种"亲缘选择"加以说明。假定某人对他的兄弟采取利他主义行为,愿意通过降低自身的遗传适应性⑤来增强他的兄弟的适应性。作为这种利他行为的结果,如果他使自身的适应性降低了 $b$ 个单位,那么,他将使他的兄弟的适应性增加譬如 $c$ 个单位,由于在他们的基因中大约$\frac{1}{2}$相同,所以,如果 $c>2b$,那么他的利他主义将使他的自身基因的预期的适应性增强,尤其是,这将增强作用于他的利他主义基因的预期的适应性,因而,对同胞、子女、子女的子女或任何具有相同基因的人的利他主义将有较高的存活价值,由此可以解释,对亲戚的利他主义是人类和动物"本性"的持久的遗传特性。

经济学家非常熟悉社会生物学的分析,因为后者依靠有效地适应环境的食物与能源等有限资源的竞争、分配以及广为经济学家使用的其他经济变量来说明问题。然而,社会生物学没有进一步发展在有限资源约束下使效用函数极大化的理性行为模型,他们转而只依靠与遗传选择有关的"理性":自然环境与社会环境会妨碍失当行为并鼓励适当行为。另一方面,经济学家只依靠个人理性来说明问题,并不包括遗传选择的影响。⑥

在笔者看来,经济学家的个人理性同社会生物学家的群体理性的结合能够形成更有说服力的分析。为了说明这种潜力,可以运用经济学家近来关于社会相互作用的研究(见第 12 章及 Becker and Tomas, 1976)分析社会生物学的中心问题——利他主义行为的生物选择。读者将会发现,由于利他主义行为可以作为个人理性的结果加予选择,因而群体选择模型是不必要的。

## 利他主义的经济模型

首先考虑利他主义对消费与财富的影响,这是经济学家通常关注的焦点。根据定义的实质,利他主义者愿意减少自身消费以增加他人的消费。根据两个方面的考虑,利己主义者的自身消费会超过具有同等能力的利他主义者的自身消费。⑦如果利己主义者和利他主义者的财富相等,那么,由于利他主义者将自己的一些财富分配给他人消费,所以利己主义者的自身消费会更多一些,而且,由于利己主义者愿意采取能够增进他们财富的一切行为而不考虑对其他人的影响,所以利己主义者的财富从表面上看也会趋于更多;另一方面,如果利他主义者的某些增进自身财富的行为会对他人产生不利影响,那么利他主义者就会自动放弃这些行为。

这些力量是潜在的,但并不全面,更为深入的分析揭示,即使没有引入对利己主义行为的社会控制,利他主义者的消费和财富也会超过利己主义者的消费和财富。现在系统地考虑利他主义者 $h$ 对利己主义者 $i$ 的行为。按照利他主义的定义,$h$ 愿意分配他的一些财富给 $i$,但分配的数量如何呢?这当然取决于 $h$ 的利他主义程度、$h$ 与 $i$ 的财富、分配"费用"及其他因素。

经济分析假定,所有行为归源于使依赖不同商品消费的效用函数的极大化。为了简明起见,时间的分配与转移暂且忽略不计。$h$ 与 $i$ 均消费可以进行单一加总的市场产品与劳务,利他主义者 $h$ 的效用函数可以写作

$$U^h = U^h(X_h, X_i) \quad (1)$$ ⑧

这里,$X_h$ 与 $X_i$ 分别表示 $h$ 与 $i$ 的自身消费,$h$ 的预算限制可以写作

$$pX_h + h_i = I_h, \quad (2)$$

这里,$h_i$ 表示转移给 $i$ 的以货币表示的数量,$I_h$ 表示 $h$ 的自身收入,如果 $h$ 对

$i$ 的转移没有任何货币损失或收益——“一元对一元”——$i$ 获得的数量等于 $h$ 转移的数量，那么，$i$ 的预算限制则为

$$pX_i = I_i + h_i \tag{3}$$

这里，$I_i$表示 $i$ 的自身收入，将(3)式代入(2)式，得到 $h$ 的基本预算限制：

$$pX_h + pX_i = I_h + I_i = S_h \tag{4}$$

这里，$S_h$称为 $h$ 的“社会收入”。⑨

在(4)式给定的社会收入的限制下使(1)式的效用函数极大化的均衡条件是

$$\frac{\partial U^h/X_h}{\partial U^h/\partial X_i} = \frac{MU_h}{MU_i} = \frac{p}{p} = 1 \tag{5}$$

这时，$h$ 对 $i$ 转移适量的资源以使 $h$ 从其自身的增量和 $i$ 的消费的增量中获得相同的效用。换句话说，$h$ 将从他的自身消费或 $i$ 的消费的微小变化中蒙受同样的效用损失。

显然，$h$ 的利他主义不仅涉及收入的转移，而且涉及收入的创造，因为 $h$ 的社会收入的任何提高都会增加他的效用，所以 $h$ 会努力实施一切提高他的(实际)社会收入的行为并避免任何降低其(实际)社会收入的行为。因为社会收入是他的自身收入与 $i$ 的自身收入之和，所以 $h$ 尤其要避免以 $i$ 的自身收入的更大程度的减少为代价来提高自己的自身收入，这一点早在据说利他主义者由于不会利用各种机会增加其自身收入因而其收入低于利己主义者时就已提到。

然而，需要指出的是，利他主义者当减少其自身收入时，他的某些行为能够增加他的效用及其自身消费，这种情形对利己主义者是不会出现的。假定 $h$ 能够通过降低其自身收入而更多地提高 $i$ 的收入的行为来增加 $h$ 的社会收入，由于 $h$ 的效用将会增加，所以，只要 $i$ 与 $h$ 的消费不属于劣质商品，他就会既增加其自身消费又增加 $i$ 的消费。因为 $h$ 的自身收入下降，所以只有通过减少对 $i$ 的转移 $h$ 才能增加其自身消费。由于 $i$ 的自身收入的增加，所以，这与 $i$ 的消费的增加是一致的。因此，即使 $h$ 的自身收入减少，他的自身消费也会增加，而且，即使来自 $h$ 的转移下降，$i$ 的自身消费也会增

加。所以，如果利己主义者与利他主义者一开始具有相同的消费——利他主义者的自身收入必然更多一些，在他们收入上的差异减少的同时，结果会使利他主义者的消费高于利己主义者的消费。

然而，有利于利他主义者的最重要的考虑是，$i$ 从提高 $i$ 与 $h$ 的联合收入于己有利的角度似乎——对 $h$——也采取利他主义行为。乍看起来这似乎令人迷惑但又似非而是，特别是，除非 $i$ 的收入提得更高，否则 $i$ 不会采取行动降低 $h$ 的自身收入；如果 $h$ 的自身收入提得更高，那么，$i$ 将降低其自身收入。

利己主义者 $i$ 为什么似乎采取利他主义行为呢？不妨考虑相反的情形对他的影响（$i$ 的全部注意力之所在），例如，让 $i$ 在更多地降低 $h$ 的自身收入的情况下提高其自身收入，由于他的自身收入与 $i$ 的收入之和减少，$h$ 的社会收入与效用下降，所以，$h$ 便会减少他的自身消费和 $i$ 的自身消费，这时，$h$ 只好使他对 $i$ 的转移的减少超过 $i$ 的收入的增加，所以，只要 $h$ 的转移依然为正，$i$ 的自身消费与福利就会因 $h$ 做出的反应而减少，如果 $i$ 正确地预期 $h$ 的反应，那么 $i$ 将避免这些行为。类似的分析表明，只要 $i$ 的行为使 $h$ 的收入更多地提高，那么，即使这些行为会减低 $i$ 的收入，$i$ 也会从自己的这些行为中获得收益：这是因为，$h$ 将增加对 $i$ 的转移，使转移增加的幅度超过 $i$ 的收入下降。

换句话说，通过自身消费与 $i$ 的消费的联系，利他主义者 $h$ 抑制了利己主义者 $i$ 所能采取的减低 $h$ 消费的行为，因为这时 $i$ 的消费也会降低。此外，$i$ 将不会避免损害与 $h$ 无关的其他利己主义者。所以，当把同其他人的相互作用考虑进去的时候，根据直觉做出的判断——利己主义者的自身消费会超过具有同等能力的利他主义者的自身消费——是有严重局限的，即使利他主义者让出一部分自己的收入，避免某些提高其自身收入的行为，但由于利他主义行为的受益者会考虑他们的行为对利他主义者的消费的影响，所以利他主义者的消费可能并不低于一个利己主义者的消费。这些对其他人的行为有益的间接影响可能超过利他主义者的直接“损失”，而且，这些间接影响未必无足轻重，它可能远远超过对 $i$ 的数量上的转移，举例来说，假定 $h$ 转移 1 000 元，而 $i$ 可以通过损害 $h$ 5 000 元而使自身收入增加 800 元。由于 $i$ 不会采取这些举动，所以 $h$ 的利他主义行为使其收入增加 5 000 元，或者说，是其转移给 $i$ 的数量的 5 倍。

以上分析很容易扩展成包括利他主义者 $h$ 对 $i$ 以及 $j$, $k$, …采取利他主义行为的场合。这时 $h$ 的资源除了转移给 $i$，还要转移给 $j$, $k$, …并使在社会收入限制等于所有这些自身收入之和的约束条件下的所有这些人的消费的效用函数极大化。继续前面的分析，可以看到，如果 $i$, $j$, $k$, …的联合收入可以降得更低，那么 $h$ 将避免采取提高其自身收入的行为，而且，如果利己主义者的联合收入能够提高得更多，那么 $h$ 将会降低其自身收入。

进一步说，如果 $h$ 的收入提高得更多，那么 $i$ 与其他人中的每一个人都将减少其自身收入，如果 $h$ 的收入降低得更多，那么其他人会避免采取提高自身收入的行为，所以 $h$ 会更多地转让其收入，避免进一步采取提高自身收入的行为。由于更多的人将考虑他们的行为对 $h$ 的作用，所以 $h$ 的收益也就更多。因此，对于使众人受益的利他主义者来说，虽然减少其自身消费的直接影响比使一人受益时的影响更强，但是间接作用也会更强，使众人受益的利他主义者的自身消费也未必低于具有同等能力的利己主义者的自身消费。

多人情况下的利他主义的最重要的新结果把受益人与其相互之间的行为联系起来。虽然 $i$, $j$, $k$, …均为利己主义者而且相互间不会出现让渡或获得转移，但是每一个人都有考虑他的行为对其他人的影响的动机。例如，如果 $i$, $k$, …的收入之和因此将有大的减少，那么 $j$ 就不会提高他的自身收入；如果他们的收入因此将有大的提高，那么 $j$ 就将减少他的自身收入。笔者把这种现象称为“腐化”原理（见第 12 章），尽管它的应用不限于同胞之间的相互作用。

为了证明这一原理，不妨假定相反的情形。例如，令 $j$ 提高他的收入并且更多地降低 $k$ 的收入。由于 $h$ 的社会收入为 $j$, $k$ 及其他人的自身收入之和，所以 $h$ 的社会收入（和效用）将会减少，因此，假定这些消费对他来说是优质产品，那么，$h$ 将使 $j$ 和 $k$ 的消费均减少，并使他对 $j$ 的转移的减少程度超过 $j$ 的收入的增加，使他对 $k$ 的转移的增加程度低于 $k$ 的收入的降低，最后，像 $k$（和其他每一个人）一样，$j$ 的境况也会恶化。如果 $j$ 能够预期 $h$ 的反应，那么他将避免通过更多地损害 $k$ 来提高自己的收入的行为。

虽然，$i$, $j$, $k$, …是完全的利己主义者，但他们通过 $h$ 的利他主义联系在一起,他们的自身利益谈不上利他主义,然而这种利益驱使他们使其自身收入与 $h$ 的收入之和——即 $h$ 的社会收入达至最大。这对于利他主义者的自身消费不见得低于利己主义者的消费的观点提供了另外一种解释:利他主义的受益者考虑他们的行为对于利他主义者自身消费的所有直接及间接的影响,他们不会考虑他们的行为对与这个利他主义者无关的其他人的消费的影响。

需要指出的是,偏离 $h$ 并趋向 $i$, $j$, $k$, …的非常规模的收入再分配会使 $h$ 不愿将他的资源转移给某个利己主义者,譬如 $k$,只有当收入再分配导致 $k$ 将资源转移给 $h$(或导致其他某个人譬如 $j$ 将资源转移给 $k$)时,$k$ 与 $h$ 才会继续有意于使同一社会收入极大化,也就是说,$k$(或其他某个人)的利他主义——$h$ 对 $k$ 的利他主义与 $k$ 对 $h$ 的利他主义是"相互的利他主义"的例子[10]——会增加关于最初通过 $h$ 的利他主义联系在一起的群体内部大规模收入再分配的结论的可信度。

通过利他主义者的转移联系起来的群体的每一名成员都有使群体总收入达至最大的动机,即使他们之中的绝大多数是利己主义者。如果政府规定适当的税收并且给予适当的补贴,或者,如果成员之间相互谈判只采取有利于整个群体的行为,那么,在没有利他主义者的情况下,群体收入可以达至最大。然而,适当的自愿协议和适当的政府行为的现实可能性很小,尤其是在政府的发育不完善或受制于许多压力集团的情况下,契约法不能很好地形成,或者其他的私人交易费用相当昂贵,这种可能性就会更小,所以,在利他主义环境下,"腐化"原理引起的私人行为会自动地使群体收入达至最大,这时,政府的反应或(关于私人谈判的)科斯定理[11]不起作用。

当 $h$ 的转移的受益者采取利己主义行为时,$h$ 的不利反应促使他们相互之间"似乎"也采取利他主义行为,而且,对 $h$ 也是如此,所以,"腐化"原理的基本含义是,当利己主义者从另外的利他主义者那里受益时,利己主义者具有只好仿效利他主义行为的动机;更一般地说,每当利他主义者通过他的行为对其他人的行为的影响来增加其自身消费时,利己主义者具有试图仿效利他主义行为的动机。例如,如果利己主义者 $n$ 自愿将资源转移给 $j$,那么,从这种意义上说,$n$ 具有一种似乎对 $j$ 采取利他主义行为的动机,使他们的联合的自身消费最大。当联合的自身收入减少时减少他的转移,等等,这种做法为的是抑制 $j$ 采取损害 $n$ 的行为。

如果每当利他主义者的行为能够提高其自身消费时，利己主义者总是能够完全仿效利他主义行为，那么，显而易见，真正的利他主义者的自身消费不会超过真正的利己主义者的自身消费；当利己主义者完全仿效利他主义时，二者的自身消费相等，然而，我们仍然能够得出结论，那些“外显”的利他主义行为——不论虚实——都能增加自身消费，这才是关键所在。此外，如果利他主义可以完全地加以仿效，那么，交易与谈判费用自然很小，于是，科斯定理又得以发挥作用。反之，如果由于存在大量的诈欺行为及其他谈判费用，以致科斯定理不起作用，那么利他主义便不能完全地加以仿效，否则，科斯定理就会发生作用。当利他主义不能完全地加以仿效时，利他主义者的自身消费或许大大超出具有同等能力的利己主义者的消费。

## 遗传适应性与利他主义的经济模型

由于社会生物学家更为关心选择与遗传适应性而非消费与财富本身，所以，下面将重新构造效用函数，使其只依赖于遗传适应性，以便旗帜鲜明地阐述利他主义的经济分析同社会生物学的中心问题之间的关系。利他主义者 $h$ 具有函数

$$U^h = U^h(f_h,\ f_i) \tag{6}$$

这里，$f_h$ 与 $f_i$ 分别衡量 $h$ 与 $i$ 的适应性。利己主义者 $i$ 的效用函数只依赖于其自身适应性。由于遗传适应性直接取决于后代的出生率和死亡率，取决于能够影响后代数量的自身生命的预期，所以，甚至利己主义者也要在一定程度上关心其配偶及子女的福利。

根据消费者行为的家庭生产函数的分析，遗传适应性是家庭使用自身时间与产品、技艺、经验与能力，以及自然和社会环境生产的商品。例如，$h$ 的适应性的生产可以根据

$$f_h = f_h(X,\ t_h,\ S_h,\ E_h) \tag{7}$$

这里，$t_h$ 表示 $h$ 直接[12]用于适应性生产的时间——诸如用于子女的照顾与保护的时间——$S_h$ 表示 $h$ 的技能与其他人力资本的储备，$E_h$ 表示环境。

如果 $t$, $S$ 及 $E$ 是外生变量,那么,只有通过改变产品投入才能改变适应性。除了最近一百年里的少数人口以外,获取食物及其他某些产品一直是遍及生物界的适应性的重要决定因素。产品和适应性之间的密切关系可以清楚地写成适应性的生产函数

$$f = aX \tag{8}$$

这里,$a$ 取决于生物种类以及参数 $t$, $S$ 及 $E$。[13] 由于适应性不能够直接购买,所以适应性没有市场价格,但它的确可以具有"影子"价格。它是改变一单位适应性所需的产品的价格:

$$\pi = \frac{\partial(pX)}{\partial f} = \frac{p}{a} \tag{9}$$

这里,$p$ 表示 $X$ 的(不变)价格或成本。

由于利他主义者 $h$ 愿意减少其自身适应性以改善 $i$ 的适应性,所以 $h$ 愿意将他的部分产品转移给 $i$,这就是社会生物学的利他主义的定义:"当某人(或动物)通过损害其自身适应性以增加其他人(或动物)的适应性时,就把他(或它)称为利他主义者。"(Wilson, 1975, p.117)

将(8)式代入(4)式,得到 $h$ 的预算限制:

$$\frac{pf_h}{a_h} = \frac{pf_i}{a_i} = I_h + I_i = S_h \tag{10}$$

或者,由(9)式得到

$$\pi_h f_h + \pi_i f_i = S_h$$

因此,$h$ 的社会收入一部分用于自身适应性的支出,一部分用于 $i$ 的适应性的支出:$h$ 与 $i$ 的适应性的影子价值之和等于 $h$ 的社会收入。

考虑到转移为正,在(10)式的预算限制下使 $h$ 的效用函数极大化的均衡条件是

$$\frac{\partial U^h / \partial_{fh}}{\partial U^h / \partial_{fi}} = \frac{\pi_h}{\pi_i} = \frac{a_i}{a_h} \tag{11}$$

如果 $h$ 与 $i$ 是适应性的具有同等效率的生产者,$a_h = a_i$,那么,$h$ 将把产品转移给 $i$,直至用于自己的产品引起的适应性的增加等于同等产品引起的 $i$ 的

适应性的增加;如果 $h$ 是适应性的更有效率的生产者,$a_h > a_i$,那么,这将不会促使他增加 $i$ 的适应性:由于 $h$ 的自身适应性可以以较低成本生产,所以,他从 $i$ 的适应性增加中获得的效用高于从自身适应性的同等增加中获得的效用。

重要的是,前面关于产品消费的所有结论同样适用于这里的适应性的分析,利他主义者 $h$ 与其利他主义行为的受益人 $i$ 都要使他们的实际收入之和达至最大;只有当其中一方的收入不至更多下降时,才会提高另一方的收入。从适应性来看,他们将最大化他们的适应性价值之和,并只有在其中一方适应性提高的价值大于另一方适应性下降的价值之时,他们才会提高一方的适应性:

$$\pi_h \mathrm{d}f_h + \pi_i \mathrm{d}f_i \geqslant 0 \tag{12}$$

例如,如果由于 $h$ 的适应性生产更有效率而 $\pi_i > \pi_h$,那么 $h$ 的适应性的任何增加都至少是 $i$ 的适应性减少的 $\pi_i / \pi_h$ 倍。

前面指出,尽管利他主义者放弃某些自身消费以增加其他人的消费,并且放弃某些可以增加自身收入的机会以免降低其他人的收入,但是,由于他的利他主义行为的受益者不会损害他的利益,所以他的自身消费可能超出具有同等能力的利己主义者的自身消费。循着同一思路,从有关遗传适应性的利他主义可以得出相同的结论:虽然利他主义者放弃某些自身适应性以增加其他人的适应性,等等,但是,由于他的利他主义行为的受益者不会损害他的利益,所以他的自身适应性可能高于具有相同能力的利己主义者的适应性。

因此,威尔逊关于利他主义的两个看似等价的阐述实则大不相同。威尔逊说:“根据定义,利他主义……减少个人的适应性”(1975, p.3),然而,利他主义行为可以扼要地定义为“某人(或动物)通过损害自身的适应性以增加其他人(或动物)的适应性。”(1975, p.117)根据后一种定义,可以看到,由于对其他人的行为的影响,利他主义者实际上可能增加个人的适应性,因此,利他主义并非根据(威尔逊或我的)定义必然减少个人适应性。

这一结论同解决社会生物学的中心问题密切相关,这一问题就是:“利他主义……如何通过自然选择而进化?”(1975,p.3)总的说来,如果利他主义提高遗传的自身适应性，那么，自然选择就对它有利，社会生物学的中心问题将变成生物条件和社会条件在什么时候会对利他主义的受益者产生足够的影响，以使自身适应性通过利他主义而提高。

需要指出的是，由于利他主义对受益者行为的影响没有加以考虑，所以，动物界似乎存在利他主义行为的广泛证据——例如狒狒有意暴露于危险面前以掩护同类的行为——与增加个人适应性的利他主义并不一致，此外还需指出，社会生物学家发现，当真正的利他主义增加个人适应性时，试图仿效利他主义的动机使人难以将真正的利他主义同仿效的利他主义区别开来。[14]

即使利他主义降低适应性，而且社会生物学家的群体选择必须用于解释利他主义如何通过选择而进化，利他主义者的适应性同受益者的适应性之间的交换可能比交换的表面形式更有利于利他主义的选择。例如，如果 $h$ 与其兄弟有一半的基因相同，$h$ 对 $i$ 采取利他主义行为，那么，只有当 $h$ 能够通过用每一单位的自身适应性的减少换取 $i$ 的适应性至少 2 个单位的增加时，亲戚选择才会有利于 $h$ 的利他主义（及其他）基因。因为，根据（12）式，$h$ 愿意用 1 个单位的自身适应性交换至少 $\pi_h/\pi_i$ 个单位的 $i$ 适应性，显然，只有当 $\pi_h > 2\pi_i$ 时，或者说，只有当其兄弟的适应性生产的效率高于 $h$ 的适应性生产效率的 2 倍时，$h$ 的利他主义基因才能得以选择。

然而，当 $h$ 的利他主义对 $i$ 的所有影响均加以考虑时，甚至当 $i$ 的生产率大大低于 $h$ 的 2 倍时，$h$ 的基因也会给予突出的选择。例如，如果 $h$ 与 $i$ 是适应性的同等效率的生产者，假定 $h$ 的利他主义使 $h$ 的适应性的总损失为 5 个单位，进而假定，$i$ 的总收益为 15 个单位——由于 $h$ 的利他主义不能减少 $h$ 与 $i$ 的联合的适应性[由（12）式，当 $\pi_h = \pi_i$ 时]所以，$i$ 的收益至少如同其自身适应性的损失那样大。$h$ 通过每 1 单位的自身损失使其兄弟 $i$ 的适应性增加了 3 个单位，而不是 $h$ 的一个单位的适应性对 $i$ 的一个单位的适应性的表面交换比率，或是选择利他主义基因所要求的 2 比 1 的最低比例。

（6）式的效用函数及以上分析可以再度推广为包括 $h$ 对 $i$ 以及 $j$，$k$ 等人采取利他主义行为的情况。他将会最大化他的自身实际收入和其他人的实际收入之和，并只有在变化的影子价值之和非负时，他才会试图影响不同的适应性：

$$\pi_h \mathrm{d}f_h + \pi_i \mathrm{d}f_i + \pi_j \mathrm{d}f_j + \pi_k \mathrm{d}f_k + \cdots \geqslant 0 \tag{13}$$

$h$ 的利他主义行为的每个受益者也使群体的实际总收入最大，并由(13)式限制他的行为，特别是，只有当减低的价值低于他的自身适应性增加的价值时，每个人才会减少群体中另一成员的适应性。

社会生物学存在的争议是，父母与子女之间的重大矛盾的产生是父母对子女的利他主义行为超过子女相互之间的利他主义行为所造成的。“父母与子女之间在对待同胞方面很可能涉及一个矛盾：父母鼓励的利他主义行为多于年轻人准备做出的利他主义行为。”（Wilson，1975，p.343）或者说，“社会化过程中的矛盾不应仅仅视为父母的文化同子女之间的矛盾，它也可以视为父母与子女之间的矛盾。”（Wilson，1975，p.343）如果父母是利他主义者，那么，本文的分析否认存在这种矛盾，其原因在于，即使子女实际上是利己主义者，他们相互之间也有采取利他主义行为的动机，正如他们的父母希望他们所做的那样。这种受益者对利他主义仿效的更为一般的原理的应用导致了所谓的“腐化”原理。

当然，父母的利他主义带来的父母与子女适应性之间的替代可能不会使父母的利他主义基因的选择达至最大，然而，实际的替代可能比适应性的影子价格决定的替代更有利于他的基因选择。例如，如果这些价格相等，那么，一位家长将愿意放弃他的一个单位的适应性以使每个子女的适应性增加一个单位，然而，他的利他主义可能突出地获得选择：他的适应性及其子女的适应性实际上可能超过他不是一个利他主义者时的情况，或者，他的适应性的减少可能大大小于他的子女的适应性的增加。[15]

## 结论

通过亲戚的共有基因发生作用的群体选择，社会生物学家解释了生物界中绝大部分对子女及其他亲戚的利他主义的高度存活能力。利用利他主义的经济模型，本文通过利他主义的优势说明了当存在自然与社会的相互作用时利他主义的存活：由于共同生活或彼此接近，亲戚之间存在许多相互作用。由于经济模型要求相互作用而不要求共同基因，所以，经济模型还可以解释某些对于非亲非故的邻里同事的利他主义行为的存在，社会生物学的亲戚选择模型则不能解释这种存在(他们的其他群体选择模型或许能够对此做出解释)。

在笔者看来，经济学和社会生物学都可以从经济学家的分析手段同人口遗传学、解剖学及社会生物学的其他生物研究的分析手段的结合中获得收益。经济学家认为偏好一定，并笼统地将偏好归于“人性”或诸如此类的说法——例如强调自私、对亲戚的利他主义、社会的差异性，以及偏好的其他持久延续的特性——可以在很大程度上用不同时期具有更大存活价值的特性的选择予以说明。[16]然而，反过来，存活价值在一定程度上是不同社会环境与自然环境中的效用极大化的产物。为了说明这一点，本文已经指出，利他主义的自然选择这一社会生物学的中心问题如何通过考虑利他主义者与利己主义者的效用最大化的行为之间的相互作用得以解决。

## 注　释

① 例如，斯密说道“我们毫不怀疑任何人因利己而有缺陷”(1968, p.446)，“我们的晚餐，可不是来自屠夫、酿酒商和面包师的仁慈，而是来自他们对自己利益的关注”(1937, p.14)。

② 马歇尔说“男人主要为他的家庭而非他们自己所需去劳动和储蓄”(1922, p.228)。

③ 纳骚·西尼尔说“对声望的追求……很明显是所有人类热情中最有力的”(1938, p.12)。

④ 科斯(1976)争论道，斯密尤其在其《道德情操论》中摸索出对利己的重要性的解释，即通过它对可行的社会和环境安排的贡献。

⑤ 遗传选择被定义为“在下一代获得表现的表现型的差异带来的遗传型频率的变化”(Wilson, 1975, p.67)。遗传适应性是指一个遗传型对下一代的遗传型分布的贡献，其中，一个遗传型是“一个肌体的基因组成”，而一个表现型则是“一个肌体可观察到的特征”(Wilson, 1975, p.585、591)。

⑥ 当然，经济学分析通常也与生物进化相联系：马歇尔相信，经济系统与生物系统一样进化，最大化行为之所以相当重要是因为最大化者会被选择进而幸存下来(Alchian, 1950)。但是，生物选择并未被整合在主体经济学分析中：它更像是随机附加物而非组成部分。

⑦ 虽然以下的分析除了适用于人，也可能还适用于动物界，但是为了简明起见，本文只涉及人的问题。

⑧ 在具有多种商品与劳务的情况下，$h$ 的效用函数可以写作

$$U^h = U^h\{X_{h1},\ \cdots,\ X_{hm},\ g(X_{il},\cdots,X_{im})\}$$

这里，$X_{hi}$ 与 $X_{ij}$ 分别表示 $h$ 与 $i$ 的第 $j$ 项产品的消费。如果 $h$ 的福利在一定程度上取决于 $i$ 的福利，那么 $g$ 则表示与 $i$ 的效用函数具有相同的无差异曲线的函数。

⑨ 参见第 12 章。此处利他主义的经济分析的精华都来自于那篇文章。

⑩ 这一定义被一个不同的、令人误解的方式运用于社会学中。它不是真的而是一种仿效的利他主义：一个人帮助其他人以期在未来获得他人的帮助(Wilson，1975，pp.120—21)。这似乎更合适的被社会学家称为“社会交换”(Blau，1968)。

⑪ 所以，在存在利他主义的情况下，“腐化”原理成为科斯定理的有力的替代物。

⑫ 关于自然世界中时间(和能源)的分配的简短的但有启发性的讨论参见 Wilson(1975，pp.143—43)。

⑬ 一个更合适的公式是

$$f = \alpha X$$

其中，$\alpha$ 取决于生物种类，$X$ 则由下式生成

$$X = \psi(t,\ S,\ E)$$

此公式与文中的公式本质上是相等的。

⑭ 动物间的利他主义揭示了，将真的利他主义与仿效的利他主义及其他表面的利他主义相区别是多么困难(Wilson，1975，pp.123—25)。

⑮ 若 $\pi_h = \pi_i = \pi_j = \pi_k$，…，则由(13)式必然有

$$G_c + L_h \geqslant 0$$

这里，$L_h$ 表示由利他主义引起的父母($h$)的适应性的总变化，$G$ 表示其子女的适应性的总变化。同样有

$$G_c > -2L_h$$

或者 $G_c$ 和 $L_h$ 均大于 0。

⑯ 几年前，Michael 和我已经有建议“在加速生产和对环境变化更有效的回应过程中，若基因自然选择和理性行为互相强化，社会偏好函数依据自然选择和理性选择随时间进化成最适应人类社会的偏好函数”(第 7 章)。

# 参考文献


Adams, James D. 1974. "Asset Transfers at Deathtime." Department of Economics, University of Chicago.

Adelman, I. 1963. "An Econometric Analysis of Population Growth." *American Economic Review* 53(June): 314—39.

Alchian, A. A. 1950. "Uncertainty, Evolution and Economic Theory." *Journal of Political Economy* 58(June).

Alchian, A. A., and Allen, W. R. 1967. *University Economics*. 2d ed. Belmont, Cal.: Wadsworth.

Alchian, A. A., and Demsetz, H. 1972. "Production, Information Costs, and Economic Organization." *American Economic Review* 62(December).

Alchian, A. A., and Kessel, R. A. 1960. "Competition, Monopoly, and the Pursuit of Pecuniary Gains." In Universities-National Bureau Conference for Economic Research, *Aspects of Labor Economics*. Princeton University Press.

Allport. 1955. *The Nature of Prejudice*. Cambridge, Mass.: Addison Wesley Press.

Alstrom, C. H. 1961. "A Study of Inheritance of Human Intelligence." *Acta Psychiatrica et Neurologica Scandinavica*.

Aptheker, H. 1946. *The Negro Problem in America*. New York: International Publishers.

Arrington, L. J. 1958. *Great Basin Kingdom*. Lincoln: University of Nebraska Press.

Arrow K. J. 1962. "Economic Welfare and Allocation of Resources for Invention." In National Bureau Committee for Economic Research, *The Rate and Direction of Inventive Activity*: *Economic and Social Factors*: Princeton: Princeton University Press.

Azzi, C., and Ehrenberg, R. 1975. "Household Allocation of Time and Church Attendance." *Journal of Political Economy* 83(February).

Bajema, C. J. 1963. "Estimation of the Direction and Intensity of Natural Selection in Relation to Human Inteligence by Means of the Intrinsic Rate of Natural Increase." *Eugenics Quarterly* 10(December).

Banks, W. H. 1955. "Differential Fertility in Madison County, New York, 1865." *Milbank Memorial Fund Quarterly* 33(April).

Barro, R. 1974. "Are Government Bonds Net Wealth?" *Journal of Political Economy* 82(November/December).

Becker, G. S. 1957(1st ed.), 1971(2d ed.). *The Economics of Discrimination*. University of Chicago Press.

——. 1960. "An Economic Analysis of Fertility." In *Demographic and Economic Change in Developed Countries*, a conference of the Universities-National Bureau Committee for Economic Research. Princeton University Press for the National Bureau of Economic Research. Reprinted as chapter 9 of this book.

——. 1961. "Notes on an Economic Analysis of Philanthropy," Mimeographed. National Bureau of Economic Research.

——. 1962. "Irrational Behavior and Economic Theory". *Journal of Political Economy* 70: 1—13. Reprinted as chapter 8 of this book.

——. 1964 (1st ed.), 1975 (2d ed.). *Human Capital*: *A Theoretical and Empirical Analysis*. New York: Columbia University Press for the National Bureau of Economic Research.

——. 1965. "A Theory of the Allocation of Time." *Economic Journal* 75. Reprinted in this volume as chapter 5.

——. 1967. *Human Capital and the Personal Distribution of Income*: *An Analytical Approach*. Ann Arbor: Institute of Public Administration, University of Michigan.

——. 1968. "Interdependent Preferences: Charity, Externalities, and Income Taxation." Mimeographed. University of Chicago.

——. 1969. "A Theory of Social Interactions." Manuscript. Printed in 1974 in the *Journal of Political Economy* 82(November/December) and reprinted as chap-

ter 12 of this book.
——. 1971*a*. *See* Becker 1957.
——. 1971*b*. *Economic Theory*. New York: Knopf.
——. 1973. "A. Theory of Marriage, Part Ⅰ." *Journal of Political Economy* 81 (July/August). *See* chapter 11 of this book.
——. 1974. "A Theory of Marriage, Part Ⅱ." *Journal of Political Economy* 82 (March/April), pt. 2. *See* chapter 11 of this book.
——.1975. *See* Becker 1964.
——. N. d. "Child Mortality, Fertility, and Population Growth." Mimeographed.
Becket, G. S., and Landes, W. M., eds. 1974. *Essays in the Econmics of Crime and Punishment*. New York: Columbia University Press for the national Bureau of Economic Research.
Becker, G. S., and Stigler, G. J. 1974. "Law Enforcement, Malfeasance, and Compensation of Enforcers." *Journal of Legal Studies* 3, no. 1(January): 1—18.
Becker, G. S., and Tomes, N. 1976. "Child Endowments and the Quantity and Quality of Children." *Journal of Political Economy* 84(August).
Benham, L. 1974. "Benefits of Women's Education Within Marriage." *Journal of Political Economy* 82(March/April).
Ben-Porath, Y. 1973. "Economic Analysis of Fertility in Israel: Point and Counterpoint." *Journal of Political Economy* 81(March/April). Supplement.
——. 1967. "The Production of Human Capital and the Life Cycle of Earnings." *Journal of Political Economy* 75(August).
Bentham, J. 1931*a*. *An Introduction to the Principles of Legislation*. New York: Harcourt, Brace.
——. 1931*b*. *Theory of Legislation*. New York: Harcourt, Brace.
——. 1952—54. "The Philosophy of Economic Science." In *J. Bentham's Economic Writings*, ed. Stark. 3vols. New York: Franklin.
——. 1963. *An Introduction to the Principles of Morals and Legislation*. New York: Hafner.
Ben-Zion, U., and Ehrlich, I. 1972. "A Model of Productive Saving." Unpublished. Fora revised, published version. See Ehrlich and Ben-Zion(1976).
Black, J. D. 1926. *Introduction to Production Economics*. New York: Henry Holt.
Blau, P. M. 1968. "Social Exchange." In *International Encyclopedia of the Social Sciences* ed. D. E. Sills. Vol. 7. New York: Macmillan and Free Press, 1968.

Boulding, K. 1966. *Economic Analysis*. New York: Harper and Row.

——. 1973. *The Economy of Love and Fear*. California: Wadsworth.

Brady, D., and Friedman, R. 1947. "Savings and the Income Distribution." In *Studies in Income and Wealth*, vol. 10. New York: National Bureau of Economic Research.

Burean of the Budget. 1967. *The Budget of United States Government*, 1968, *Appendix*. Washington: U. S. Government Printing Office.

Bureau of Prisons. 1960. *Prisoners Released From State and Federal Institutions*. National Prisoner Statistics. Washington: U. S. Department of Justice.

——. 1961. *Federal Prisons*, 1960. Washington: U. S. Department of Justice.

——. n. d. *Characteristics of State Prisoners*, 1960. National Prisoner Statistics. Washington: U. S. Department of Justice.

Cairncross, A. K. 1958. "Economic Schizophrenia." *Scottish Journal of Political Economy*(February).

Cagan, P. 1965. *Determinants and Effects of Changes in the Stock of Money*, 1875—1960. New York: Columbia University Press for the National Bureau of Economic Research.

Cavalli-Sforza, L. L., and Bodmer, W. F. 1971. *The Genetics of Human Population*. San Francisco: Freeman.

Chow, G. C. 1957. *Demand for Automobiles in the United States*. Amsterdam: North-Holland.

Coale, A. S., and McNeil, D.R. 1972. "The Distribution by Age of the Frequency of First Marriage in a Female Cohort." *Journal of the American Statistical Association* 67(December).

Coase, R. H. 1974. "The Market for Goods and the Market for Ideas." *American Economic Review* 64(May).

——. 1976. "Adam Smith's View of Man." *Journal of Law and Economics* 19 (October).

Conred, A. H., and Meyer, J. R. "The Economics of Slavery in the Ante Bellum South." *Journal of Political Economy* 66(April).

Coontz, S. H. 1957. *Population Theories and the Economic Interpretation*, *Part II*. London: Rontledge.

Corbett, W. J., and Hague, D. C, 1953—54. "Complementarity and the Excess Burden of Taxation." *Review of Economic Studies* 21.

Cox, D. R., and Smith, W. I. 1961. *Queues*. New York, Wiley.

Cox, O. C. 1948. *Caste, Class, and Race*. Garden City, N. J.: Doubleday.

Cramer, J. S. 1964. "Efficient Grouping, Regression and Correlation in Engel Curve Analysis." *Journal of the American Statistical Association* 59.

Crime Commission. *See* President's Commission.

"Criminal Safeguarde and the Punitive Damages Dafendant." 1967. *University of Chicago Law Review* 34.

Dean, E. 1966. *Toe Supply Responses of African Farmers: Theory and Measurement in Malawi*. Amsterdam: North-Holland.

DeTray, D. 1973. "Child Quality and the Demand for Children." *Journal of Political Economy* 81, no. 2, pt.2 (March/April): 70—95.

"Differential Fertility 1910 and 1940." 1945. Washington: Government Printing Office.

Director, A. 1964. "The Parity of the Economic Market Place." *Journal of Law and Economics* (October).

Dollard, J. 1937. *Caste and Class in a Southern Town*. New Haven: Yale University Press.

Dorjahn, V. R. 1958. "The Factor of Polygyny in African Demography." In *Continuity and Change in African Cullures*, ed. W. R. Bascom and M. J. Herskovits. University of Chicago Press.

Downs, A. 1957*a*. *An Economic Theory of Democracy*. New York: Harper.

——. 1957*b*. "An Economic Theory of Political Action in a Democracy." *Journal of Political Economy* 67: 135.

Dublin, L. I., and Lotka, A. J. 1946. *The Money Value of a Man*. New York: Ronald Press.

Duesenberry, J. S. 1949. *Income, Savings, and the Theory of Consumer Behavior*. Cambridge: Harvard University Press.

——. 1960. Comment on "An Economic Analysis of Fertility" (*see* Becker 1960).

Easterlin, R. A. 1961. "The American Baby Boom in Historical Perspective." *Americon Economic Review* (December).

"Economics." 1963. *Columbia Encyclopedia*. New York: Columbia University Press.

Edin, K. A., and Hutchinson, E. P. 1935. *Studies of Differential Fertility*. London.

Edwards, W. 1954, 1960. "The Theory of Decision Making." *Psychological Bulletin* 51(July). Reprinted in *Some Theories of Organization*, ed. A. Rubenstein and C. J. Haberrtroh. Homewood, Ill.: Irwin.

Ehrlich, I. 1967. "The Supply of Illegitimate Activities." Manuscript. Columbia University.

——. 1970. "Participation in Illegitimate Activities: An Economic Analysis." Ph. D. dissertation, Columbia University.

——. 1973. "Participation in Illegitimate Activities: A Theoretical and Empirical Investigation." *Journal of Political Economy* 81(May/June).

——. 1975. "Capital Punishment: A Case of Life or Death." *American Economic Review*(June).

Ehrlich, I., and Becker, G. S. 1972. "Market Insurance, Self-Insurance, and Self-Protection." *Journal of Political Economy* 80, no. 4(July/August): 623—48.

Ehrlich, I., and Ben-Zion, U. 1976. "Asset Management, Allocation of Time, and Returns to Saving." *Economic Inquiry* (September).

Federal Bureau of Investigation. 1960. *Uniform Crime Reports for the United States*. Washington: U. S. Department of Justice.

——. 1961. Ibid.

*Federal Reserve Bulletin*. August 1956.

"Fertility." 1955. Washington: Government Printing Office. Finnegan, A. 1962. "A Cross-Sectional Analysis of Hours of Work." *Journal of Political Economy* 70(October).

Fisher, I. 1892, 1926. *Mathematical Investigations in the Theory of Value and Price*. Reprinted New Haven: Yale University Press.

——. 1930. *The Theory of Interest*. New York: Macmillan.

Fisher, R. A. 1958. *The Genetical Theory of Natural Selection*. 2d ed New York: Dover.

Freedman, R.; Goldberg, D.; Sharp, H. 1955. "'Ideals' about Family Size in the Detroit Metropolitan Area, 1954." *Milbank Memorial Fund Quarterly* 33 (April).

Freedman, D. 1963. "The Relation of Economic Status to Fertility." *American Economic Review*(June).

Freiden, A. 1972. "A Model of Marriage and Fertility." Ph. D. dissertation, University of Chicago.

——. 1974. "The United States Marriage Market." *Journal of Political Economy* 82(March/April), pt. 2.

Friedman, M. 1953. "The Methodology of Positive Economics." In *Essays in*

*Positive Economics*. Chicago: University of Chicago Press.

Fuchs, Victor. 1968. *The Service Economy*. New York: Columbia University Press for the National Bureau of Economic Research.

Galbraith, V. L., and Thomas, D. S. 1956. "Birth Rates and the Interwar Business Cycles." In *Demographic Analysis*. Edited by J. J. Spengler and O. D. Duncan. Glencoe: Free Press.

Ghez, G. 1970. "A Theory of Life Cycle Consumption." Ph. D. dissertation, Columbia University.

Ghez, G. R., and Becker, G. S. 1975. *The Allocation of Time and Goods over the Life Cycle*. New York: Columbia University Press for the National Bureau of Economic Research.

Glass, D. V., and Grebenik, E. 1954. "The Trend and Pattern of Fertility in Great Britain." Papers of the Royal Commission on Population, vol. 6, London: H. M. Stationery Office.

Goode, W. 1963. *World Revolution and Family Patterns*. New York: Free Press.

De Grazia, S. 1962. *Of Time, Work and Leisure*. New York: Twentieth Century Fund.

Griliches, Z. 1957. "Hybrid Corn: An Exploration in the Economics of 'Technical Change'" *Econometrica* 25(October).

——. 1961. "Hedonic Price Indexes for Automobiles: An Econometric Analysis of Quality Change." In *The Price Statistics of the Federal Government*. National Bureau of Economic Research, General Series no.73.

Gronau, R. 1970*a*. "An Economic Approach to Marriage: The Intrafamily Allocation of Time." Paper presented at the Second World Congress of the Econometric Society, Cambridge, England.

——. 1970*b*. *The Value of Time in Passenger Transportation: The Demand for Air Travel*. New York: National Bureau of Economic Research, Occasional Paper 109.

——. 1972. *The Wage Rates of Women: A Selectivity Bias*. New York: National Bureau of Economic Research.

——. 1975. "Wage Comparison: A Selectivity Bias." *Journal of Political Economy* 83(November/December).

Grossman, M. 1971. "The Economics of Joint Production in the Household." Report 7145, Center for Mathematical Studies in Business and Economics, University of Chicago.

——. 1972. *The Demand for Health: A Theoretical and Empirical Investigation*. New York: Columbia University Press for the National Bureau of Economic Research.

Guttentag, J. 1958. "Some Studies of the Post-World War II Residential Construction and Mortgage Markets." Ph. D. dissertation, Department of Economics, Columbia University.

Hall, Edward T. 1959. *The Silent Language*. New York: Doubleday. Hammermesh, D., and Soss, N. M. 1974. "An Economic Theory of Suicide." *Journal of Political Economy* 82. (January/February).

Harberger, A. C. 1964 "Taxation, Resource Allocation and Welfare." In the Role *of Direct and Indirect Taxes in the Federal Revenue System*. Princeton University Press.

Harper, F.V., and James, F. 1956. *The Law of Torts*. Vol. 2. Boston: Little, Brown & Co.

Heckman, J. 1971. "Three Essays on Household Labor Supply and the Demand for Market Goods." Ph. D. dissertation, Princeton University.

——. 1974. "Shadow Prices, Market Wages, and Labor Supply." *Econometrica* 42, no. 4(July).

Henderson, J. M., 1958. *The Efficiency of the Coal Industry: An Application of Linear Programming*. Cambridge Harvard University Press.

Henderson, J.M., and Quandt, R.E. 1958. *Microeconomic Theory*. New York: McGraw-Hill.

Hicks, J.R. 1948. *The Theory of Wages*. New York: Peter Smith.

Higgins, J.V. ; Reed, W.E. ; and Reed, S.C. 1962. "Intelligence and Family Size: A Paradox Resolved." *Eugenics* Q. 9 (March).

Himes, N. A. 1936. *Medicai History of Contraception*. Baltimore: The Williams and Wilkins Company.

Hotelling, H., 1935. "Demand Functions with Limited Budgets." *Econometrica* (January), pp.66—78.

Houghton, D. H., and Philcox, D. 1950. "Family Income and Expenditure in a Ciskei Native Reserve." *South African Journal of Economics* 18(December).

Houthhakker, H. S. 1952. "Compensated Changes in Quantities and Qualities Consumed." *Review of Economic Studies* 29, no. 3:155—64.

——1961. "The Present State of Consumption Theory." *Econometrica* 29:704—40.

Huntington, E., and Whitney, L.F. 1927. *The Builders of America*. New York:

Morrow.

Jaffe, A. J. 1940. "Differential Fertility in the White Population in Early America." *Journal of Heredity* (August).

Jencks, C. 1972. *Inequality*. New York: Basic Books.

Johnson, H. 1952. "The Effect of Income-Redistribution on Aggregate Consumption With Interdependence of Consumers' Preferences." *Economica* (May).

Johnson, Thomas. 1967. "The Effects of the Minimum Wage Law." Ph. D. dissertation, Columbia University.

Juster, F.T. 1971. "A Framework for the Measurement of Economic and Social Performances." Mimeographed. New York: National Bureau of Economic Research.

Kain, J.F. 1963. *Commuting and the Resid ential Decisions of Chicago and Detroit Centrat Business District Workers*. New York: National Bureau of Economic Research.

Kaplan, A. and Lasswell, H. 1950. *Power and Society*. New Haven: Yale University Press.

Keeley, M.C. 1974. "A Model of Marital Formation: The Determinants of the Optimal Age of First Marriage and Differences in Age of Marriage." Ph. D. dissertation, University of Chicago.

Keynes, J.M. 1962. *The General Theory of Employment, Interest, and Money*. Harcourt, Brace and World.

Kirk, D. 1956. "The Relation of Employment Levels to Births in Germany." In *Demographic Analysis*. Edited by J. J. Spengler and O. D. Duncan. Glencoe: Free Press.

Kiser, C. V. 1960. "Differential Fertility in the United States. In *Demographic and Economic Change in Developed Countries*, a conference of the Universities-National Bureau Committee for Economic Research. Princeton University Press for the National Bureau of Economic Research.

Kleinman, E. 1967. "The Choice between Two 'Bads' —Some Economic Aspects of Criminal Sentencing." Mimeographed. Hebrew University, Jerusalem.

Kogut, E.L. 1972. "An Economic Analysis of Demographic Phenomena: A Case Study of Brazil." Ph. D. dissertation, University of Chicago.

Komesar, N. K. 1973. "Economic Analysis of Criminal Victimization." *Journal of Legal Studies* 2(June).

Koopmans, T. C., and Beckman, M. 1957. "Assignment Problems and the Location of Economic Activities." *Econometrica* 25 (January):53—76.

Kuratani, M. 1972. "Earnings Distribution and Specific Training: The Case of Japan." Ph. D. dissertation, Columbia University.

Lamson, H.D. 1933. "Differential Reproductivity in China." *The Qnarterly Review of Biology* 10, no.3(September).

Lancaster, K.J. 1966. "A New Approach to Consumer Theory." *Journal of Political Economy* 74.

——. 1966. "Change and Innovation in the Technology of Consumption." *American Economic Review* 56.

——. 1971. *Consumer Demand*. New York: Columbia University Press.

Landes, William. 1966. "The Effect of State Fair Employment Legislation on the Economic Position of Nonwhile Males." Ph. D. dissertation, Columbia University, 1966.

*Laws of New York*. 1965. Vol.2.

Leibenstein, H. 1950. "Bandwagon, Snob, and Veblen Effects in the Theory of Consumers' Demand." *Quarterly Journal of Economics* 64(May):183—207.

——. 1957. *Economic Backwardness and Economic Growth*. New York: Wiley.

Leibowitz, A.S. 1972. "Women's Allocation of Time to Market and Nonmarket Activities: Differences by Education." Ph. D. dissertation, Columbia University.

——. 1975. "Education and the Allocation of Women's Time." In *Education, Income and Human Behavior*, edited by F. Juster, pp.171—198. New York: McGraw-Hill for the Carnegie Commission on Higher Education.

Leontief, W. 1947, 1966. "Introduction to a Theory of the Internal Structure of Functional Relationships." *Econometrica* 15, no. 4. Reprinted in his *Essays in Economics*, 1947. New York: Oxford University Press.

Linder, S. 1970. *The Harried Leisure Class*. New York: Columbia University Press.

Lipset, S.M., and Bendix, R. 1959. *Social Mobility in Industrial Societies*. Berkeley: University of California Press.

Marris, R.L. 1957. "Professor Hicks' Index Number Theorem." *Review of Economic Studies* 25(October):25—39.

Marschak, J. 1965. "Economics of Language." *Behavioral Science* 10(April).

Marshall, Alfred. 1922, 1961, 1962. *Principles of Economics* 8th ed. New York, London: Macmillan.

McCall, J.J. 1970. "Economics of Information and Job Search." *Quarterly Journal of Economics* 84(February).

McPherson, M. 1974. "The Effects of Public on Private College Enrollment." Ph. D. dissertation, University of Chicago.

McWilliams, C. 1948. *A Mask for Privilege: Anti-Semitism in America*. Boston. Little, Brown.

Merton, R.K. 1968. *Social Theory and Social Structure*. New York: Free Press.

——. 1973. *The Sociology of Science*. University of Chicago Press.

——. 1975. "Structural Analysis in Sociology." In *Approaches to the Study of Social Structure*, ed. P.M. Blau. New York: Free Press.

Michael, R.T. 1972. *The Effect of Education on Efficiency in Consumption*. National Bureau of Economic Research.

——. 1973a. "Education and the Derived Demand for Children." *Journal of Political Economy* 81(March/April), pt, 2.

——. 1973b "Education in Nonmarket Production." *Journal of Political Economy* 81(March/April).

Michael, R.T., and Becker, G.S. 1973. "On the New Theory of Consumer Behavior." *The Swedish Journal of Economics* 75, no.4. Reprinted in this volnme as chapter7.

Mincer, J. 1963a. "Labor Force Participation of Married Women." In *Aspects of Labor Economics*. New York: National Bureau of Economic Research.

——. 1963*b*. "Market Prices, Opportunity Costs, and Income Effects." In *Measurement in Economics*, ed. C. Christ. Stanford University Press.

——1974. *Schooling, Experience, and Earnings*. New York: Columbia University Press for the National Bureau of Economic Research.

Mitchell, W. C. 1937. *The Backward Art of Spending Money and Other Essays*. New York: McGraw-Hill.

Mohring, H. 1961. "Land Values and the Measurement of Highway Benefits." *Journal of Political Economy* 69 (June).

Moore, W. 1963. *Man, Time and Society*. New York: Wiley.

Morgan, J.N.; David, M.H.; Cohen, W.J.; and Brazer, H.E. 1962. *Income and Welfare in the United States*. New York: McGraw-Hill.

Mortensen, D.T. 1970. "Job Search, the Duration of Unemployment, and the Phillips Curve." *American Economic Review* 60:847—62.

Moses, L.N., and Williamson, H.F. 1963. "Value of Time, Choice of Mode, and the Subsidy Issue in Urban Transportation." *Journal of Political Economy* 71

(June).

Muth, R. 1961. "Economic Change and Rural-Urban Conversion." *Econometrica*, vol. 29, no. 1(January).

——. 1966. "Household Production and Consumer Demand Functions." *Econometrica* 34.

Nelson, P.J. 1970. "Information and Consumer Behavior."
*Journal of Political Economy* 78(March/April).

——. 1975. "The Economic Consequeuce of Advertising." *Journal of Business* 48 (April).

Nerlove, M., and Schultz, T.P. 1970. "Love and Life between the Censuses: A Model of Family Decision Making in Puerto Rica 1950—1960." RM-6322-AID, RAND, Santa Monica, California.

Ofek, H. 1972. "Allocation of Goods and Time in a Family Context." Ph. D. dissertation, Columbia University.

Okun, Bernard. 1958*a*. "A Rational Economic Model For the Birth Rate." RAND Corporation Series, P1458, August.

——. 1958*b*. *Trends in Birth Rates in the United States Since* 1870. Baltimore: The Johns Hopkins Press.

Owen, J.D. 1969. *The Price of Leisure*. Rotterdam University Press and McGill-Queens University Press.

Pantaleoni, M. 1892, 1898. *Pure Economics*. Clifton, N.J.: Kelley, 1892; London: Macmillan, 1898.

Parsons, D.O. 1974. "Intergenerational Wealth Transfers and the Educational Decisions of Male Youth." Mimeographed. Ohio State University.

Parsons, T. 1968. "Social Interactions." In *International Encyclopedia of the Social Sciences*, ed. D.S. Sills. Vol. 7. New York: Macmillan and Free Press.

Peltzman, S. 1973. "The Effect of Government Subsidies-in-Kind on Private Expenditures: The Case of Higher Education." *Journal of Political Economy* 81 (January/February).

Pigou, A. 1903. "Some Remarks on Utility." *Economic Journal* 13:19—24.

——. 1962. *The Economics of Welfare*. 4th ed. New York: St. Martin's Press.

Plant, A. 1934. "The Economic Theory Concerning Patents for Inventions." *Economica* 1(February).

Pollock, F., and Maitland, F.W. 1952. *The History of English Law*. Vol. 2. 2d ed. Cambridge University Press.

Posner, R. 1973. *Economic Analysis of Law*. Boston: Little, Brown.

Potter, R.G. 1955. "The Influence of Primary Groups on Fertility." Ph. D. dissertation, Department of Social Relations, Harvard University.

——. 1956. "A Critique of the Glass-Grebenik Model for Indirectly Estimating Desired Family Size." *Population Studies* 9(March).

Prais, S.J., and Houthhakker, H. 1955. *The Analysis of Family Budgets*. Cambridge University Press.

President's Commission on Law Enforcement and Administration of Justice. 1967*a*. *The Challenge of Crime in a Free Society*. Washington: U. S. Government Printing Office.

——. 1967b. "Task Force Reports." *Corrections*. Washington: U. S. Government Printing Office.

——. 1967c. "Task Force Reports." *The Courts*. Washington: U. S. Government Printing Office.

——. 1967d. "Task Force Reports." *Crime and Its Impactan Assessment*. Washington: U.S. Government Printing Office.

——. 1967e. "Task Force Reports." *Science and Technology*. Washington: U. S. Government Printing Office.

Radzinowicz, L. 1948. *A History of English Criminal Law and Its Administration from* 1750. Vol. 1. London: Stevens.

*The Random House Dictionary of the English Language*. 1967. Unabridged ed. New York: Random House.

Rees, Albert. 1968. "Economics." In *International Encyclopedia of the Socia Sciences*, ed. D.E. Sills. New York: Macmillan and Free. Press.

Reid, M.G. 1934. *Economics of Household Production*. New York: Wiley.

——. 1962. Housing and Income. University of Chicago Press.

——. 1963. "Consumer Response to the Relative Price of Store versus Delivered Milk." *Journal of Political Economy* 71(April).

Reischauer, R. 1970. "The Impect of the Welfare System on Black Migration and Marital Stability." Ph. D. dissertation, Columbia University.

Reiss, A. J. 1968. "Sociology." In *International Encyclopedia of the Social Sciences*, ed. D.E. Sills. New York: Macmillan and Free Press.

Rivers, W.H. 1906. *The Todas*. London: Macmillam.

Robbins, L. 1930. "On the Elasticity of Demand for Income in Terms of Effort." *Economica* 10(June).

——. 1962. *The Nature and Significance of Economic Science* London: Macmillan.

Rockwell, G.R. 1959. "Income and Household Composition: Their Effects on Food Consumption." Marketing Research Report No.340. Washington: U.S.Department of Agriculture.

Roper, E. 1948. "The Price Business Pays." In *Discrimination and the National Welfare*, edited by R.M. Maclver. New York: Harper.

Rose, A. 1951. *The Costs of Prejudice*. Paris: UNESCO.

Saenger, G. 1953. *The Social Psychology of Prejudice*. New York: Harper.

Salzano, F.M. ; Neel, J.V. ; and Maybury-Lewis, D. 1967. "Further Studies on the Xavante Indians." *American Journal of Human Genetics*(July):463—89.

Samuelson, P.A. 1947. *The Foundations of Economic Analysis. Cambridge*: Harvard University Press.

——. 1954. "The Pure Theory of Public Expenditures." *Review of Economics and Statistes* 36(November).

——. 1956. "Social Indifference Curves." *Quarterly Journal of Economics* 70(February).

Santos, F.P. 1970. "Marital Instability and Male-Female ComPlementarity." Ph. D. dissertation, Columbia University.

Schilling, T. C. 1967. "Economic Analysis of Organized Crime." In President's Commission on Law Enforcement and Administration of Justice. *Ocganized Crime*. ("Task Force Reports"). Washington: U. S. Government Printing Office.

Schnore, L.F. 1963. "The Socio-Economic Status of Cities and Suburbs." *American Sociological Review* 68(February).

Schoeck, H. 1966. *Envy* New York: Harcourt, Brace and World.

Schultz, T.W. 1960. "The Formation of Human Capital by Education." *Journal of Political Economy* 68 (December). Reprinted in Becker(1975).

——. 1967. *The Economic Value of Education*. New York: Columbia University Press.

——. 1972. "Human Capital: Policy Issues and Research Opportunities." In *Human Resources*. New York: National Bureau of Economic Research, Colloquium VI.

——. ed. 1973. "New Economic Approaches to Fertility." *Journal of Political Economy* 81(March/April).pt.2.

——. ed. 1974. *Economics of the Family: Marriage, Children, and Human Capital*. University of Chicago Press for the National Bureau of Economic Research.

Schumpeter, J. 1942. *Capitalism, Socialism, and Democracy*. Reprinted New York: Harper, 1950.

Schwartz, R. 1970. "Personal Philanthropic Contributions." *Journal of Political Economy* 78(November/December).

Senior, N. W. 1965. *An Outline of the Science of Political Economy*. New York: Sentry Press.

——. 1938. *Political Economy*. Library of Economics Edition.

Shaw, G.B. 1930. *Man and Superman. In The Collected Works of Bernard Shaw*. Vol. 10. New York: Wise.

Shawness, Lord. 1965. "Crime Does Pay because We Do Not Back up the Police." *New York Times Magazine*, 13 June.

Shoup, C. 1966. *Federal Estate and Gift Taxes*. Washington, D.C.: The Brookings Institution.

Silver, M. 1965. "Birth Rates, Marriages, and Business Cycles in the U.S." *Journal of Political Economy* 73 (November/December).

Simons, H. 1934, 1948. *A Positive Program for Laissez-faire: Some Proposals for a Liberal Economy*. University of Chicago Press. Reprinted in H. Simons, *Economic Policy for a Free Society*. University of Chicago Press.

Smigel, Arleen. 1965. "Crime and Punishment: An Economic Analysis." Master's thesis, Columbia University.

Smith, Adam. 1937. *The Wealth of Nations*. New York. Modern Library.

——. 1968. *The Theory of Moral Sentiments*, ed. E. G. West. New Rochelle, N.Y.: Arlington House.

Smith, J. 1972. "The Life Cycle Allocation of Time in a Family Context." Ph. D. dissertation, University of Chicago.

Smith, V. 1975. "The Primitive Hunter Culture, Pleistocene Extinction, and the Rise of Agriculture." *Journal of Political Economy* 83(August). Stigler, G.J. 1945. "The Cost of Subsistence." *Journal of Farm Economics* 27.

——. 1950. "Employment and Compensation in Education." National Bureau of Economic Research, Occasional Paper 33.

——. 1961. "The Economics of Information." *Journal of Political Economy* 69 (June).

——. 1962. "What Can Regulators Regulate? The Case of Electricity." *Journal of Law and Economics* 5(October).

——. 1964. "A Theory of Oligopoly." *Journal of Political Economy* 72(February).

——. 1966. "The Economic Effects of the Antitrust Laws." *Journal of Law and Economics* 9(October).

——. 1971. "Smith's Travels on the Ship of State." *History of Political Economy* (Fall).

——. 1974, "Do Economisists Matter?" Mimeographed. University of Chicago. Published in 1976 in the *Southern Economic Journal* 42(January).

Stigler, G. J., and Eecker, G. S. 1977, "De Gustibus Non Est Disputandum." *American Economic Review* 67(March).

Sutherland, E.H. 1960. *Principles of Criminology*. 6th ed. Philadelphia: J.B. Lippincott Co.

Tarver, J.D. 1956. "Costs of Rsaring and Education Farm Children." *Journal of Farm Economics* 38(February).

Taussig, M. 1965. "The Charitable Contribution in the Federal Personal Income Tax." Ph. D. dissertation, Massachusetts Institute of Technology.

Theil, H. 1952. "Qualities, Prices, and Budget Inquiries." *Review of Economic Studies* 19, no. 3.

Tobin, J. 1950. "A Statistical Demand Function for Food in the U.S.A." *Journal of the Royal Statistical Society* 113, Series A.

——. 1952. "A Survey of the Theory of Rationing." *Econometrica* 20, no. 4 (October).

Trivers, R.L. 1974. "Parent-Offspring Conflict." *American Zoologist*.

United Nations Statistical Office. 1950. "National and Per Capita Incomes in Seventy Countries, 1949." New York: United Nations Statistical Office.

U.S. Burean of the Census. *Census of Population*, 1940: Washington, D.C.: U.S. Government Printing Office.

——. 1952. *Census of Population*, 1950: Washington, D.C.: U.S. Government Printing Office.

——. 1953. *Census of Population*, 1950: *Special Report on NonWhite Populations, by Race* Washington, D.C.: U.S. Government Printing Office.

——. 1954. *Statistical Abstract of the United States*, 1953. Washington, D.C.: U.S. Government Printing Office.

——. 1963. *Census of Population*: 1960. Washington, D.C.: U.S. Government Printing Office.

——. 1971. *Social and Economic Variations in Marriage, Divorce, and Remarriage*: 1967. Current Population Reports, series P-20, no. 223. Washington, D.C.: U.S. Government Printing Office.

Vance, Rupert B. 1952. "Is Theory for Demographers?" Social Forces 31.

Veblen, T. 1934. *The Theory of the Leisure Class*. New York: Modern Library.

Vickery, W. S. 1962. "One Economist's View of Philanthropy." In *Philanthropy and Public Policy*, ed. F. Dickinson. New York: National Bureau of Economic Research.

Walsh, B. M. 1972. "Trends in Age at Marriage in Postwar Ireland." *Demography* 9(May).

Waters, R. H., and Brunnell, B. N. 1968. "Comparative Psychology." In *International Encyclopedia of the Social Sciences*, ed. D. E. Sills. New York: Macmillan and Fres Press.

Weintraub, R. 1962. "The Birth Rate and Economic Development: An Empirical Study." *Econometrica* 30, no. 4 (October).

Whelpton, P. K. 1947. *Forecasts of the Population of the United States* 1945—1975. Bureau of the Census. Washington, D. C.: U. S. Government Printing Office.

Whelpton, P. K., and Kiser, C. V., eds. 1951. *Social and Psychological Factors Affecting Fertility*. New York: Milbank Memorial Fund, 1951.

Wilburn, J. 1967. "A Contrast in Productivity Trends within Personal Services: The Barber and Beauty Shop Services." In *Productivity Differences within the Service Sector*, ed. V. Fuchs and J. Wilburn. New York: National Bureau of Economic Research, Occasional Paper 102.

Willis, R. J. 1969. 1971, 1973, "A New Approach to the Economic Theory of Fertility." Mimeographed 1969 and revised 1971, National Bureau of Economic Research. Printed 1973 in *Journal of Political Economy* 81(March/April), pt. 2.

Wilson, E. O. 1975. *Sociobiology*. Cambridge: Harvard University Press.

Wilson, F. 1972. *Labor in the South African Gold Mines*, 1911—1969. Cambridge University Press.

Winch, R. E. 1958. Mate Selection. New York: Harper.

——. 1967. "Another Look at the Theory of Complementarity Needs in Mate Selection." *Journal of Marriage and the Family* 29(November).

Young, K. 1954, *Isn't One Wifi Enough*? New York: Holt.

# 译者后记

本书第 1、2、5、6、7、8、12、13 章由王业宇同志翻译，第 3、4、9、10、11 章由陈琪同志翻译。全书由王业宇同志校订、删改定稿。郑华美同志为书稿的最终完成付出了一定的劳动。原著包含大量的注释。本书初版时，为了节省篇幅，在无损原作宏旨的前提下，我们删除了相当一部分注释以及附在第 4 章、第 10 章和第 11 章后的较长的数学附录。此次再版，格致出版社的钱敏编辑补译了这部分内容。本书书末附有参考文献，其中包括本书章节的采辑出处，以便有兴趣的读者作进一步的深入研究。

在确定选题和译著出版过程中，我们得到了陈昕、朱国安同志的热情支持与帮助，俞中华同志极其认真地校阅了一遍，特此致谢。

由于译者水平有限，译文中恐有不妥或错误之处，敬请广大读者指正。

译　者

2015 年 5 月

**图书在版编目（CIP）数据**

人类行为的经济分析/(美)加里·贝克尔著;王业宇,陈琪译.—上海:格致出版社:上海人民出版社,2016.8
(世纪中国论坛典藏文库)
ISBN 978-7-5432-2651-7

Ⅰ.①人… Ⅱ.①加… ②王… ③陈… Ⅲ.①行为经济学—研究 Ⅳ.①F069.9

中国版本图书馆CIP数据核字(2016)第172124号

责任编辑 钱 敏
装帧设计 陈 楠

·世纪中国论坛典藏文库·
**人类行为的经济分析**
[美]加里·S.贝克尔 著
王业宇 陈琪 译

世纪出版股份有限公司 格致出版社
世 纪 出 版 集 团 上海人民出版社 出版
(200001 上海福建中路193号 www.ewen.co)
上海世纪出版股份有限公司发行中心发行
上海中华印刷有限公司印刷
开本720×1000 1/16 印张21 插页4 字数318,000
2016年8月第1版 2016年8月第1次印刷
ISBN 978-7-5432-2651-7/F·950
定价 72.00元

上海市版权局著作权合同登记章:图字 09 - 2006 - 853 号